Dolina Issy

CZESŁAW MIŁOSZ

Dolina Issy

LEKCJA LITERATURY z MARKIEM ZALESKIM

Wydawnictwo Literackie

Tekst według wydania:
Czesław Miłosz, *Dolina Issy*. *Dzieła zebrane*, WL, Kraków 2000
Redakcja: Maria Rola

Projekt serii
Małgorzata Nycz, Krzysztof Lisowski

Redaktor prowadzący
Anita Kasperek

Projekt okładki i stron tytułowych
Marek Pawłowski

Redaktor techniczny
Bożena Korbut

Wszystkie książki Wydawnictwa Literackiego
oraz bezpłatny katalog
można zamówić:
ul. Długa 1
31-147 Kraków
bezpłatna linia telefoniczna: 0 800 42 10 40
księgarnia internetowa: www.wydawnictwoliterackie.pl
e-mail: ksiegarnia@wydawnictwoliterackie.pl
fax: (+48-12) 430-00-96
tel.: (+48-12) 619-27-70

ISBN 978-83-08-04370-7

I

Należy zacząć od opisu Kraju Jezior, w którym mieszkał Tomasz. Te okolice Europy długo były pokryte lodowcem i jest w ich krajobrazie surowość północy. Ziemia jest tu na ogół piaszczysta i kamienista, zdatna pod uprawę tylko kartofli, żyta, owsa i lnu. Tym tłumaczy się, że człowiek nie zniszczył tu lasów, które łagodzą nieco klimat i chronią od wiatrów Bałtyckiego Morza. Przeważa w nich sosna i świerk, są również brzozy, dęby i graby, brak całkowicie buków, granica ich zasięgu przebiega o wiele dalej na południe. Można lasami podróżować tu długo, nigdy nie nużąc oczu, bo jak ludzkie miasta, społeczeństwa drzew mają swoje niepowtarzalne właściwości, tworzą wyspy, strefy, archipelagi, znaczone tu i ówdzie jakąś drogą z koleinami w piasku, leśniczówką, starą smolarnią, której rozpadające się piece obrosła roślinność. I zawsze w pewnej chwili jest z pagórka widok na niebieską taflę jeziora z białą, ledwo dostrzegalną plamką perkoza, ze sznurem kaczek ciągnących nad trzcinami. Na bagnach lęgną się tutaj masy błotnego ptactwa, na wiosnę w bladym tutejszym niebie trwa wracający seriami warkot, wa-wa-wa bekasów — taki dźwięk wydaje powietrze w ich sterach z piór, kiedy odprawiają swoje monotonne akrobacje oznaczające miłość. Ten wątły warkot i bełkot cietrzewi, jakby gdzieś daleko gotował się horyzont, i kumkanie tysięcy żab na łąkach (ich liczba decyduje o liczbie bocianów, mających swoje gniazda na dachach chat i stodół) są tutaj głosami tej pory, kiedy po gwałtownym topnieniu śniegów kwitnie kaczeniec i wilcze łyko — drobne różowoliliowe kwiatki na krzakach jeszcze bez liści. Dwie pory roku są temu krajowi właściwe, jakby dla nich był stworzony:

wiosna i jesień — długa, najczęściej pogodna, pełna zapachów moknącego lnu, stukania międlic, biegnących z daleka ech. Gęsi ogarnia wtedy niepokój, zrywają się nieporadnie chcąc wzbić się za dzikimi, które nawołują z wysoka; zdarza się, że ktoś przynosi do domu bociana ze złamanym skrzydłem: to ten, co uratował się od śmierci, jaką towarzyszowi niezdolnemu lecieć w podróż nad Nil wymierzają dziobami strażnicy prawa: opowiada się, że tam i tam wilk porwał komuś wieprzka; z lasów słychać muzykę psów gończych: sopran, bas i baryton szczekają w biegu, goniąc za zwierzyną, i po modulacji poznaje się, czy idą śladem zająca czy sarny.

Fauna jest tu mieszana, jeszcze niecałkowicie północna. Zdarzają się pardwy, ale są i kuropatwy. Wiewiórka ma zimą futerko szarawe, ale niecałkowicie szare. Są dwa gatunki zajęcy — jeden zwykły, który wygląda zimą i latem tak samo. Drugi, bielak, zmienia sierść i jest nie do odróżnienia od śniegu. To współistnienie gatunków daje materiał do rozważań uczonym, a sprawa komplikuje się jeszcze przez to, że, jak mówią myśliwi, zając zwykły ma dwie odmiany: polną i leśną, krzyżującą się czasem z bielakiem.

Człowiek do niedawna wyrabiał tutaj w domu wszystko, co było mu potrzebne. Nosił grube płótno, które kobiety rozkładają na trawie i polewają wodą, żeby zbielało na słońcu. W porze bajek i pieśni, późną jesienią, palce wyciągały z motka wełny przędzę, przy miarowym stukaniu pedału kołowrotków. Z tej przędzy gospodynie tkały sukna na domowych warsztatach, zazdrośnie strzegąc sekretów wzoru: w jodełkę, w siatkę, taki kolor na osnowę, taki na odetkę. Łyżki, kadzie i narzędzia gospodarskie strugano własnym przemysłem, tak samo jak chodaki. Latem noszono przeważnie łapcie, wyplatane z lipowego łyka. Dopiero po pierwszej wojnie światowej powstawać zaczęły spółdzielcze mleczarnie i stacje skupu zboża i mięsa, a rodzaj potrzeb mieszkańców wiosek zaczął ulegać zmianie.

Chaty buduje się tutaj z drzewa, kryje się nie słomą, a gontem. Żurawie, złożone z poprzecznej żerdzi, opartej o rozwidlony słup i obciążonej na jednym końcu, służą do wyciągania wiadra ze studni. Ambicją gospodyń jest mały ogródek przy wejściu. Hodują w nim georginie i malwy: coś, co buja wysoko pod ścianę, a nie ozdabia tylko ziemi i czego przez płot nie widać.

Od tego ogólnego obrazu trzeba przejść do doliny rzeki Issy, która pod wieloma względami jest wyjątkiem w Kraju Jezior. Issa jest czarna, głęboka, o leniwym prądzie, szczelnie obrosła łoziną; jej powierzchnia miejscami jest ledwie widoczna pod liśćmi lilii wodnych; wije się po łąkach, a pola, rozłożone na łagodnych zboczach po obu jej stronach, mają glebę urodzajną. Dolina jest błogosławiona przez rzadki u nas czarnoziem, bujność swoich sadów i może odcięcie od świata, które ludziom tutejszym nigdy nie przedstawiało się jako dokuczliwe. Wioski są tu bogatsze niż gdzie indziej, siedzące albo przy jedynej dużej drodze wzdłuż rzeki, albo wyżej nad nią, na tarasach, i przyglądające się sobie wieczorem światłami okien poprzez obszar, który powtarza jak pudło rezonansowe stuk młotka, szczekanie psów i głosy ludzi — może dlatego tak znana jest ze swoich starych pieśni, które śpiewa się tutaj, rozkładając je na głosy, nigdy unisono, starając się zawsze zwyciężyć rywali w wiosce naprzeciwko przez ładniejsze, powolne dogasanie frazy. Zbieracze folkloru zapisali nad Issą wiele motywów, sięgających czasów pogańskich, jak choćby tę opowieść o Księżycu (który u nas jest mężczyzną), wychodzącym z łoża małżeńskiego, gdzie spał ze swoją żoną — Słońcem.

II

Osobliwością doliny Issy jest większa niż gdzie indziej ilość diabłów. Być może spróchniałe wierzby, młyny, chaszcze na brzegach są szczególnie wygodne dla istot, które ukazują się oczom ludzkim tylko wtedy, kiedy same sobie tego życzą. Ci, co je widzieli, mówią, że diabeł jest nieduży, wzrostu dziewięcioletniego dziecka, że nosi zielony fraczek, żabot, włosy splecione w harcap, białe pończochy i przy pomocy pantofli na wysokich obcasach stara się ukryć kopyta, których się wstydzi. Do tych opowiadań trzeba się odnieść z pewną ostrożnością. Jest prawdopodobne, że diabły, znając zabobonny podziw ludności dla Niemców — ludzi handlu, wynalazków i nauki — starają się sobie dodać powagi, ubierając się jak Immanuel Kant z Królewca. Nie darmo inna nazwa nieczystej siły jest nad Issą „Niemczyk" — oznaczająca, że diabeł jest po stronie postępu. Jednak trudno przypuścić, żeby nosiły taki strój na co dzień. Na przykład ulubioną ich zabawą jest tańczyć w osieciach, pustych szopach, gdzie międli się len, stojących zwykle na uboczu od zabudowań: jakże mogłyby we frakach wzbijać kłęby kurzu i paździerzy, nie troszcząc się o zachowanie przyzwoitego wyglądu? I dlaczego, jeśli dany jest im jakiś rodzaj nieśmiertelności, miałyby wybrać właśnie strój z osiemnastego wieku?

Nie wiadomo właściwie, do jakiego stopnia mogą zmieniać postać. Kiedy dziewczyna zapala dwie świece w wigilię świętego Andrzeja i patrzy w lustro, może zobaczyć przyszłość: twarz mężczyzny, z którym złączone będzie jej życie, czasem twarz śmierci. Czy to diabeł tak się przebiera, czy działają tutaj inne magiczne moce? I jak odróżnić istoty, które zjawiły się tutaj z nastaniem chrześcijaństwa, od innych, dawnych tubylców: od leśnej czarownicy, która zamienia dzieci w kołyskach, czy od maleńkich ludzi wychodzących nocą ze swoich pałaców pod korzeniami czarnego bzu? Czy diabły i te różne inne stwory mają ze

sobą jakieś porozumienie, czy też po prostu są obok siebie, jak są obok siebie sójki, wróble i wrony? I gdzie jest
kraina, do której chronią się i jedne, i drugie, kiedy glebę
gniotą gąsienice czołgów, kiedy nad rzeką kopią sobie
płytkie groby ci, co mają być rozstrzelani, a wśród krwi
i łez, w aureoli Historii, wschodzi Uprzemysłowienie?
Czy można sobie wyobrazić jakiś sejm w pieczarach, głęboko we wnętrzu ziemi, gdzie jest już gorąco od ogni
płynnego centrum planety, sejm, na którym setki tysięcy
małych diabłów we frakach, poważnie i ze smutkiem,
słuchają mówców reprezentujących komitet centralny piekieł? Oto mówcy obwieszczają, że w interesie sprawy
skończone jest hasanie po lasach i łąkach, że moment
wymaga innych środków i że wysoko kwalifikowani spe-
cjaliści działać będą już tak, żeby ich obecności nie podejrzewał umysł śmiertelnych. Rozlegają się oklaski, ale
wymuszone, bo obecni już rozumieją, że byli potrzebni
tylko w okresie przygotowawczym, że postęp zamyka ich
w ponurych czeluściach i że nie zobaczą już zachodów
słońca, lotu zimorodków, iskrzących się gwiazd, wszelkich
cudów nieobjętego świata.

Rolnicy nad Issą stawiali na progu chaty miseczkę
z mlekiem dla łagodnych wężów wodnych, które nie bały
się ludzi. Potem stali się gorliwymi katolikami i obecność
diabłów przypominała im o walce, jaka się toczy o ostateczne panowanie nad duszą ludzką. Czym staną się jutro?
Opowiadając nie wie się, jaki wybrać czas, teraźniejszy czy
przeszły, jakby to, co minęło, nie było całkowicie minione,
dopóki trwa w pamięci pokoleń — czy tylko jednego
kronikarza.

Może diabły upodobały sobie Issę ze względu na jej
wodę? Mówi się, że ta ma właściwości wpływające na usposobienie ludzi, jacy się rodzą nad jej brzegami. Są skłonni
do zachowania się ekscentrycznego, dalecy od spokoju,
a ich niebieskie oczy, jasne włosy i nieco ociężała budowa
są złudnym tylko pozorem nordyckiego zdrowia.

III

Tomasz urodził się w Giniu nad Issą w porze, kiedy doj-
rzałe jabłko spada ze stukiem na ziemię w ciszy popołudni,
a w sieniach stoją kadzie brunatnego piwa, które warzy się
tutaj po zakończeniu żniw. Ginie to przede wszystkim góra
zarosła dębami. W tym, że zbudowano na niej drewniany
kościół, kryje się intencja wroga dawnej religii albo, być
może, chęć przejścia od dawnej do nowej bez wstrząsów:
na tym miejscu odprawiali kiedyś swoje obrzędy ofiarnicy
boga piorunów. Z trawnika przed kościołem, opierając się
o ogrodzenie z głazów, widzi się na dole pętle rzeki, prom
z wózkiem na nim, posuwający się powoli wzdłuż liny,
za którą ciągnie miarowo ręka przewoźnika (nie ma tu
mostu), drogę, dachy między drzewami. Nieco z boku
stoi plebania z szarym dachem z drewnianych gontów,
podobnym do korabia na obrazkach. Wszedłszy na schodki i nacisnąwszy klamkę, stąpa się po posadzce z wytartych
cegiełek ułożonych ukośnie w jodełkę, a światło pada na
nią przez zielone, czerwone i żółte szybki, które budzą
podziw dzieci.

Między dębami, na zboczu, jest cmentarz, a na nim,
w kwadracie łańcuchów łączących kamienne słupki, leżą
przodkowie Tomasza z rodziny jego matki. Z jednej strony
do cmentarza przytykają obłe wzniesienia, na których
latem jaszczurki szmyrgają spomiędzy cząbrów. Nazywa
się to Szwedzkie Wały. Usypali je albo Szwedzi, którzy
przyjeżdżali tutaj zza morza, albo ci, co bili się z nimi;
znajduje się tutaj czasem szczątki pancerzy.

Za Wałami zaczynają się drzewa parku, jego skrajem
przebiega droga, bardzo stroma, która zmienia się w czasie
roztopów w łożysko potoku. Przy drodze z tajemniczej
kępy tarnin wystają ramiona krzyża. Dostać się do niego
trzeba po trawie na resztkach stopni i wtedy ma się pod
sobą okrągłą jamę krynicy, żaba wytrzeszcza oko spod
krawędzi, a przyklękając i odgarniając rzęsę, można długo

wpatrywać się w obracającą się na dnie kulkę wody. Zadziera się głowę i wtedy ukazuje się obrosły mchem Chrystus z drzewa. Siedzi w rodzaju kapliczki, jedną rękę trzyma na kolanach, a na drugiej wspiera podbródek, bo jest smutny.

Od drogi aleją idzie się w stronę domu. Jak tunel, tak gęste są tutaj lipy, zniża się aż do sadzawki koło świrna. Sadzawka ma na imię Czarna, bo nigdy nie dosięga jej słońce. W nocy chodzić tutaj jest straszno; widziano tu nieraz czarną świnię, która chrząka, tupie racicami po ścieżkach i przeżegnana, znika. Za sadzawką aleja wznosi się znowu i nagle otwiera się jasność gazonu. Dom jest biały, tak niski, że dach, na którego deszczułkach mieszka gdzieniegdzie mech i trawa, wydaje się go przygniatać. Dzikie wino, którego jagody ściągają język, oplata okna i dwie kolumienki na ganku. Z tyłu dobudowano skrzydło budynku — tam wszyscy przenoszą się na zimę, bo front butwieje i zapada się od wilgoci, jaka przedostaje się spod podłogi. Skrzydło składa się z wielu pokoi, stoją w nich kołowrotki, warsztaty tkackie i prasy do walowania sukna.

Kołyska Tomasza umieszczona była w starej części domu, od ogrodu, i pierwszym dźwiękiem, jaki go witał, były pewnie krzyki ptaków za oknem. Wiele czasu zużył, kiedy już chodził, na zwiedzanie izb i zakamarków. W sali jadalnej bał się zbliżać do ceratowej kanapy — mniej z powodu portretu mężczyzny w zbroi, z rąbkiem purpurowej szaty, patrzącego surowo, bardziej z powodu dwóch okropnie wykrzywionych twarzy z gliny na półce. W część, na którą mówiło się „salon", nigdy się nie zapuszczał i będąc nawet dużym już chłopcem, czuł się tam nieswojo. „Salon" za sienią był zawsze pusty, parkiety i meble trzaskały same w ciszy i jakoś wiadomo było, że tam przebywa czyjaś obecność. Najbardziej pragnął znaleźć się w spiżarni, co zdarzało się rzadko. Wtedy ręka babki przekręcała klucz w drzwiach pomalowanych na czerwono i buchał zapach. Najpierw zapach wędzonych kiełbas i szynek, które wisiały pod belkami pułapu, ale mieszała się z nimi inna woń, z szufladek, wznoszących się jedna nad drugą wzdłuż ścian. Babka wyciągała szufladki i pozwalała wąchać, objaśniając: „To cynamon, to kawa, to goździki". Wyżej, tam, gdzie tylko dorośli mogli sięgnąć, błyszczały garnuszki ciemnozłotego koloru, które budziły pożądanie, moździerze i nawet maszynka do mielenia migdałów, a także pastka na myszy: pudełko z blachy, na które mysz mogła wbiec po mostku, powycinanym w schodki, a kiedy sięgała po słoninę, otwierała się zapadnia i wpadała w wodę. Małe okno śpiżarni miało kraty i prócz zapachu był tu chłód i cień. Tomasz lubił też izbę z korytarza, koło kuchni, „garderobę", gdzie suszyły się sery i gdzie często bito masło. Brał w tym udział, bo zabawnie jest poruszać kijem w górę i w dół, kiedy w otworze syczy maślanka; co prawda zniechęcał się prędko, bo długo trzeba pracować, zanim podnosząc wieko spostrzeże się, że krzyżak na końcu kija oblepiają już żółte grudki.

Dom, ogród owocowy za nim i trawnik przed nim, to najpierw znał Tomasz. Na trawniku trzy agawy, wielka pośrodku, dwie mniejsze po bokach, rozsadzały donice, na których klepkach zostawiała znaki, wyżej i niżej, rdza obręczy. Tych agaw sięgały wierzchołki świerków, co rosły w dole parku, a między nimi świat. Zbiegało się w dół, do rzeki i do wioski, z początku tylko wtedy, kiedy Antonina niosła w necce opartej o biodro bieliznę do prania, a na niej położony pralnik, czy jak to się inaczej nazywa, kijankę.

IV

Przodkowie Tomasza byli panami. O tym, w jaki sposób nimi zostali, zagubiła się pamięć. Nosili hełmy i miecze, a mieszkańcy okolicznych wiosek musieli uprawiać ich pola. Bogactwo ich określało się bardziej liczbą dusz, czyli poddanych, niż obszarem posiadanej ziemi. Bardzo dawno temu wioski składały im tylko daninę w naturze, później spostrzeżono, że zboże, które ładuje się na szkuty i odprawia rzeką Niemnem do morza, przynosi duże zyski i że opłaca się z lasu wycinać poletka. Wtedy zdarzało się, że zmuszani do pracy ludzie urządzali bunty i zabijali panów, a przewodzili im starzy, nienawidzący i panów, i chrześcijaństwa, które przyszło równocześnie z końcem swobody.

Tomasz urodził się, kiedy dwór już przemijał. Zostało niezbyt dużo gruntu, na którym orało, siało i kosiło kilka rodzin ordynariuszy; wynagrodzenie dostawali przeważnie w kartoflach i ziarnie i ten roczny przydział zapisywało się w książkach jako ordynaria. Prócz nich trzymano pewną ilość czeladzi „na dworskim stole".

Dziadek Tomasza, Kazimierz Surkont, w niczym nie przypominał tych mężczyzn, którzy tutaj kiedyś zajmowali się głównie dobieraniem wierzchowców i kłótniami o gatunki broni. Niewysoki, nieco ociężały, przesiadywał najczęściej w swoim krześle; kiedy, drzemiąc, opierał podbródek o pierś, ześlizgiwały mu się siwe pasma zaczesane na różowej łysinie, a pince-nez dyndało na jedwabnym sznurku. Miał cerę dziecka (nos mu tylko często od chłodu przybierał barwę śliwki) i oczy niebieskie z czerwonymi żyłkami. Łatwo się przeziębiał i swój pokój wolał od otwartej przestrzeni. Nie pił, nie palił, a choć powinien by był nosić buty z cholewami, a nawet ostrogi, żeby okazać swoją gotowość do skoczenia w pole, chodził w długich spodniach wypchniętych na kolanach i w sznurowanych trzewikach. Nie było we dworze ani jednego myśliwskiego psa, choć na dziedzińcu koło stajni drapały się i wybierały sobie pchły czeredy różnych Żuczków, wolnych od jakichkolwiek obowiązków. Nie było też żadnej strzelby. Dziadek Surkont cenił nade wszystko spokój i książki o hodowli roślin. Być może do ludzi odnosił się też trochę jak do roślin i ich namiętności niełatwo wyprowadzały go z równowagi. Starał się ich zrozumieć i to, że był „za

13

dobry", w połączeniu z jego niechęcią do kart i hałaśliwości, odstręczało sąsiadów równych mu stanem. Wymawiali jego nazwisko i wzruszali ramionami, nie umiejąc mu postawić jakichś wyraźnych zarzutów. Każdego, kto przyjeżdżał, pan Surkont przyjmował świadcząc mu grzeczności zupełnie nie dostosowane do rangi i stanowiska. Wiadomo, że inaczej trzeba odnosić się do szlachcica, Żyda i chłopa, a on tę zasadę obchodził nawet wobec strasznego Chaima. Co kilka tygodni Chaim zjawiał się na swojej bryce i, z biczem w ręku, w czarnym kaftanie, z bufami spodni opadającymi na cholewy, wkraczał do domu. Broda mu sterczała jak polano, które osmalił ogień. Zaczynał rozmowy o cenach żyta i cielaków, a to stanowiło tylko wstęp do wybuchu. Wtedy, wrzeszcząc i gestykulując, biegał i ścigał domowników po wszystkich izbach, targał się za włosy i przysięgał, że zbankrutuje, jeżeli zapłaci, co żądają. Zdaje się, że bez odegrania tej rozpaczy odjeżdżałby z poczuciem, że nie wypełnił tego, co uważał za zadanie dobrego kupca. Tomasz dziwił się, że wrzaski ustawały nagle. Chaim już miał w ustach coś w rodzaju uśmieszku, siedzieli z dziadkiem rozmawiając przyjaźnie.

Życzliwość dla ludzi nie oznaczała wcale, że Surkont skłonny był ustępować ze swego. Dawne urazy pomiędzy wioską Ginie i dworem wygasły i rozkład gruntów był taki, że brakowało powodu do kłótni. Co innego wioska Pogiry, z drugiej strony, pod lasem. Toczyła ona nieustanne spory o prawo do pastwisk i przychodziło to jej niełatwo. Schodzili się, roztrząsali sprawę, gniew w nich wzbierał, wyznaczali delegację starszyzny. Kiedy jednak starszyzna zasiadła z Surkontem przy stole, na którym stała wódka i plastry wędlin, całe przygotowanie traciło cel. Gładził wierzch ręki dłonią i, nie spiesząc się, serdecznie, tłumaczył. Widać było jego pewność, że zmierza tylko do rozwikłania, tak żeby było sprawiedliwie. Przytakiwali, miękli, zawierali nową ugodę i dopiero w drodze powrotnej przychodziło im na myśl wszystko, czego nie powiedzieli, źli byli, że jeszcze raz ich zaczarował i że muszą wstydzić się przed wioską.

W młodości Surkont uczył się w mieście, czytał książki Auguste Comte'a i John Stuart Milla, o których nad Issą mało kto poza tym słyszał. Z jego opowiadań o tych czasach Tomasz zapamiętał głównie to o balach, na których mężczyźni nosili fraki. Dziadek i jego kolega mieli do spółki tylko jeden frak i kiedy jeden z nich tańczył, drugi czekał w domu, a po kilku godzinach zamieniali się.

Z dwóch córek Helena wyszła za mąż za dzierżawcę z okolicy, a Tekla za człowieka z miasta i ona to była matką Tomasza. Do Ginia przyjeżdżała czasem na kilka miesięcy, ale rzadko, bo towarzyszyła mężowi, którego nosiło po świecie poszukiwanie zarobku i później wojna. Dla Tomasza pozostawała pięknem za dużym, żeby można było coś z nim zrobić, i patrząc na nią, przełykał ślinę z miłości. Ojca prawie nie znał. Kobiety koło niego to przede wszystkim Pola, kiedy był zupełnie mały, a później Antonina. Polę odczuwał jako biel skóry, len, miękkość, i przenosił później swoją sympatię na kraj, którego nazwa dźwięczała podobnie: Polskę. Antonina wysuwała naprzód brzuch w fartuchach w prążki. Przy pasie nosiła pęk kluczy. Śmiech jej przypominał rżenie, a w sercu chowała życzliwość dla wszystkich. Mówiła mieszaniną dwóch języków, to znaczy litewski był jej macierzystym, a polski nabytym. Jej polszczyzna brzmiała tak, jak to wskazuje na przykład to wołanie dobroci: „Tomasz, kuodź, dam kampitura!"

Tomasz bardzo lubił dziadka. Pachniało od niego przyjemnie, a siwa szczecina nad ustami łechtała w policzek. W małym pokoju, gdzie mieszkał, wisiała nad łóżkiem rycina przedstawiająca ludzi, których przywiązywano do słupów, inni ludzie, półgoli, przykładali do słupów pochodnie. Jednym z pierwszych ćwiczeń Tomasza w czytaniu było sylabizowanie podpisu: *Pochodnie Nerona*. Tak miał na imię okrutny król, ale Tomasz dał takie samo jednemu ze szczeniaków, bo zaglądając mu w pysk, starsi mówili, że ma czarne podniebienie, co znaczy, że będzie zły. Neron wyrósł i nie okazywał ciętości, za to dużo sprytu; zjadał śliwki opadłe z drzew, a kiedy ich nie znalazł, umiał oprzeć się łapami o pień i trząść. Na stole dziadka leżało wiele książek, a na obrazkach w nich oglądało się korzenie, liście i kwiaty. Czasem dziadek brał Tomasza do „salonu" i tam otwierał fortepian, którego wieko miało kolor kasztanów. Palce jakby obrzękłe, zwężające się na końcach, przebierały po klawiszach, ten ruch dziwił i dziwiło sypanie się kropli dźwięku.

Dziadka często można było widzieć odbywającego narady z ekonomem. Był nim pan Szatybełko, z bródką na dwa boki, które wygładzał i rozsuwał, rozmawiając. Malutki, chodzący ze zgiętymi kolanami, wysuwał nogi z butów, których cholewy były za obszerne. Palił ogromną w porównaniu z nim fajkę. Jej cybuch zakręcał się w dół, a palenisko zamykało się na metalowe wieczko z dziurkami. Stancja jego, na końcu budynku, co mieścił stajnię, wozownię i izbę czeladną, zieleniała od krzaków geranium w doniczkach, a nawet blaszanych kubkach. Na ścianie pełno było świętych obrazów, które jego żona Paulina ozdabiała kwiatami z papieru. Za Szatybełką wszędzie dreptał piesek Mopsik. Kiedy jego pan przesiadywał w pokoju dziadka, Mopsik czekał na dworze i niepokoił się, bo wśród dużych psów i ludzi potrzebował w każdej chwili opieki.

Goście — z wyjątkiem takich jak Chaim czy gospodarze w różnych sprawach — zjawiali się nie częściej niż raz czy parę razy do roku. Sam pan ani ich wyglądał, ani nie był im nierad. Prawie każde ich jednak pojawienie się wpędzało babkę Surkontową w humory.

V

Od babki Michaliny, czyli Misi, Tomasz nigdy nie dostał żadnego prezentu i nie zajmowała się nim zupełnie, ale to dopiero była osoba. Trzaskała drzwiami, wymyślała każdemu, nic ją nie obchodzili ludzie, ani co pomyślą. Kiedy wpadła w złość, zamykała się u siebie na całe dnie. Tomasza przenikała, kiedy znalazł się przy niej, radość — ta sama, którą się czuje spotykając w gąszczu wiewiórkę albo kunę. Jak one należała do stworzeń leśnych. Do ich pyszczków podobny był jej duży, prosty nos między policzkami, co tak sterczały naprzód, że jeszcze trochę, a schowałby się między nimi. Oczy jak orzechy, włosy ciemne, które czesała gładko, zdrowie, czystość. W końcu maja zaczynała swoje wyprawy do rzeki, latem kąpała się kilka razy dziennie, w jesieni przebijała stopą pierwszy lód. W zimie też dużo czasu spędzała na przeróżnych ablucjach. Nie mniej dbała o schludność w domu, a właściwie tylko w tej części, którą uważała za swoją norkę. Poza tym potrzeb nie miała żadnych. Do stołu dziadkowie i Tomasz zasiadali razem rzadko, bo nie uznawała regularnych posiłków, uważała to za zawracanie głowy. Kiedy przyszła jej ochota, biegła do kuchni i pałaszowała garnki kwaśnego mleka, zagryzając solonymi ogórkami czy kwaszeniną z octem — przepadała za wszystkim, co ostre i słone. Ta jej niechęć do obrządku talerzy i półmisków — kiedy milej jest zaszyć się w kącie i podjadać tak, żeby nikt nie widział — pochodziła z jej przekonania, że traci się niepotrzebnie czas na ceremonie, a również ze skąpstwa. Co do gości, to irytowali ją dlatego, że trzeba ich bawić, kiedy nie ma się do tego usposobienia, i dlatego, że trzeba im dać jeść.

Nie nosiła kaftaników, wełnianych halek ani sznurówek. W zimie ulubionym jej zajęciem było stawać przy piecu, zadzierać spódnicę i grzać tyłek — ta pozycja oznaczała, że jest gotowa do rozmowy. Ów gest wyzwania wobec obyczajów bardzo Tomaszowi imponował.

Gniewy babci Misi pozostawały chyba na powierzchni, tam wewnątrz siedziało coś jak pękanie ze śmiechu i zostawiona samej sobie, odgrodzona przez obojętność, musiała bawić się doskonale. Tomasz odgadywał, że zrobiona jest z twardego materiału i że tyka w niej jakaś nie potrzebująca nakręcania maszynka, perpetuum mobile, dla którego świat zewnętrzny był zbyteczny. Używała różnych chytrości, żeby móc zwijać się w kłębek wewnątrz siebie. Interesowała się przede wszystkim czarami, duchami i życiem pozagrobowym. Z książek czytała tylko żywoty świętych, ale chyba nie szukała w nich treści, a raczej upajał ją i wprowadzał w marzenie sam język, dźwięk pobożnych zdań. Żadnych nauk moralnych Tomaszowi nie udzielała. Rano (jeżeli ukazywała się ze swojej dziupli, gdzie pachniało woskiem i mydłem) siadały z Antoniną i tłumaczyły sny. Dowiadując się, że ktoś zobaczył diabła, albo że gdzieś w sąsiedztwie dom nie nadaje się do użytku, bo coś dzwoni w nim łańcuchami i toczy beczki, rozpromieniała się. W dobry humor wprowadzał ją każdy znak z innego świata, czyli dowód, że człowiek na ziemi nie jest sam, ale w towarzystwie. W różnych drobnych zdarzeniach odgadywała przestrogi i wskazówki Sił. Bo ostatecznie trzeba wiedzieć, umieć się zachować, a wtedy Siły, co nas otaczają, usłużą i pomogą. Babcia Misia miała taką ciekawość dla tych stworów, które kłębią się dokoła nas w powietrzu i których dotykamy w każdej chwili, nie wiedząc o tym, że do bab znających sekrety i zaklęcia odnosiła się zupełnie inaczej niż do innych i nawet dawała im to kawałek materiału, to krążek kiełbasy, ciągnąc je za język.

Zajmowała się mało gospodarstwem, tyle żeby kontrolować, czy dziadek nie wynosi czegoś dla swoich protegowanych, bo podkradał, bojąc się awantur. Nikomu nie świadcząca usług — cudze potrzeby nie przedostawały się do jej wyobraźni — wolna od wyrzutów sumienia i rozważań o jakichś obowiązkach wobec bliźnich, po prostu żyła. Jeżeli Tomaszowi udało się odwiedzić ją w łóżku, w niszy zakrytej kotarą, obok klęcznika z rzeźbionym oparciem i poduszką z czerwonego aksamitu, siadał w jej nogach i opierał się o jej kolana pod kocem (nie znosiła watowanych kołder), a koło jej oczu zbierały się zmarszczki, jabłka policzków wyskakiwały jeszcze bardziej niż zwykle, co oznaczało przyjaźń i śmieszne opowieści. Czasem narażał się przez jakąś psotę na jej burczenie, nazywała go paskudnikiem i błaznem, ale to go nie przejmowało, bo wiedział, że go lubi.

W niedzielę ubierała się do kościoła w ciemne bluzki, które zapinały się pod szyją na agrafki, nad żabotem. Wkładała złoty łańcuszek z ziarenkami jak łebki od szpilek, a medalion, który pozwalała otwierać (nic w nim nie było), chowała w kieszonce za pasem.

VI

Rozmaite Siły obserwowały Tomasza w słońcu i zieleni i osądzały go według zakresu swojej wiedzy. Te z nich, którym dane jest wyłączać się poza czas, kiwały melancholijnie przezroczystymi głowami, bo zdolne były ogarnąć skutki ekstazy, w jakiej żył. Siłom tym znane są na przykład kompozycje muzyków, próbujących wyrazić szczęśliwość, ale takie wysiłki okazują się niedołężne, kiedy się przykucnie przy łóżku dziecka, które budzi się w letni ranek, a za oknem słychać gwizd wilgi, chór kwakań, gdakań i gęgań od podwórza, wszystkie głosy w świetle, co nigdy się nie skończy. Szczęśliwość to także dotyk — bosymi stopami Tomasz przebiegał od gładkości desek podłogi do chłodu kamiennej posadzki korytarza i do okrągłości bruku na ścieżce, gdzie obsychała rosa. I, trzeba to wziąć pod uwagę, był samotnym dzieckiem w królestwie, co zmieniało się tak, jak zechciał. Diabły, kurczące się szybko, kiedy nadbiegał, i włażące pod liście, zachowywały się jak kury, kiedy, spłoszone, wyciągają szyje i pokazują głupotę oka.

Na trawniku pojawiały się na wiosnę kwiaty nazywane kluczyki św. Piotra. Cieszyły one Tomasza, bo trawa jednolicie zielona, a nagle ta jasna żółtość, na gołej łodyżce, właśnie jak pęk małych kluczy, a w każdym drobny krążek czerwieni. Liście u dołu pomarszczone, miłe w dotyku, jak zamsz. Kiedy na klombach rozkwitały piwonie, ścinali je z Antoniną, żeby zanieść do kościoła. Zanurzał w nich oczy i cały chciałby wejść do tego różowego pałacu; słońce prześwieca przez ściany, a na dnie w złotym pyłku biegają żuczki, jednego raz wciągnął w nos, tak mocno wąchał. Podskakując na jednej nodze biegł za Antoniną, kiedy szła po mięso do sklepu, który był wydrążony w ziemi w ogrodzie. Złazili w dół drabiną i Tomasz smakował palcami nóg mróz od tafli lodu z Issy przysypanych słomą. Na górze skwar, tu inaczej, a któż by z wierzchu odgadł. Nie mógł uwierzyć, że sklep nie ciągnie się daleko, tylko kończy się tu, gdzie podmurowana ściana z zaciekami wilgoci. Albo ślimaki. Przez mokre dróżki po deszczu przeprawiały się z jednego trawnika na drugi, wlokąc za sobą ślad ze srebra. Wzięte w rękę, wciągały się w skorupkę, ale zaraz wysuwały się znowu, jeżeli do nich przemówić: „Ślimak, ślimak, wystaw rogi, dam trzy grosze na pierogi". Wszystko to jeżeli sprawiało dorosłym przyjemność, to, jak mogły stwierdzić Siły, trochę wstydliwą, na przykład zamyślać się nad białą obrączką na skorupie ślimaka to nie dla nich.

Rzeka dla Tomasza była olbrzymia. Niosły się nad nią zawsze echa: kijanki stukały tak-tak-tak; skądś odzywały się inne, jakby była umowa, że jedne drugim mają odpowiadać. Cała orkiestra i kobiety piorące nigdy nie pomyliły się, jeżeli zaczynała nowa, zaraz wpadała w ten takt, co już był. Tomasz zaszywał się w krzaki, właził na pień wierzby i słuchając spędzał całe godziny na przyglądaniu się wodzie. Po powierzchni uganiały się pająki, dokoła nóg których tworzą się wgłębienia, żuki — krople metalu tak śliskie, że woda ich się nie ima — odprawiały swój taniec w kółko, ciągle w kółko. W słonecznym promieniu lasy roślin na dnie, między nimi stoją ławice rybek, które pryskają na wszystkie strony i znów zbierają się, kilka ruchów ogonkiem, rozpęd, kilka ruchów ogonkiem. Czasem od głębi przychodziła większa ryba na jasność i wtedy Tomaszowi biło serce z przejęcia. Podskakiwał na swoim pniu, kiedy w środku rzeki odzywał się plusk, coś błyskało i rozchodziły się kręgi. Jeżeli przepłynęła łódka, to było niezwykłe: zjawiała się i nikła tak szybko, że nie dawało się wiele zauważyć. Rybak siedział nisko, prawie na wodzie, garnął wiosłem, które miało dwie łopatki, a za sobą włókł sznur.

Tomasz wcześnie zmajstrował sobie wędkę i był cierpliwy, ale nie udawało mu się. Dopiero dzieci Akulonisów, Józiuk i Onutė, nauczyły go, jak przywiązuje się haczyki. Do ich chaty na skraju wioski z początku wpadał na chwilę, później przyswoił się i jeżeli nie wracał do domu, wiedziano, gdzie jest. W południe dostawał drewnianą łyżkę i siadał ze wszystkimi za stołem, czerpiąc jak inni z jednej misy bonduki ze śmietaną. Akulonis był wielki, z plecami, których płaskość zastanawiała Tomasza, bo nie znał nikogo, kto by trzymał się tak prosto. Płótno spodni na łydkach opasywał rzemieniami łapci aż do kolan. Łowieniem ryb zajmował się z upodobaniem i co najważniejsze, miał czółno. Za jabłoniami, koło świronka, grunt zniżał się w zatokę obrosłą ajerem, czółno w nim wygniotło przejście i leżało wyciągnięte do połowy. Dzieciom zakazano spychać je na wodę, więc mogły tylko udawać, że jadą, kołysząc się na jego końcu. Wywrotne, składało się z wydrążonego pnia i dwóch skrzydeł dla równowagi. Akulonis jeździł nim na szczupaki z błyskotką. Sznur, który rozwijał za sobą, zakładał za ucho, żeby poczuć natychmiast szarpnięcie. Na noc zastawiał popuszczanki i jedną popuszczankę dał Tomaszowi. Zaraz koło wędziska przywiązane były leszczynowe widełki, na nich nawinięta linka, którą wsadzało się w rozszczepienie, i dalej, na jej wolnym kawałku, podwójny hak. Mały okuń najlepiej nadaje się na przynętę, bo kiedy hak założy mu się z boku, rozcinając nożykiem skórę, potrafi chodzić całą noc, inne rybki nie są tak żywuszcze, za prędko umierają. Zasługa zdarzenia przypaść powinna Akulonisowi, który wybrał miejsce i wędkę zarzucił. Tomasz nie mógł spać, zerwał się wcześnie i zbiegł do rzeki, kiedy stała jeszcze mgła świtu. Nad różowością gładzizny, gdzie kłębił się opar, zobaczył widełki — puste. Jeszcze nie wierzył, ciągnął i szło ciężko, pluskało. Pod górę pędził biegiem, w szczęściu, żeby wszystkim pokazać rybę dużą jak cała ręka. Zbiegli się naprawdę i oglądali. Nie był to szczupak, jakaś inna, i Akulonis orzekł, że łapie się rzadko. Nigdy dotychczas Tomaszowi nie zdarzyło się nic podobnego i z dumą opowiadał o tym przez kilka lat.

Do Akulonisowej, białej jak Pola, garnął się i szukał jej pieszczot. W chacie rozmawiało się po litewsku i ani się spostrzegł, jak przechodził z jednego języka w drugi. Dzieci mieszały oba, oczywiście nie tam, gdzie wypada zwoływać się przepisanym od wieków okrzykiem, na przykład kiedy chłopcy biegną goli, żeby buchnąć w wodę, nie mogliby wrzeszczeć nic innego jak: „Ej, Vyrai!", czyli: „Ej, mężczyźni". Vir, jak Tomasz dowiedział się później, znaczy po łacinie to samo, ale litewski jest pewnie starszy od łaciny.

Mija jednak lato. Deszcze, rozpłaszczanie nosa na szybie, nudzenie starszych. W wieczory w kuchni, gdzie zbierały się koło Antoniny dziewczęta, żeby prząść albo łuskać fasolę, czekało się coraz to nowych opowieści i rozpacz ogarniała, jeżeli, jak to czasem bywa, coś psuło zabawę. Tomasz słuchał pieśni, a zwłaszcza intrygowała go jedna, bo Antonina zachowywała się tajemniczo i mówiła, że to nie dla niego. Śpiewała przy nim tylko refren:

Sukieneczka wachu, wachu,
Ci nie czujesz panna strachu?

a resztę podchwycił urywkami. Było to o rycerzu, co pojechał na wojnę i zginął, a potem wrócił do swojej ukochanej w nocy jako duch, wsadził ją na konia i wiózł do swego zamku. Naprawdę nie miał zamku, tylko grób na cmentarzu. Jedna z dziewcząt, od strony Poniewieża, często powtarzała tę piosenkę, jak to Tomasz sobie wyobrażał, o cieślach budujących dom:

Pania majstrza, prosza na rachunak
Już pracować nia bendá.
Prosza oddać moja zarobiona,
Bo odjeżdżam ja w drogá.

i to ostatnie słowo ciągnęło się długo, żeby pokazać, że droga daleka.

Moja walizka stoi spakowana
Stoi w sieni za progiem.
Moja Kasieńka już ucałowana
Płacze w drugim pokojú.

Od niej weselsze były krótkie przyśpiewki, jak choćby:

Wzioł butelka i kieliszek
I pojechał do Grynkiszek.
A z Grynkiszek do Wajwody
Szukać sobie żony młodej.
Kiku kiku na koniku
Na kościele gałka.
Nie pójda ja za nikogo
Tylko za Michałka.

Albo:

Panienki tancujcie,
Trzewiczków nie psujcie.
— Mam brata, Kondrata,
Trzewiczki podłata,
Mam psiuka, kudłuka,
Trzewiczków poszuka.

We wróżbach przez lanie wosku najbardziej przejmujący moment jest, kiedy płynny wosk syczy w zimnej wodzie i układa się w figury Losu. Potem na cieniu ogląda się go, obracając, aż zebrani wołają och i ach, rozpoznając wieńce, zwierzęta, krzyże i góry. Z powodu wróżb na św. Andrzeja Tomasz zresztą najadł się strachu. Patrzeć w lustro powinny tylko dziewczęta, i to poważnie — zamknąć się w izbie o północy. Próbował to robić dla żartu, przy wszystkich, i skończyło się płaczem, bo zobaczył czerwone rogi. Może to wyszycia na bluzkach tak mu mignęły zza pleców, ale nie na pewno, i przez długi czas później obchodził każde lustro z daleka.

Którejś zimy (a każda ma ten pierwszy poranek, kiedy stąpa się po śniegu, co spadł w nocy) Tomasz widział nad Issą gronostaja czy łasicę. Mróz i słońce, rózgi krzaków na stromym brzegu po drugiej stronie wyglądały na bukiety ze złota, powleczone gdzieniegdzie szarą i siną farbką. Zjawia się baletnica niezwykłej lekkości i gracji, biały sierp, co gnie się i prostuje. Tomasz, z otwartymi ustami, w osłupieniu gapił się na nią i męczyło go pożądanie. Mieć. Gdyby w ręku trzymał strzelbę, strzeliłby, bo nie można tak trwać, kiedy podziw wzywa, żeby to, co go wywołuje, zachować na zawsze. Ale co by się wtedy stało? Ani łasicy, ani podziwu, rzecz martwa na ziemi, lepiej, że oczy mu tylko wyłaziły i że nie mógł prócz tego nic.

Na wiosnę, w porze kwitnienia bzów, zdejmowało się buty i wykrzywiało się stopy, bo każdy kamyk kłuł jak gwóźdź. Ale zaraz skóra grubiała i aż do przymrozków Tomasz obijał gołe pięty po ścieżkach, a w niedzielę trzewiki go piekły i pozbywał się ich zaraz po kościele.

VII

Nie każdy bywa bohaterem takiej przygody, w jaką trafił Pakienas. Tomasz zawsze zbliżał się do niego z nabożeństwem. Pakienas, podobny do okunia, z ostrym nosem, co błyszczał, zajmował się tkaniem na wielkim warsztacie i obsługiwał prasę, gdzie wkładało się samodziały między dwie tektury — te sczerniały od długiego użycia i wchłaniania barwników. Ludzie z sąsiedztwa przynosili często do dworu swoje sukna do walenia i prasowania. Choć przygoda, o której mowa, miała miejsce dawno, została o niej pamięć i żywy dowód, że nie było to coś, o czym gdzieś się słyszy, bo Pakienas mógł ją potwierdzić (choć niechętnie) w każdej chwili.

Łączyło się to z Borkiem, to jest kępą sosen niedaleko Issy. W sosnach gnieździły się gawrony i krążyły nad wierzchołkami z krakaniem. Borek nie miał dobrej opinii. W jego środku pogrzebano kiedyś starego skierdzia, czyli nadpastucha, który udławił się serem. Jak to udławił się? — pytał Tomasz. No udławił się, jedząc swój obiad na pastwisku, i chyba z powodu niezwykłej śmierci nie złożono go na cmentarzu. Poza tym w Borku leżała skrzynia zakopana przez wojsko Napoleona. Podobno, kiedy pracowano nad wyryciem dołu dla skierdzia, natrafiono na żelazne wieko. Ale dlaczego w takim razie nie wyjęto jej? Nie można było znaleźć jej brzegu, zabrakło czasu i sił — tłumaczenia pozostawały niejasne.

Pakienas wracał późno, około północy, z wieczorynki po drugiej stronie rzeki. Odnalazł schowane przedtem w krzakach czółno i przeprawił się. Zaledwie jednak dał kilka kroków polem, od strony Borku zaczął zbliżać się do niego jakby słup pary. Ruszył szybko, słup za nim. Włosy mu się zjeżyły, biegł, a słup utrzymywał dokładnie taki sam dystans. Pod górę do parku Pakienas skakał jak zając i z rykiem grozy bił w drzwi Szatybełki szukając ratunku.

Pewną wstydliwość, z jaką Pakienas o tym wspominał, wyjaśniłyby zajścia na wieczorynce. W zjawieniu się ducha skierdzia dopatrywał się kary i znaku, czyli, jak to się określa, grzeszył zabobonnością. Gdyby, jak jego brat, wyemigrował do Ameryki i prasował tam spodnie w jakimś zakładzie przy jałowej ulicy Brooklynu, pamięć o tamtej nocy szybko by się zatarła, najpierw przestałby opowiadać o niej innym, a potem sobie. To samo stałoby się, gdyby wzięto go do wojska. To wierzchołki drzew Borku, jakie co dzień widział, idąc ze swojej stancji w świrnie do izby z warsztatem, utrzymywały ciągłość. Przypomnijmy zresztą, że do obowiązków kronikarza nie należy dostarczanie szczegółów o wszystkich postaciach, jakie pojawiają się w polu widzenia. Nikt nie przeniknie tego życia i zostaje ono tutaj napomknięte tylko, żeby stwierdzić, że istniał Pakienas, raz, kiedyś w czasie, o wiele później niż wielu mędrców piszących traktaty o tym, że nie ma upiorów ni bogów. Niech wystarczy informacja, że skrupuły i nieśmiałość zabroniły mu się ożenić, a kiedy dziewczęta i Antonina wytykały mu jego starokawalerstwo, pociągał tylko nosem i nic nie odpowiadał.

Między kamizelką trójkąt białej koszuli zakończonej pod szyją haftowanym czerwono kołnierzem, wyraz twarzy nieobecny i rozdrażnienie w ruchach, kiedy rwały mu się na warsztacie nitki. Poza tym we władzy Pakienasa zostawał olbrzymi klucz od świrna. Wychodząc chował go w szparę pod drewnianym progiem. Wewnątrz — kiedy Tomasz nauczył się otwierać drzwi, nabijane żelaznymi guzami — stąpało się po rozsypanym ziarnie i czarnych szczurzych bobkach, a w zasiekach siadało się w chłodnym zbożu i zasypywało się sobie nogi. Na strychu przez małe okienko (wiódł do niego tunel — taka grubość muru) oglądać można było widok w dole, całą dolinę. W pokoju Pakienasa stały worki z mąką, łóżko, nad nim wisiał krzyż z ołowianą miską na święconą wodę i zasunięte za ramię krzyża kropidło.

Tomasz, bawiąc się z Józiukiem i Onutė na polu, gdzie pasły się gęsi, zapędzał się czasem na skraj Borku. Szum wiatru w górze, krakanie, w dole cisza, tajemniczo i nieprzyjemnie. Raz, dodając sobie nawzajem odwagi, dotarli aż do grobu skierdzia. Rósł na nim gęsty maliniak i pokrzywy. Z tej zieleni dźwigał się więc, wywabiony światłem księżyca, białawy słup i błądził między drzewami. Czy liście pokrzyw chwiały się wtedy, czy nie — zastanawiał się Tomasz.

VIII

Do kościoła chodzono przez Szwedzkie Wały. Ubrany w kurtkę z samodziału, która go kłuła przez koszulę, Tomasz śledził ruchy ministrantów w komeżkach. Wolno im było wstępować na stopnie pod sam ołtarz, co lśnił złotem, chwiali kadzielnicami, nie bojąc się odpowiadali księdzu, podawali mu dzbanki z dziobkami podobnymi do księżyców na nowiu. Jakże to jest, że to są ci sami chłopcy, co wrzeszcząc brodzą po wodzie łowiąc raki, tarmoszą się za włosy i dostają paskiem rżniętkę od ojca? Zazdrościł im, że tak raz na tydzień są inni przez to, że wszyscy na nich patrzą.

Kilka razy do roku odbywał się w Giniu kiermasz. Przekupnie z miasta wystawiali swoje budy z płótna w dole koło drogi, tuż przy ścieżce, co schodziła od dębów cmentarza. Sprzedawali pierniki w kształcie serca i gliniane kogutki-gwizdawki, ale uwagę Tomasza przyciągały szczególnie fioletowe, czerwone i czarne kwadraciki szkaplerzy i wiązki różańców — i barwa, i mnogość drobnych przedmiotów.

Żadne święto nie mogło równać się z Wielkanocą, nie tylko dlatego, że wtedy trze się mak w makutrze i wydłubuje się orzechy z mazurków. W Wielkim Tygodniu, w kościele, gdzie obrazy przesłaniały zasłony z kiru, a kołatki stukały sucho zamiast dzwonków, odwiedzało się grób Pana Jezusa. Przed grotą stała straż w posrebrzanych hełmach z grzebieniami i piórami, uzbrojona w piki i halabardy. Jezus leżał na podniesieniu, ten sam, co na wielkim krucyfiksie, tylko ramiona krzyża zakryte miał liśćmi barwinka.

Czekało się z niecierpliwością na przedstawienie w Wielką Sobotę. Piętnastoletni i szesnastoletni chłopcy, którzy długo przedtem zmawiali się i przygotowywali, wpadali do kościoła z wrzaskiem, niosąc kije, a na nich przywiązane martwe wrony. Nabożne stare kobiety modliły się godzinami i wymęczone ścisłym postem pochylały głowy coraz niżej — budzili je z drzemki, podsuwając wronę pod nos, albo bili nią ludzi, przynoszących w węzełkach jajka do święcenia. Na trawniku przed drzwiami odprawiali swoje komedie. Najbardziej Tomaszowi podobało się męczenie Judasza. Uciekał jak mógł, gonili go w kółko obsypując wyzwiskami, wreszcie wieszał się wyciągając język, zdjęty z drzewa był trupem, ale czy można takiemu pozwolić wymknąć się tak łatwo? Przewrócony na brzuch, szczypany, wydawał jęki, wreszcie ściągano mu majtki, jeden z chłopców wsadzał mu w tyłek słomkę i przez tę słomkę wdmuchiwał w niego duszę, aż Judasz zrywał się, krzycząc, że żyje.

Kiedy Tomasz był trochę starszy, Antonina i babka Surkontowa zabierały go na Rezurekcję. Po smutnych pieśniach i litaniach buchał chór: Alleluja, ruszała procesja, pchano się w drzwiach, tam na zewnątrz jeszcze ciemność, wiatr chwiał płomykami świec. W górze przesuwają się gałęzie drzew, zimno, już zaczyna świtać, mieniące się chustki kobiet i gołe głowy mężczyzn, pochód naokoło kościelnego budynku, wzdłuż murku z głazów, i to wszystko Tomasz przyzwyczaił się uważać za początek wiosny.

Potem nastawały senne gwary święta, słodycz bułek i kaczanie jajek. Tor dzieci układały z darni, lekko wewnątrz wgięty, wyłożony kawałkami blachy dla rozpędu. Nie ma dwóch jajek, które by toczyły się tak samo, trzeba umieć zgadnąć po kształcie, jak pójdzie, jeżeli położy się na brzegu rynienki z prawej strony, jak, jeżeli z lewej, jak, jeżeli pośrodku. Oto już dobrze, dobrze, już dopędza inne jajka, co leżą rozproszone jak stado krów, już stuknie i wzbogaci właściciela, ale nie, chybocząc się według jakichś swoich własnych chęci, przebiega obok o palec albo zatrzymuje się, nim zdążyło dotknąć.

Na Boże Ciało kościół był ozdobiony girlandami z liści dębów i klonów. Zwieszały się z belek pułapu nisko, tuż nad głowy. Już począwszy od maja ustawiano pod figurą Matki Boskiej kwiaty, ale teraz zakrywały cały ołtarz. Dzieci zbierano w zakrystii i dawano im koszyczki z płatkami róży czy piwonii. Babka Surkontowa chciała, żeby Tomasz brał udział w procesji. Szło się tyłem przed baldachimem, pod którym ksiądz niósł monstrancję, i trzeba było dobrze uważać, żeby nie potknąć się o kamyk i nie upaść. W Boże Ciało jest prawie zawsze skwar, wszyscy są spoceni i przejęci noszeniem feretronów i chorągwi. Ale to radosne święto: jasność, ćwir jaskółek, brzękadła poczwórnych dzwonków, biel, czerwień i złoto.

IX

Światem toczyła się wielka wojna i Kraj Jezior w samym jej początku przestał należeć do cesarza rosyjskiego, którego wojska zostały pobite. Niemców Tomasz widział tylko raz. Było ich trzech, na pięknych koniach. Wjechali w dziedziniec — Tomasz siedział wtedy obok Grzegorzunia, który, za stary, żeby pracować, zajmował się pleceniem koszyków. Młody oficer, wcięty w pasie, rumiany jak panienka, zeskoczył z konia, poklepał go po szyi i pił mleko z kwarty. Zebrały się wokół niego kobiety z czeladnej, tylko Grzegorzunio został na miejscu i nie odjął nożyka od witki. Żeby mężczyzna nosił tak kolorowe ubranie — jak trawa — już to dziwiło. A miał przy pasie ogromny pistolet w skórzanej pochwie, z niej sterczał metal kolby i w dole długa lufa. Tomasz prawie zakochał się w jego giętkości i czymś nieznanym. Oficer oddał kwartę, wskoczył na konia, zasalutował i ze swoimi żołnierzami ruszył z powrotem, koło obory, w lipową aleję.

Co pozostawałoby do opowiedzenia, to jego losy, które nigdy nie wykroczą poza prawdopodobieństwo. Obchodził kościół w Giniu i, opierając się o murek, rysował zawzięcie w notesie. Być może przypominał sobie podobne drewniane *Kirchen* oglądane przed wojną w Norwegii. A kiedy podnosił się i opadał na strzemionach, w chrzęście rzemieni siodła, wdychał zapach łąk nad Issą i myślał o potrzaskanej ziemi na froncie zachodnim, we Francji, gdzie bił się jeszcze niedawno. Nie zauważył Tomasza ani teraz, ani (czemuż by to miało być niemożliwe?) w dwadzieścia lat później, kiedy w generalskim samochodzie pełnym pledów i termosów, opierając zażywny podbródek o kołnierz munduru, przejeżdżał ulicami jednego z miast Europy Wschodniej, zdobytego właśnie przez armię Führera. Tomasz (załóżmy) zaciskał w kieszeniach ręce w pięści i nie rozpoznał w zdobywcy swojej krótkotrwałej miłości.

Wojna miała ten tylko skutek dla Ginia, że nie warto było jeździć do miasteczka, bo nic tam nie dawało się kupić. Stąd wynikało wiele czynności blisko obchodzących Tomasza. Na przykład gotowanie mydła. W sadzie rozpalano ognisko, na trójnogu stał kocioł, a w nim mieszano drągiem brunatną breję, zatykając nosy. Smród smrodem, ale co uwijań się, pokrzykiwań i narad, czy mydło dobrze wychodzi. Później breja krzepła i kroiło się masę na kawałki. Albo przyrządzanie świec. Do tego służyły obcięte butelki, które napełniało się łojem, a pośrodku wsadzano knot. Obciąć butelkę można sznurkiem umaczanym w nafcie: jeżeli ją owinąć i podpalić sznurek, szkło pęknie naokoło dokładnie w tym miejscu. Kupiono też dwie lampy karbidowe, których kształt i zapach podniecały Tomasza. Na herbatę babka Surkontowa suszyła liście poziomek, miód służył zamiast cukru, zresztą odkryła wtedy sacharynę i nigdy już odtąd cukru nie używała, bo tak samo słodko, a taniej.

Tomasz powinien był się uczyć, ale w domu nikt tym nie umiał się zająć i posyłano go do wioski, do Józefa nazywanego Czarnym. Czarny naprawdę — miał brwi jak grube krechy, twarz chudą, a włosy lekko siwiejące na skroniach. Mieszkał u swego brata i pomagał mu w gospodarstwie, ale parał się różnościami. Dostawał skądś książki, suszył rośliny między kawałkami gazety przyciśniętej deską, pisał ludziom listy i opowiadał o polityce. Siedział kiedyś w więzieniach za tę politykę i pracował po miastach, ale nie nosił się z miejska, przez wyszycia swoich koszul dawał do poznania, że pozostał chłopem. Należał do tego plemienia, które zyskało u kronikarzy naszych czasów tytuł nacjonalistów, czyli pragnął służyć chwale Imienia. I tutaj kłopot, przyczyna jego żalów. Bo jemu chodziło oczywiście o Litwę, a Tomasza miał uczyć czytać i pisać przede wszystkim po polsku. Że Surkontowie uważali się za Polaków, traktował jako zdradę, trudno znaleźć bardziej tutejsze nazwisko. I nienawiść do panów — za to, że są panami, i za to, że zmienili język, żeby lepiej odgrodzić się od ludu, i trudność nienawidzenia Surkonta, który właśnie jemu powierzał wnuka, i nadzieja, że otworzy chłopcu oczy na wspaniałość Imienia — ta mieszanina uczuć zawierała się w jego chrząkaniu, kiedy Tomasz otwierał przed nim czytankę. Babka była bardzo niezadowolona z tych lekcji i z bratania się z „chamami", nie godziła się na istnienie jakichś Litwinów, choć jej fotografia mogłaby ilustrować książkę o tym, jacy ludzie zamieszkiwali Litwę od wieków. Wziąć jednak specjalnie do domu nauczycielkę — wyglądałoby jej zdaniem na zbyteczną fanaberię i, mrucząc, że dziecko schamią, godziła się z konieczności na Józefa. Tomasz tych zawiłości i napięć nie rozumiał, a kiedy zrozumiał, uznał za coś wyjątkowego. Spotykając się z małym Anglikiem, co rósł w Irlandii, albo z małym Szwedem w Finlandii, odkryłby tam wiele podobieństw, ale ziemie poza doliną Issy okrywała mgła, i co wiedział, to chyba to, z opowieści babki, że

Anglicy jedzą kompot na ranne śniadanie — dlatego czuł do nich sympatię — że Rosjanie wysłali dziadka Artura na Sybir i że powinien kochać polskich królów, których groby są w Krakowie. Kraków dla babki pozostawał najpiękniejszym miastem na świecie i obiecywała Tomaszowi, że pojedzie tam, jak dorośnie. Razem, z tego jej patriotyzmu ulokowanego gdzieś daleko, z tolerancji dziadka, dla którego sprawy narodowościowe były raczej obojętne, i z odezwań się Józefa: „my", „nasz kraj", zalęgło się w Tomaszu przyszłe niedowierzanie, kiedy w jego obecności ktoś zanadto powoływał się na godła i sztandary, rodzaj podwójności przywiązań.

Nauki u Józefa zaciągnęły się na długo z powodu chaosu lat przejściowych, z których wyłoniła się mała republika Litwy. Staraniem Józefa rozpoczęto wtedy w Giniu budowę pierwszej szkoły, gdzie został nauczycielem.

Na razie jednak wojna dopiero wygasała i jej czas wyróżniał się tym, co można było oglądać na drodze w dole, na przykład ze zmurszałej ławki na skraju parku. Przechodzili tam często włóczędzy wędrujący z daleka, zza jezior, od strony miast. Uciekali stamtąd przed głodem. Nieśli przywiązane na plecach worki i węzełki, a często ciągnęli w drewnianych wózkach małe dzieci. Jedna taka rodzina, złożona z matki i dwóch chłopców, przyhołubiła się do dworu z poparciem Antoniny, którą czarował dorosły już Stasiek tym, że pięknie grał na organkach, śpiewał miejskie piosenki, a przede wszystkim tym, że mówił po polsku zupełnie po mazursku. „On szwapeci!" wykrzykiwała i przymykała oczy z lubością. Stasiek, z odstającymi uszami i cienką szyją, nie pociągał Tomasza, choć zrobił mu kuszę, z kolbą jak w prawdziwym karabinie. Wieczorem pod lipą rozlegały się chichoty dziewcząt, a kiedy Stasiek siedział sam z Antoniną, też Tomasz wiercił się i wreszcie zostawiał ich, znudzony, i nie wiadomo dlaczego coś mu dokuczało, jak kiedy w południe słońce schowa się za chmurę.

X

Co do diabłów, to do dręczenia wybrały przede wszystkim Baltazara. Trudno byłoby tego się domyśleć, bo wyglądał na człowieka stworzonego do radości. Cera Cygana, białe zęby, ze dwa metry wzrostu, okrągła twarz, na niej zarost — puch na śliwce. Kiedy zjawiał się we dworze, w swojej bluzie ściągniętej paskiem, w granatowej czapce na bakier, spod której sterczał czub, Tomasz biegł pokrzykując na jego powitanie: albo kosz z grzybami — borowiki i opieńki, z wierzchu tej barwy co przecięta olcha, z boku białawe w kropki, albo zwierzyna — bekasy czy cietrzew z czerwonym paskiem nad okiem. Baltazar był leśnikiem, choć niezupełnie. Jemu nikt nie płacił, on nikomu nie płacił, siedział w lesie, na pobudowanie się dostał darmo budulec, swoje kartofle i żyto miał rozrzucone po polankach, doorywał sobie gruntu co roku. Trzaskanie drzwiami i przekręcanie kluczy w szafach wzmagało się za każdym jego przyjściem i babka Surkontowa dostawała migreny. Tomasz łowił jej fukanie na dziadka: „Ten twój faworyt! Żebyś mi nie ważył się nic dla niego wynosić!"

Baltazarowi wielu zazdrościło, i słusznie. Zostając leśnikiem nie miał nic, a teraz gospodarstwo, krowy, konie i nie chata, a dom, z podłogą z desek, z gankiem, z czterema izbami. Ożenił się z córką bogatego gospodarza z Ginia i miał dwoje dzieci. Surkont niczego nie odmawiał, czegokolwiek poprosił „Baltazarek", i tu już można było pokazywać palcem na czoło. Wrogów sobie nie narobił, bo umiał postępować: pilnował, żeby nie ścinano drzew w starej dębinie, ale nie sprzeciwiał się, jeżeli ktoś z wioski Pogiry spuścił świerk albo grab, byle pień dobrze założyć mchem, tak żeby nie zostało śladu.

Szczęście. Na swoim ganeczku Baltazar lubił wylegiwać się z dzbanem domowego piwa tuż przy nim na podłodze. Popijał z kubka, mlaskał, ziewał i drapał się. Syty kot — a wtedy właśnie w nim szalało. Od czasu do czasu dziadek umieszczał Tomasza obok siebie na bryczce i jechali do leśniczówki, bo była dość daleko, za polami nie należącymi do dworu. Ta bryczka służyła do częstego użytku, a także linijka — rodzaj wałka na czterech kołach, na który właziło się jak na konia. W wozowni stały również inne wehikuły, na przykład kareta zarośnięta kurzem i pajęczyną, na płozach, odkryte sanki i „pająk" — jaskrawożółty, długi, przednie koła ogromne, tylne małe i na nich wysoko siedzenie dla furmana czy lokaja — a pomiędzy jedną i drugą częścią „pająka" (przypominał raczej osę) tylko deski, które podbijały do góry, jeżeli po nich skakać. Na bryczce dziadek trzymał Tomasza wpół, kiedy przechylali się; za polami zaczynały się pastwiska i pasieki, czarna woda w koleinach pod nawisającą trawą kryła dziury, w które zapadało się po osie. Dym na tle zwartej grabiny znaczył, że zaraz usłyszy się szczekanie psów i że ukaże się dach i żuraw studni. Mieszkać tak na odludziu, ze zwierzętami, co wysuwają szyje z gąszczu i śledzą ruch w obejściu — Tomasz chciałby. Dom pachniał żywicą, drzewo nie zdążyło jeszcze poczernieć i błyszczało jak wykute z miedzi. Baltazar szczerzył zęby, żona ustawiała na stole poczęstunek i wmuszała wędliny ciągłym: „Prosza, prosza zakąsywać". Chuda, z wystającą szczęką, nie odzywała się poza tym.

Tomasz zostawiał starszych i biegł podpatrywać sójki albo dzikie gołębie, ptactwa tu spotykało się mnóstwo. Raz w kupie kamieni na pasiece znalazł gniazdo dudków — sięgnął ręką i złapał młodego, co nie umiał jeszcze latać, rozkładał tylko wachlarz na głowie, żeby straszyć. Zabrał go ze sobą, ale dudek nie chciał nic jeść, przemykał się pod ścianami i trzeba było go wypuścić.

Baltazar na pewno nie Tomaszowi zwierzałby się z tego, co go dręczyło. A zresztą sam nie pojmował, poza tym, że z nim coraz gorzej. Dopóki stawiał dom, szło jako tako. Później zatrzymywał się za pługiem, skręcał papierosa i nagle tracił świadomość, gdzie jest, budził się ze ściśniętymi palcami, z których wysypał się tytoń. Jedynym sposobem było upracować się, ale z lenistwa szybko dawał radę każdej pracy, a kiedy rozwalił się na ławce ze swoim dzbanem piwa, napełniała go obrzydliwa miękkość, obracała się wewnątrz powoli i w odrętwieniu, niby drzemiąc, krzyczał z zaciśniętymi ustami — żeby to mógł krzyczeć, ale nie. Czuł, że czegoś potrzebuje: wyprostować się, uderzyć pięścią w stół, biec dokądś. Dokąd? Szept nawoływał, tworzył jedno z tą miękkością i Baltazar rzucał czasem kubkiem w swojego dręczyciela, który to właził w niego, to przedrzeźniał z odległości, a wtedy żona ściągała mu buty i prowadziła na łóżko. Żonie Baltazar poddawał się, ale tak jak wszystkiemu, z nudą i z przekonaniem, że to nie jest to, co być powinno. Odpychała go jej brzydota; jeszcze w ciemności to nic, ale w dzień? Sen przynosił ulgę, ale nie na długo, w nocy budził się i zdawało mu się, że leży na dnie jamy z wysokimi ścianami i że nigdy się nie wydobędzie.

Bywało, że bił pięścią w stół i że biegł. Po to tylko, żeby zacząć naprawdę pić. Nie obchodziło się wtedy bez trzech, czterech dni, a pił tak, że raz wódka w nim się zapaliła i Żydówka w miasteczku musiała nad nim przykucnąć i nasikać mu do gęby — ten środek jest znany, ale przynoszący dyshonor. Rozchodziła się szybko wiadomość, że Baltazara znów nosi, i jedni mówili, że to z tłuszczu i bogactwa, a drudzy żałowali, że marnieje, ponieważ zadał się z diabłem, co nie było tylko ich wymysłem, bo Baltazar po pijanemu rozpowiadał, płacząc, różne rzeczy.

Dopiero w wiele lat po opuszczeniu Ginia Tomasz zastanawiał się nad Baltazarem, łącząc w jedno posłyszane o nim baśnie i niebaśnie. Pamiętał wtedy ramię z mięśniem, co naprężał się w kamień (Baltazar był siłaczem), i oczy z długimi rzęsami, sarnie. Żadna udałość ani żadna zabiegliwość nie chronią od choroby duszy — i Tomasz, ile razy o nim myślał, niepokoił się o swoje własne przeznaczenie, o wszystko, co jeszcze było przed nim.

35

XI

Z bródką, z latającym spojrzeniem, składał łagodnie ręce pana z miasta i opierał się łokciami o stół, Herr Doktor, Niemczyk — takim go widywał Baltazar. „Won!" mruczał i próbował przeżegnać się, ale zamiast tego skrobał się tylko w pierś, a słowa tamtego sypały się z szelestem suchych liści, w tonie perswazji.

— Ależ drogi Baltazarze — mówił. — Ja chcę tobie tylko pomóc, martwisz się ciągle i zupełnie niepotrzebnie. Troszczysz się o gospodarstwo, że ziemia nie twoja, że niby masz ją, a zarazem nie masz. Lekko przyszła, lekko odejdzie, czy tak? Łaska pańska, jutro kto inny weźmie Ginie i ciebie wyrzuci?

Baltazar jęczał.

— A czy naprawdę o ziemię tak ci chodzi? No przyznaj się. Nie, ty w głębi serca chowasz coś innego. Teraz, tu, masz to pragnienie, żeby zerwać się i odejść stąd na zawsze. A świat jest wielki, Baltazarze. Miasta, gdzie w nocy muzyka i śmiech, zasypiałbyś tam na brzegu rzeki, sam, wolny, nic za tobą, skończone jedno życie, drugie zaczęte. Nie wstydziłbyś się grzechu, odkryłoby się przed tobą to, co na zawsze zostanie zakryte. Na zawsze. Bo ty boisz się. Trzęsiesz się nad gruntem, nad swoimi kabanami. Jak to tak, mam znów nic nie mieć — pytasz. Dobrze, w tobie jest jeden Baltazar i drugi, i trzeci, a ty wybierasz najgłupszego. Wolisz nigdy nie doświadczyć, jaki jest inny Baltazar. Może nie?

— O Jezu.

— Nic ci nie pomoże. Jesień, zima, wiosna, lato, znów jesień, tak w kółko, złożą ciebie w ziemi, napij się jeszcze, to twój cały smak. W nocy? Ty wiesz sam. Ale nie ja przecie doradzałem ci żenić się, kiedy brak ci do tego ochoty, i wybrać najbrzydszą dziewczynę, bo jej ojciec bogacz. Strach, Baltazarze. Wszystko przez to. Zabezpieczałeś się. A kiedy ci było lepiej, kiedy miałeś dwadzieścia lat czy teraz? Przypominasz sobie tamte wieczory? Twoja ręka dobra do siekiery, nogi do tańca, gardło do pieśni. Jak tam dokładaliście drew do ogniska, i tych twoich przyjaciół. A dzisiaj jesteś sam. Gospodarz. Choć nie przeczę, mogą ci ten dom odebrać.

Paraliż porażał Baltazara. Wewnątrz worek trocin. Tamten natychmiast to przenikał.

— Wyłazisz rano przed dom, rosa, ptaki śpiewają, a czy to dla ciebie? Nie, ty liczysz. Dla ciebie to jeszcze jeden dzień i jeszcze jeden, i jeszcze. Byle ciągnąć. Jak wałach. A kiedyś? Nie dbałeś o liczenie. Śpiewałeś. Teraz co? Przyglądasz się dębom, ale one jak z pakuł. A może ich nie ma? W książkach mądrze to opisano. Ty nie dowiesz się, jak opisano. Jeżeli kto w sobie chowa taką kaszę, lepiej, żeby się od razu powiesił, bo przestaje już wiedzieć, czy jemu się nie śni, kiedy chodzi po ziemi. To stoi w książkach. Powiesisz się? Nie.

— Dlaczego innym jest dobrze, a mnie nie?

— Dlatego, mój drogi, że każdemu dano taką nitkę, jego los. Albo schwyci jej koniec i wtedy cieszy się, że postępuje jak należy. Albo nie schwyci. Tobie się nie udało, ty nie szukałeś własnej nitki, oglądałeś się na tego i tamtego, żeby być taki jak oni. Ale co dla nich szczęście, dla ciebie nieszczęście.

— Co robić, mów.

— Nic. Za późno. Za późno, Baltazarze. Idą dni i noce i coraz mniej odwagi. Ani odwagi, żeby powiesić się, ani odwagi, żeby uciec. Będziesz gnił.

Piwo lało się mętną strugą z dzbana, pił, a wewnątrz ciągle paliło. Tamten uśmiechał się.

— A o ten sekret nie potrzebujesz się gryźć. Nikt nie odkryje. To zostanie między nami. Czy nie każdemu sądzona śmierć? Czy nie to samo, trochę wcześniej, trochę później? Chłop był młody, to prawda. Ale długo wojował, już o nim w jego wiosce trochę zapomnieli. Żona popłacze jeszcze, pocieszy się. Jego synek, tłuściutki, za szyję go obejmował, ale za mały, ojca nie spamiętał. Tylko nie trzeba, żebyś plótł przy wódce ludziom, że jakieś tam zbrodnie masz na sumieniu.

— Ksiądz...

— Tak, tak, spowiadałeś się. Ale taki głupi nie jesteś, żeby nie rozumieć, że nic tam przy konfesjonale nie potrafisz wybarmotać. Łgałeś. Pewnie, że przykro nie dostać rozgrzeszenia. Więc łgałeś, że on skoczył na ciebie z siekierą, i wtedy zabiłeś. Skoczył, tak, ale jak było dalej? No, Baltazarze? Strzeliłeś, kiedy siedział w krzakach i jadł chleb. Suchary z krwią wrzuciłeś za nim do jamy i tak zakopałeś, prawda?

Wtedy to Baltazar ryczał i rzucał kubkiem. Pojawianie się Niemczyka tłumaczy też awantury, jakie urządzał po karczmach, przewracając stoły, zydle i tłukąc lampy.

XII

Miejsce w kotlince między jedliną zabliźniło się łatwo, Baltazar wyciął wtedy darń łopatą i później założył z powrotem. Przychodził tu zwykle pod wieczór, siadał, słuchał wrzasku sójek i myszkowania drozdów. Zmniejszała się dotkliwość, łatwiej to przychodziło znosić tutaj, niż myśleć o tym z daleka. Zazdrościł prawie temu, co tu leżał. Spokój, obłoki snujące się nad drzewami. A przed nim, ile jeszcze lat?

Karabinek spuścił w dziuplę dębu i nie tykał go więcej. Przerobiony z wojskowego, z obciętą lufą, dawał się schować pod świtką, i tamten przypuszczał, że Baltazar idzie bez broni. Wypadł na niego z gęstwy przy ścieżce z podniesioną siekierą, krzycząc, żeby podnieść ręce do góry. Ruda broda, podarty rosyjski szynel: plennik wędrujący lasami z niemieckiej niewoli. Czego chciał? Zabrać cywilne ubranie czy zatłuc, a może pomieszany? Baltazar podrzucił do biodra karabin i tamten zakręcił, świszczało w krzakach, tak uciekał. Ale nie jemu znać wszystkie przesmyki i przejścia. Zwierzyna, choćby kręciła się w kółko, zawsze oprze się tam, gdzie powinna. Nie spiesząc się, zaczął obchód. Jeżeli plennik pobiegł w tamtą stronę, kombinował, wyjdzie na jelniaki i tam odpocznie. Co pchało Baltazara? Mściwość czy strach, że tamten ma towarzyszy, że napadnie w nocy? Czy po prostu myśliwska żądza? Iść za zwierzem, jak on tak, to ja tak? Na garbach skradał się i mignął mu szary szynel tam mniej więcej, gdzie się spodziewał. Zostawił go i znów okrążył od młodniaku, którym mógł podpełznąć bliżej. I wtedy lufka na pochylonych plecach (siedział do Baltazara bokiem), na szyi, na głowie z czapką bez kozyrka. Potem starał się ze wszystkich sił przypomnieć sobie, dlaczego pociągnął za cyngiel, ale raz zdawało mu się, że na pewno z takiego powodu, to znów że z zupełnie innego.

Rosjanin padł twarzą w dół. Baltazar czekał, było cicho, jastrzębie kwiliły wysoko. Nic, żadnego ruchu. Upewnił się i wtedy, zakosem, dosięgnął zabitego. Odwrócił go na wznak. Oczy jasnoniebieskie patrzyły w niebo wiosny, wesz pełzła rąbkiem płaszcza. Worek z sucharami rozwiązany, na nim plamy krwi. Obcasy butów starte do szczętu, maszerował skądś z daleka, od Prus. Przeszukał kieszenie, ale znalazł w nich tylko scyzoryk i dwie niemieckie marki. Wszystko to i siekierę zasunął pod jedlinowe łapki razem z ciałem, bo musiał wrócić tu wieczorem z łopatą.

Właśnie na tym miejscu, rozmyślając, powziął kiedyś zamiar, żeby szukać pomocy. Prawie pewny był, że to postanowienie pochodzi w jakiś sposób od Rosjanina. Może nie darmo go zabił. Tej nocy spał dobrze. Samym świtem wyruszył w drogę.

Czarownik Masiulis hodował dużo owiec i otwierało się wrota za wrotami, żeby przedostać się na dziedziniec. Baltazar wyłożył swoje podarunki: faskę masła i wianki kiełbasy. Stary poprawiał okulary w oprawie z drutu. Skóra jak wędzona, z nozdrzy, z uszu wystawał puch siwizny. Rozmawiali najpierw o różnych nowinach z sąsiedztwa. A jak dojrzało i wypadało przystąpić do tego, po co te odwiedziny, Baltazar nie umiał wiele z siebie wydobyć. Pokazywał tylko na serce, jakby chciał wyrwać, i niedźwiedziowato mruczał: „Męczą mnie". Czarownik nic, pokiwał głową, wyprowadził go do sadu, za ule i tam między jabłoniami stała dawna kuźnia obrosła trawą. Zdejmował woreczki wiszące na żerdziach, nazbierał w kącie chrustu i ułożył z niego cztery kupki, a Baltazara usadził na kłodzie pośrodku. Chrust podpalił i szepcząc sypał w ogień zioła, które czerpał z woreczków. Dymiło silnie, durzyło, a twarz w okularach pojawiała się to z tej, to z innej strony i mamrotała niby modlitwę. Później kazał mu wstać i wziął z powrotem do izby. Baltazar spuszczał oczy pod jego spojrzeniem, jakby już przyznał się do wielu win.

— Nie, Baltazarze — stary wreszcie powiedział. — Ja tobie nie mogę pomóc. Na króla król, na cesarza cesarz. Każda siła ma swoją siłę, a ta siła nie moja. Trafisz może na kogo, co dostał taką, jakiej potrzeba. Ty czekaj.

Tak skończyła się nadzieja. I zęby błyskały, uśmiech pogody dla tych, co nic nie starali się odgadnąć.

XIII

Ksiądz rzadko wybierał się do dworu i znajomość z plebanią liczyła się od tego dnia, kiedy Tomasz stał z Antoniną na schodkach, patrząc w magiczne szybki, a Antonina poprawiała fałdy chustki przy policzku ruchem onieśmielenia. Proboszcz, pomięty i zgarbiony, był nazywany „Teigi-Teigi" od słów, które ciągle wtrącał bez widocznej potrzeby. Kazał mu zmówić Ojcze Nasz, Zdrowaś Maria i Wierzę i dał mu obrazek. Matka Boska na nim podobna była do jaskółek, które lepiły gniazda nad stajnią i nawet wewnątrz, nad drabinkami do siana. Ciemnoniebieska suknia, brąz na twarzy i naokoło niej krąg z prawdziwego złota. Przechowywał ten obrazek w kalendarzu i cieszył się otwierając stronice, że zbliża się do miejsca, gdzie leżą kolory.

Katechizmu uczył się łatwo, ale swoich sympatii nie rozdzielał na równi. Bóg Ojciec, z brodą, marszczy brwi surowo i unosi się nad chmurami. Jezus patrzy łagodnie i pokazuje na serce, skąd idą promienie, ale wrócił do nieba i też mieszka daleko. Co innego Duch Święty. Ten jest wiecznie żyjącym gołębiem i wysyła snop światła prosto na głowy ludzi. Kiedy przygotowywał się do spowiedzi, modlił się, żeby nad nim się zatrzymał, bo z grzechami było trudno. Liczył je na palcach i zaraz gubił, liczył na nowo. Przytykając usta do wygładzonych kratek konfesjonału i słysząc sapanie księdza, pośpiesznie wyrecytował swoją listę. Już jednak na Szwedzkich Wałach ogarnęły go wątpliwości, szedł coraz wolniej, aż w alei zapłakał i z rozpaczą przybiegł do babci Misi pytając ją, co zrobić, bo zapomniał grzechy. Doradzała, żeby wrócić, ale wtedy zanosił się jeszcze bardziej płaczem, ze wstydu. Nie było innej rady, Antonina wzięła go za rękę i zaprowadziła do księdza, a jej obecność jakoś go uspokajała, może nieładnie, ale lepiej niż samemu.

Tomasz więc od razu już miał zadatki na to, co teologowie określają jako sumienie skrupulatne, przyczyna, według nich, wielu zwycięstw diabła. Starając się nic nie pominąć, nie włączał do swoich przewin pewnego sekretu. Nie umiał tego zobaczyć z zewnątrz, nie przychodziło mu do głowy, że to jest i tylko jego własne, najwłaśniejsze, jego i Onutė Akulonis — a równocześnie, że to istniało poza nimi, że przed nimi wynaleźli to już inni. Nieczystość w mowie i uczynkach na przykład to było zupełnie nie to — wymawianie brzydkich słów, podglądanie kąpiących się dziewczyn, co mają czarną wronę pod pępkiem, albo straszenie ich w sobotę na wieczorynce, kiedy wychodzą w przerwie pomiędzy jednym tańcem i drugim i kucają w sadzie, podnosząc spódnice.

Z Onutė często gubili gdzieś gromadę innych dzieci i wymykali się na miejsce nad Issą, które było tylko ich. Dostać się tam nie można było inaczej niż pełzając na czworakach, tunelem pod nawisłą tarniną, a ten zakręcał i należało dobrze go znać. Wewnątrz, na małym pagórku piasku, bezpieczeństwo zbliżało ich do siebie, rozmawiali przyciszonymi głosami i nikt, nikt ich tam nie mógł dosięgnąć, a oni słyszeli stamtąd plusk ryby, stukanie kijanek, turkot kół na drodze. Goli, leżeli z głowami zwróceni do siebie, cień padał im na ręce i w tym niedostępnym pałacu mieli w ten sposób jeszcze mniejsze schowanie, w którym przebywało się tajemniczo i chciało się szeptem opowiadać — co? Onutė, tak jak jej matka (i tak jak Pola), miała żółte włosy, splatała je w warkoczyk. A To było takie: kładła się na wznak, przyciągała go do siebie i ściskała kolanami. Zostawali tak długo, słońce przesuwało się w górze, wiedział, że chce, żeby jej dotykał i robiło się Słodko. Ale to przecież nie była żadna inna dziewczynka, tylko Onutė, i nie mógłby spowiadać się z czegoś, co zdarzyło się jemu z nią.

Rano przyjmując komunię św. czuł się lekki, dlatego także, że na czczo i że ssało go w brzuchu. Odchodził ze skrzyżowanymi na piersiach rękami, patrząc w końce swoich bucików. Że przylepiony do podniebienia opłatek, który nieśmiało odrywał językiem, jest Ciałem Pana Jezusa, nie umiał sobie przedstawić. Że go to zmieniało i że przynajmniej przez cały dzień był cichy i grzeczny, to jednak było widoczne. Szczególnie trafiły do jego wyobraźni słowa księdza o tym, że dusza ludzka jest jak izba, co powinna być uprzątnięta i przybrana na przyjęcie Gościa. Myślał, że może opłatek topnieje, ale tam w duszy znów się zrasta i stoi między zielenią w tamtejszym błyszczącym kielichu. Że on, Tomasz, nosi w sobie taką izbę, napełniało go dumą i zachowywał się tak, żeby jej nie popsuć i nie zniszczyć.

Powoli zbliżał się czas, kiedy, według obietnicy, miał zostać ministrantem, i zaczął nawet uczyć się niezrozumiałych łacińskich odpowiedzi, ale wtedy odszedł stary proboszcz i zaszły duże zmiany. Nowy ksiądz, młody, postawny, z wystającym podbródkiem i brwiami, które zrastały się na nosie, wzbudzał obawę przez gwałtowność swoich ruchów. Zatrzymał tych ministrantów, co byli, i nowymi się nie zajmował. Zresztą ważniejsze obowiązki go obchodziły.

Jego kazania w niczym nie przypominały monotonnych gawęd, przeplatanych chrząkaniem i monotonnym „tejgi-tejgi", do jakich przyzwyczajono się w Giniu dotychczas. Tomasz, choć nie bardzo zdolny do śledzenia sensu, jak wszyscy zamierał w oczekiwaniu, kiedy ksiądz zjawiał się na ambonie. Najpierw szemrał po domowemu, tak jak się rozmawia codziennie. Potem co parę zdań wymawiał jedno bardzo głośno i brzmiało to jak muzyka. Wreszcie podnoszenie rąk, krzyk, aż trzęsły się ściany. Piorunował grzechy, jego wyciągnięty palec celował w tłum i każdy drżał, bo każdemu zdawało się, że bije w niego. I nagle — cisza. Stał z czerwoną rozgrzaną twarzą i patrzył; wychylał się oparty o krawędź ambony i ledwo dosłyszalnie, pieszczotliwie, od serca do serca, perswadował, roztaczał opisy szczęśliwości, jaka czeka zbawionych. Wtedy słuchacze pociągali nosami. Sława księdza Peikswy szybko sięgnęła poza Ginie i sąsiednie wioski, przyjeżdżano do niego z innych parafii do spowiedzi i zawsze otaczały go chustki, schylające się, kiedy jego wielbicielki usiłowały całować mu stułę albo ręce.

Wielbiła go Akulonisowa, dziewczęta czeladne, a już przede wszystkim Antonina („czyści grzechy — i wzdychała — wszystko jedno jak żelazno szczotko we środku drapie"). Nawet babcia Misia, przeciwna z zasady litewskim kazaniom, przekonała się do niego po wysłuchaniu kilku jego przemówień po polsku. Cały ten jednak zapał trwał niezbyt długo. Na Ginie spadł wielki zaszczyt, tak, to przyznawały jeszcze kobiety wobec obcych, ale już z kwaśnymi minami i zaraz kierowały rozmowę na coś innego. I Tomasz, i dzieci z wioski wkrótce już wiedziały, że lepiej jest nie chodzić na plebanię.

XIV

Na kilka dni przed Matką Boską Zielną przywieźli trumnę Magdaleny. Leżała na wielkiej bryce wysłanej sianem, przykryta wzorzystą derką. Konie, w cieniu, co padał od lip, opuszczały nisko głowy tkwiące w workach i z dna szczupały owies, oganiając się sennie od much; drogę odbyły daleką. Wiadomość rozeszła się tak szybko, że ledwie ten, co z ciałem przyjechał, zawiązał lejce o płot, już ludzie zaczęli się zbierać i stali gromadą, czekając, co będzie. Na górze, na płaskich kamieniach ścieżki ukazał się ksiądz Peikswa. Nieruchomy, jakby zastanawiał się, czy zejść, albo zbierał siły. Wreszcie powoli zaczął zstępować, znów zatrzymał się, wyciągnął chustkę i gniótł ją, skręcał w palcach.

Zgorszenie z Magdaleną trwało jakieś pół roku i powstało z jej winy. Mogłoby się bez niego obejść. Peikswa zastał ją już jako gospodynię na plebanii i nikomu nic do tego, co tam między nimi zaszło: ksiądz też człowiek. Zaczęła jednak zachowywać się nieprzyzwoicie. Chodziła, wysuwając naprzód podbródek, kołysząc się, prawie tańcząc. Sprawiało jej widoczną przyjemność tak do niego podejść czy coś powiedzieć, żeby dać wyraźnie poznać innym kobietom: wy całujecie jego ręce i szaty, a ja mam jego całego. Co prowadziło do wyobrażenia sobie, jak on, ten sam co przed ołtarzem, leży z nią goły w łóżku, jak do siebie przemawiają i co robią. Wiadomo powszechnie, że w tych sprawach wiele można wybaczyć, dopóki nie pojawiają się obrazy, dokuczliwe, którym nie można się opędzić.

Rozważając zachowanie się Magdaleny w ogóle (u starego proboszcza służyła przez dwa lata), mieszkańcy Ginia w długich, rozwlekłych rozmowach ustalili, że także poprzednio nie wszystko z nią było tak jak należy. Jeżeli małżeństwo nie doszło do skutku i chłopak ożenił się zaraz z inną, stało się to nie tylko ze względu na jej wiek — miała już pewnie ze dwadzieścia pięć lat — i może nie tak zupełnie dlatego, że była biedna, córka bezrolnych, i że obca. Żadne perswazje nie pomagały i gotów był postąpić wbrew swoim rodzicom — tutaj już wypada zauważyć jej szczególne zdolności. Ale rozmyślił się w ostatniej chwili. Przestraszył się: za gorąca, nie znająca miary. Także inne podobne zdarzenia teraz ukazywały się w nowym świetle, uzupełniały się wzajemnie. A dla kogoś, kto mógłby dotychczas wątpić, teraz ta trumna.

Tomasz, ponieważ Antonina wymawiając jej imię spluwała, odnosił się do Magdaleny nieżyczliwie, choć nie miał żadnego powodu. Wabiła go do kuchni i dawała mu ciastka, ile razy bywał na plebanii za księdza Teigi-Teigi. Właściwie podziwiał ją wtedy i ściskało go w gardle w jej obecności. Jej spódnice szumiały, ich zapięcie wcinało ją w pasie, kiedy pochylała się nad płytą i próbowała potrawy z łyżki, kosmyk włosów zsuwał się koło ucha, a z boku w bluzce dyndała pierś. Łączyło ich to, że on wiedział, jak ona wygląda, a ona nie wiedziała, że on wie. Spowiadał się z grzechu, ale widział. Na pochylone nisko nad wodą drzewo można było wleźć i schować się między liśćmi. Serce bije: przyjdzie czy nie przyjdzie? Issa już różowieje od zachodzącego słońca, ryba buszuje. Zagapił się na przelatujące kaczki, a ona już próbowała stopą, czy woda ciepła, i przez głowę ściągała koszulę. Wchodziła nie tak jak baby, co przysiadają po kilka razy z pluskiem. Powoli, krok za krokiem. Piersi rozchylały się na strony, a pod brzuchem była nie bardzo czarna; tak sobie. Zanurzyła się i płynęła „po psiemu", nogą wzbijając od czasu do czasu fontannę, aż do miejsca, gdzie liście lilii wodnych zakrywały rzekę. Potem wróciła i myła się mydłem.

Co obijało się o uszy Tomaszowi, zostawało dla niego niejasne, a jednak przerażające. To chyba niemożliwe, żeby ten, który grzmi o ogniu piekielnym, sam był grzesznikiem. I jeżeli on, co udziela rozgrzeszenia, jest taki sam jak inni, to co ono warte? Zresztą nie stawiał sobie pytań wyraźnych, a na pewno nie odważyłby się nagabywać o to starszych. Magdalena nabrała dla niego uroku rzeczy zakazanych. A starsi złościli się na nią. Rozdzielali, czego nie umiał Tomasz; ona to było jedno, a ksiądz, kiedy ubrał się w komżę, drugie. Ale zepsuła układ, zamąciła spokój i popsuła im przyjemność kazań.

Peikswa schodził w dół i ciekawość ogarniała wszystkich: co każe zrobić z trumną. Kiedy był już przy wozie, zaczęli odwracać głowy. Bo płakał. Łzy ściekały mu po policzkach, jedna po drugiej, usta drgały, zacisnął je, i otworzył, tylko żeby powiedzieć, że prosi o zaniesienie ciała na górę do kościoła. Samobójczyni przygotowywał chrześcijański pogrzeb. Zdjęli derkę i ukazała się trumna z białej sosny. Czterech wzięło ją i wspinali się po stromej spadziźnie, tak że Magdalena prawie stała.

XV

Żeby otruć się trucizną na szczury, trzeba stracić wszelką nadzieję, a również tak ulec własnym myślom, że one przesłonią świat, aż przestanie się cokolwiek widzieć prócz własnego losu. Magdalena mogłaby poznać wiele miast, krajów, ludzi, wynalazków, książek, przejść przez różne wcielenia, jakie są ludzkim istotom dostępne. Mogłaby, ale tłumaczyć jej to, albo pokazywać, przy pomocy jakiejś czarodziejskiej różdżki, miliony kobiet do niej podobnych i cierpiących tak samo, byłoby daremne. Nawet jej przeniknięcie w rozpacz tych, co w tej samej chwili, kiedy zadawała sobie śmierć, walczyli jeszcze o godzinę, minutę życia, nic by chyba nie pomogło. Kiedy myśli wreszcie ustąpiły i ciało znalazło się wobec ostatecznej grozy, było już za późno.

Należy zrozumieć, że wpadła w bardzo zły stan na krótko przed tym, nim odszedł stary proboszcz. Wtedy właśnie zerwał z nią narzeczony. Po porażce tamtej miłości został w niej chłód i pewność, że nic się nie zmieni, że tak już będzie zawsze. Wszystko w niej się skręcało i buntowało, nie mogła tak zostać, co począć z tą pewnością, że dzień będzie mijał za dniem, miesiąc za miesiącem, rok za rokiem, i już, patrzcie, jest starą kobietą? Budziła się o świcie i leżała z otwartymi oczami, a wstawać i zaczynać codzienną pracę wydawało jej się straszne. Siadała na łóżku i obejmowała piersi dłońmi — jak ona odtrącone, co dzielić z nią miały staropanieństwo i zwiędnąć bezużytecznie. I co dalej? Łapać chłopców na wieczorynkach, żeby chodzili z nią do odryny albo na łąkę i potem się śmieli? Pogrążała się więc w zupełnej beznadziejności, kiedy plebanię objął Peikswa.

Na huśtawce jest moment zatrzymania — a potem leci się w dół, aż zapiera oddech. Nagle odmieniła się ziemia i niebo, to samo drzewo, na które patrzyła przez okno, było inne, obłoki niepodobne do dawnych, wszystkie stworzenia poruszały się jakby napełnione żywym złotem, które z nich promieniowało. Nie przypuszczała nigdy, że może być aż tak. Za cierpienie została przygotowana nagroda i jeżeli ma się cierpieć wieki potem, też warto. Nie najmniejszy udział w jej upojeniu przypadał na rozkosz nasyconej ambicji: ją, ubogą, prawie niepiśmienną, ją, co nie mogła sobie znaleźć męża, wybrał on, uczony, któremu nikt nie dorównywał.

I wtedy — należy to zrozumieć — została pozbawiona wszystkiego i odtrącona w chłód, tym razem na zawsze.

Peikswa, świadomy skandalu i zmuszony do wyboru, oddał ją na gospodynię proboszczowi w oddalonych stronach, tak oddalonych, że ostateczność zerwania ukazała się każdemu jasno. W tym domu nad jeziorem, sama ze zgryźliwym starcem, Magdalena nie zabawiła długo — akurat tyle, żeby wrócić w czarną noc, jaką znała przed okresem szczęśliwości. Otruła się, kiedy wiatr gwizdał w trzcinach i fala składała płaty białej piany na żwirach, chlupiąc o dno przywiązanych przy kładce łodzi.

Proboszcz tamtejszy nie chciał jej pochować. Wolał dać swój wóz, parę koni i furmana, byle pozbyć się kłopotu.

Ostatnia podróż Magdaleny, zanim weszła w krainy, gdzie przywitały ją damy niegdysiejszego czasu — zaczęła się wcześnie rano. Strzępiaste baranki szły w górze, konie biegły rześkim truchtem, na otawach mężczyźni ostrzyli kosy i osełki dzwoniły o metal. Potem piaszczystą drogą między jałowcami, przez sosnowe borki, coraz wyżej, aż do rozstaju, skąd widzi się trzy płaszczyzny wód spięte ze sobą zielenią, jak naszyjnik z jasnych kamieni. Wtedy znowu w dół, w lasy i tam, w ulicy wioski, Magdalena patrzyła w liście starego klonu przez godziny południa, aż do pory, kiedy cienie zaczynają się wydłużać, upał koni już nie męczy i można jechać dalej. Na grobli wyłożonej okrągłymi dylami koła podskakiwały, choć konie szły stępa, rozlegał się wieczorny koncert drozdów, już otwierało się gwiaździste niebo musujące obrotami sfer i wszechświatów. Ogromny spokój, granatowa przestrzeń, kto stamtąd patrzy i czy widzi jedną maleńką istotę, co sama umiała zatrzymać ruch swego serca, krążenie krwi i własną wolą zmienić się w nieruchomą rzecz. Zapach koni, leniwe gadanie do nich człowieka przy niej, i tak do późnych godzin wieczora. A rano, przez pagórki, dąbrowy, już niedaleko, już zjazd w dolinę Issy, a tam, mając przed sobą widok na iskry rzeki w łozinach, ksiądz Peikswa odmawia brewiarz.

Latem ciało psuje się szybko i dziwili się, czemu zwleka, jakby nie chciał jej oddać ziemi. Jednak kiedy wreszcie ją wynosili, nie zauważono żadnego przykrego zapachu — ten fakt został później przypomniany. Pochował ją na skraju cmentarza, tam gdzie zaczyna się spadzistość i gdzie korzenie węzłami trzymają sypki grunt. Kazanie w dzień Matki Boskiej Zielnej dał niedługie i równym, spokojnym głosem. Przedstawiał, jak Ta, co nie zaznała zmazy, wstępuje do nieba, nie duchem, ale całą sobą, taka jak chodziła między ludźmi. Jej stopy są najpierw tuż nad trawą i nie ruszając nimi unosi się powoli coraz wyżej, powiew igra z jej długą suknią — jakie noszono w Judei, aż jest już tylko punkcikiem między obłokami, i to, co nam grzesznym, jeżeli zasłużymy, będzie udzielone w Dolinie Jozafata, ona już otrzymała: zmysłami ziemskimi, w wiecznej młodości, ogląda oblicze Wszechmogącego.

Wkrótce potem Peikswa opuścił Ginie i nigdy o nim odtąd nie słyszano.

XVI

Rozmawiały o tym sąsiadki, opierając łokcie o płot. Mężczyźni milczeli, wzrok mając utkwiony w szczypcie tytoniu, ślinili papierek i udawali, że całą uwagę koncentrują na tej czynności. Powoli wzmagał się niepokój, choć na razie szukano tylko przyczyn, próbowano utrafić i wystrzegano się niebezpiecznych słów.

Do szerzenia plotek przyczyniał się głównie nowy ksiądz, Monkiewicz, okrągły, łysy i nerwowy. Przestraszył się i niedługo potrafił to ukrywać. Żeby odzywało się ciągle to stukanie w ścianę (po trzy razy), nie znajdował żadnego przyrodzonego powodu. W domu czuł się nieswojo po tym, czego się dowiedział, i źle znosił obecność, jaka zaznaczała się tym właśnie stukaniem albo powolnym przyciskaniem klamki. Zrywał się i otwierał drzwi, ale za nimi nikogo nie było. Miał nadzieję, że te objawy ustaną, ale przeciwnie, przybierały na sile. Kościelny został wezwany do spania na plebanii i od tej chwili nie musiano ograniczać się do domysłów. Zresztą ksiądz Monkiewicz, nie mogąc dać sobie rady, wkrótce poprosił gospodarzy o pomoc. Zbierali się po kilku i w nocy dyżurowali w kuchni.

Biedny duch Magdaleny nie chciał opuścić miejsc, gdzie zaznała szczęścia. Niewidzialnym tasakiem rozszczepiał niewidzialne polana i rozpalał ogień, który buzował i trzeszczał jak prawdziwy. Przesuwał rondle, tłukł jajka i smażył jajecznicę, choć płyta pozostawała zimna i pusta. Jakimi narzędziami rozporządzał? Czy to są tylko dźwięki, rodzaj szerokiego rejestru szmerów naśladujących dźwięki natury, czy też duchowi dana jest cała jakaś druga, inna kuchnia z ogólnym wiadrem, z ogólną patelnią, z ogólnym stosem polan, które są jak ekstrakt wszystkich wiader, patelni, polan, jakie mogą istnieć? Nie da się tego rozstrzygnąć, można tylko nasłuchiwać i najwyżej nie wierzyć własnym zmysłom. Święcona woda nie pomagała. Ksiądz kropił, przerwa trwała krótko i zaraz znowu odbywała się praca. I z każdym wieczorem coraz śmielej, z hałasowaniem, przerzucaniem rondli, pluskiem wody. Gorzej, że podobna działalność przeniosła się do sypialni. Prócz stuków, ruchów klamką odzywały się teraz kroki, papiery i książki zlatywały na podłogę i zalęgło się jeszcze jedno — coś jak przytłumiony śmiech. Ksiądz Monkiewicz żegnał i kropił jeden kąt, nic, drugi, nic, trzeci, nic, ale kiedy podchodził do czwartego, rozlegał się chichot i gwizdanie jak na wypróchniałym orzechu.

Wieść o tych zdarzeniach szybko rozeszła się po sąsiednich wioskach i gdyby ludzie z Ginia nie uważali, że bądź co bądź to są ich sprawy i że obcych nie należy do nich dopuszczać, nie trzech by zasiadało na noc w kuchni, a próbowałoby się tam dostać trzystu. Nie mogąc brać czynnego udziału, przynajmniej gadali i parafia trzęsła się od przesadzonych pogłosek.

W stwierdzeniu, że duchowi Magdaleny budynek plebanii nie wystarcza, pewną rolę odegrał Baltazar. Cała jego przygoda zasługiwałaby na śmiech i chyba tylko na tę odrobinę powagi, z jaką potakuje się opowiadaniom pijaków, żeby ich nie urazić — gdyby nie jeden szczegół. Baltazar twierdził, ni mniej, ni więcej, że zobaczył tylko co Magdalenę, jak zjeżdżała na białym koniu do rzeki od strony cmentarza. Była goła, i ona, i koń błyszczeli w ciemności. Kiedy zebrało się w chacie jego teścia wielu ludzi, powtarzał w kółko to samo i obrażał się, jeżeli przyciskali go do muru i ostrożnie napomykali, że może mu się przywidziało. Ktoś wtedy wpadł na pomysł, żeby pójść do stajni proboszcza i zobaczyć, czy jest tam jego gniady. Gniady był — ale spocony, jakby jeżdżono na nim galopem.

We dworze naturalnie kipiało i Antonina co dzień przynosiła nową porcję. Babcia Misia powtarzała: „Coś okropnego!", i uszczęśliwiona z pozagrobowych figli zaprosiła księdza, żeby się wyskarżył. Siorbał herbatę z poziomek i ze strapioną miną przyznał się, że brak mu już zdrowia, że jeżeli to nie ustanie, to poprosi o przeniesienie na inną parafię — triumf babcia Misia odniosła więc całkowity i w jej okrzykach niedowierzania: „Co ksiądz mówi!", brzmiał zachwyt, bo trzymała przecież z duchami, a nie z ludźmi. Wkrótce jednak zaszło coś zupełnie już blisko. Tomaszowi, który został dopuszczony do łóżka Szatybełki, kiedy temu trochę się polepszyło, mrowie przebiegało po skórze. Chory odzywał się słabym głosem, broda rozkładała się na kołdrze, a na dywaniku zwinięty w kłębek leżał Mopsik; ten zachował się niesławnie, uciekł wtedy z podwiniętym kawałkiem swego obciętego ogona, ale jego pan nie żywił o to urazy. A oto dokładny opis spotkania. We dworze młócono wtedy zboże. Lokomobila stała w szopie koło stodoły i po zakończeniu pracy drogocenny pas transmisyjny umieszczano w tej szopie, zamykanej na klucz. Szatybełko siedział tego wieczora w miękkich papuciach w swojej stancji i palił fajkę, kiedy nagle zaniepokoił się: nie mógł sobie przypomnieć — przekręcił klucz w zamku czy nie, i ta niemożność przedstawienia sobie dopełnionego obowiązku bardzo go męczyła. Wreszcie, pełen obawy, że ktoś może ukraść pas, włożył, gniewnie mrucząc, buty, kożuch, wziął latarnię i wyszedł z ciepła na chłód i deszcz. Ciemno było zupełnie i widział tylko tyle, ile ogarniał krąg latarni. Szopę rzeczywiście zastał niezamkniętą. Wszedł do środka, ciasnym przejściem pomiędzy ścianą i kotłem lokomobili, i sprawdził; pas leżał na miejscu. Kiedy jednak ruszył z powrotem, wylazł na niego potwór. Szatybełko opisywał go jako rodzaj grubej kłody, sunącej poziomo, całą swoją szerokością. Na niej tkwiły trzy głowy — tatarskie, jak mówił, wyszczerzające się w ohydnych grymasach. Stwora napierała, a on żegnał się i cofał — ale spostrzegł się, że odcina sobie w ten sposób drogę ucieczki, i machając latarnią próbował się przemknąć. Wtedy to stąpnął butem w ciało potwora: miękkie „jak worek plew". Wydostawszy się na zewnątrz, chciał biec, ale nie śmiał się odwrócić. Krok za krokiem, tyłem, przebył całą drogę od zabudowań gospodarskich do swoich drzwi, a trzy potępieńcze głowy cały czas wiły się tuż-tuż na tym niskim korpusie bez nóg. Ledwo łapał oddech i przewrócił się w progu. Dostał zaraz silnej gorączki, a przecież to razem nie trwało dłużej niż kwadrans i niczego dotąd nie brakowało jego zdrowiu.

Możliwe, że, jak przypuszczała babcia Misia, objawił się duch mahometanina pochodzący z pagórka Tatarski Cmentarz. Pamięć o jeńcach tatarskich, pracujących bardzo dawno temu w Giniu, byłaby zaginęła, gdyby nie pozostała ta nazwa. Dlaczego jednak objawił się właśnie teraz? Ktoś go ośmielił albo kazał wziąć udział w zakłóceniu porządku. Tylko Magdalena, teraz chyba przełożona podziemnych mocy.

Te wszystkie fakty doprowadziły powoli do zatargu między wioską i księdzem Monkiewiczem. Zgodziwszy się co do przyczyny, logicznie rozumowali, że należy przyczynę usunąć. Najpierw napomykali mu nieśmiało, ogólnie, krążąc dokoła sedna, używając porównań i przypowieści. Kiedy to nie odnosiło skutku, mówili wręcz, że trzeba temu położyć koniec i że jest sposób. Machał na to rękami i krzyczał, że on nie zgodzi się na to nigdy, nigdy, i wymyślał im od pogan. Uparł się i nie można było go przekonać. Niektórzy radzili, żeby nie pytać go o pozwolenie, ale wiedziano, że również oni się nie odważą. Nic więc nie przedsięwzięto. Tymczasem do proboszcza zjechał na kilka dni drugi ksiądz i odprawiali egzorcyzmy.

XVII

Tomasz bał się biegać po zmroku, ale tylko do czasu, kiedy miał sen. Był to sen wielkiej słodyczy i potęgi; również grozy, i trudno byłoby określić, co w nim przeważało. W słowa nie dawał się ująć, ani rano po owej nocy, ani później. Słowa nie chwytają mieszaniny zapachów albo tego, co nas przyciąga do pewnych ludzi, tym bardziej zanurzania się w studnie, przez które przelatuje się na wylot, na drugą stronę znanego nam istnienia.

Widział Magdalenę w ziemi, w samotności olbrzymiej ziemi, i przebywała tam od lat i na zawsze. Jej suknia rozpadła się i płatki materii mieszały się z suchymi kośćmi, a kosmyk włosów, który wyślizgiwał się na policzek nad kuchenną płytą, przylegał do trupiej czaszki. A równocześnie była przy nim taka sama jak wtedy, kiedy wchodziła w wodę rzeki, i w tej równoczesności zawierało się poznanie innego czasu niż ten, jaki jest nam zwyczajnie dostępny. Uczucie wyrażające się ściskaniem w gardle przenikało go na wskroś, kształt jej piersi i szyi trwał niejako w nim i dotknięcia jej przetłumaczały się na skargę, na rodzaj zaśpiewu: „O, czemu przemijam, czemu moje ręce i nogi przemijają, o, czemu jestem i nie jestem, ja, co raz, tylko raz, żyłam od początku po koniec świata, o, niebo i słońce będą, a mnie już nigdy nie będzie, te kości po mnie zostają, o, nic nie jest moje, nic". I Tomasz z nią razem wpadał w ciszę pod warstwami gleby, gdzie obślizguje się kamyk i robaki torują sobie drogę, on teraz zmieniał się w garstkę spróchniałych piszczeli, on skarżył się ustami Magdaleny i odkrywał, sam, te pytania: dlaczego ja jestem ja? Jak to możliwe, żebym, mając ciało, ciepło, dłoń, palce, musiał umrzeć i przestać być ja? Właściwie może to nie był nawet sen, bo leżąc na najgłębszym dnie, pod powierzchnią realnych zjawisk, czuł cielesnego siebie, skazanego, rozpadającego się, już po śmierci, a zarazem, biorąc udział w tym unicestwieniu, zachowywał zdolność stwierdzania, że on tu jest ten sam, co on tam. Krzyczał i obudził się. Ale zarysy przedmiotów stanowiły część koszmaru, nie wydzielały się wcale jako bardziej mocne. Zaraz wpadł znowu w to samo odurzenie i wszystko powtarzało się w coraz to nowych odmianach. Dopiero brzask go uwolnił, otwierał oczy w trwodze. Wracał z daleka. Powoli światło wydobywało poprzeczkę łączącą nogi stołu, zydle, krzesło. Jakaż ulga, że świat ten na jawie składa się z rzeczy z drzewa, z żelaza, z cegieł i że one mają wypukłość i chropowatość! Witał sprzęty, które wczoraj krzywdził, ledwie je zauważając. Teraz wydały mu się skarbami. Wpatrywał się w rysy, w sęki, w pęknięcia. Po tamtym zostawał jednak rozkoszny czad, wspomnienie krain, których nigdy dotychczas nie odgadywał.

Odtąd, jeżeliby Magdalena zbliżyła się do niego w ciemnej alei, postanowił nie wrzeszczeć, bo nie zrobiłaby mu nic złego. Nawet pragnął, żeby mu się zjawiła, choć dostawał na myśl o tym gęsiej skórki, ale nie nieprzyjemnej, takiej jak wtedy, kiedy gładził aksamitną wstążkę. A do snu nie przyznał się nikomu.

XVIII

Czego dokonano, dokonano w tajemnicy, i Tomasz nieprędko potem dowiedział się o tym czynie, który wzbudził w nim wielki żal i zgrozę.

Tylko starszyzna wioski, kilkunastu gospodarzy zostało dopuszczonych. Zebrali się pod wieczór i pili dużo wódki. Bądź co bądź każdemu z nich było niewyraźnie i starali się dodać sobie odwagi. Pozwolenie zostało udzielone, ściślej, ksiądz Monkiewicz powiedział: „Róbcie, co chcecie", ale to stanowiło z jego strony dostateczne przyznanie się do porażki środków, jakie miał w swojej dyspozycji. Wkrótce po wyjeździe jego kolegi — nie było tej nocy akurat nikogo na plebanii prócz kościelnego i starej gospodyni, bo zdawało się, że Magdalena po egzorcyzmach da spokój — rozległ się w sypialni krzyk i Monkiewicz ukazał się na progu w długiej nocnej koszuli rozdartej w kilku miejscach, tak że płótno zwisało kawałkami. Magdalena ściągnęła z niego kołdrę i zaczęła drzeć na nim koszulę. Chorobę jego — zachorował na różę — i on sam, i wszyscy przypisywali przelęknieniu. Na różę z przelęknienia nie ma skutecznych lekarstw poza zamawianiem. Sprowadzono więc znachorkę, która mruczała nad nim swoje zaklęcia. Wie się o nich, że zawierają rozkazy zwrócone do choroby, żeby opuściła ciało; te są poparte groźbami, strzępami chrześcijańskich i jakichś starszych pacierzy, ale słowa, raz wyjawione, tracą moc i wolno temu, co je zna, przekazać przed śmiercią tylko jednej osobie. Ksiądz poddawał się zabiegom niechętnie. Kiedy chodzi jednak o powrót do zdrowia, nie pora na wątpliwości, spodziewamy się wtedy, że może jednak. Podobne osłabienie oporu, wątła nadzieja, że nękające zjawiska ustaną, skłoniła go do udzielenia również tej drugiej zgody.

Powinno się przystępować do tego w ciemności. Może nie jest to przepis, ale wypada, żeby towarzyszyła temu nabożność, to jest, przede wszystkim, milczenie. To znaczy bez udziału gapiów, w kręgu ludzi poważnych i pewnych.

Próbowali ostrza łopat, zapalali latarnie i wymknęli się po jednemu, po dwóch, przez sady. Wiał silny wiatr i dęby chrzęściły suchymi liśćmi. Ognie w wiosce już pogasły i była tylko czarność i ten szum. Kiedy już wszyscy nadeszli na placyk przed kościołem, skierowali się gromadą na miejsce i ustawili się naokoło jak mogli na zboczu tutaj już stromym. W okrągłych szkłach latarń, za ochroną z metalowych prętów, płomyki skakały, miotały się, ganiane podmuchami.

Najpierw krzyż. Postawiony, żeby został tak długo, jak starczy siły drewnu, żeby przegnił i zmurszał w swojej zakopanej części i pochylił się powoli, po latach; wyjęli go i położyli ostrożnie z boku. Następnie, kilkoma pchnięciami, zburzyli pagórek grobu, na którym nikt nie pielęgnował kwiatów, i zaczęli pracować, pośpiesznie, bo jednak straszno. Składa się w ziemi człowieka na wieczność i zaglądać po iluś tam miesiącach, co się z nim dzieje, jest przeciwne naturze. To jakby zasadzić żołądź albo kasztan i rozdrapywać potem grunt, żeby zobaczyć, czy już kiełkuje. Ale może właśnie sens tego, co zamierzali, polegał na tym, że potrzebna jest wola, decyzja, żeby działaniem odwrotnym wystąpić przeciwko odwrotnym niż zwyczajne działaniom.

Żwir zgrzytał i zbliżał się moment. Już łopata stuka, zaglądają, świecą, nie, to jeszcze tylko kamień. Aż wreszcie są deski, odgrzebują, odsłaniają, tak żeby można było podnieść wieko. Naprawdę wódka przydała się: daje ona to wewnętrzne gorąco, które pozwala przeciwstawić siebie żywego innym, co wydają się wtedy mniej żywi, a tym bardziej drzewom, kamieniom, świstowi wichru, widmom nocy.

To, co znaleźli, potwierdziło wszystkie przypuszczenia. Po pierwsze ciało nie było wcale zepsute. Opowiadali, że zachowało się, jakby złożone zostało wczoraj. Dowód wystarczający: tylko ciała świętych albo upiorów mają tę właściwość. Po drugie Magdalena nie leżała na wznak, tylko odwrócona, twarzą w dół, co również jest znakiem. Nawet jednak bez tych dowodów przygotowani byli zrobić co trzeba. Ponieważ posiedli dowody, przyszło to tym łatwiej, bez wątpliwości.

Przewrócili ciało na wznak i najostrzejszą łopatą, uderzając z rozpędu, jeden z nich odciął głowę Magdaleny. Zaciosany koł z pnia osiny był przygotowany. Oparli go o jej pierś i wbili, uderzając tępym końcem siekiery, tak że przebił z dołu trumnę i dobrze się zagłębił. Następnie głowę, biorąc za włosy, umieścili w jej nogach, założyli wieko i zasypali już teraz z ulgą i nawet ze śmiechami, jak zwykle po chwilach dużego napięcia.

Może Magdalena tak bała się fizycznego rozpadu, tak rozpaczliwie broniła się przed wejściem w inny, obcy jej czas wieczności, że gotowa zapłacić każdą cenę, zgodziła się straszyć, kupując przez ten ciężki obowiązek prawo do zachowania nienaruszonego ciała? Może. Jej usta, jak przysięgali się, pozostały czerwone. Odcinając głowę, miażdżąc żebra, kładziono kres jej cielesnej pysze, pogańskiemu przywiązaniu do własnych ust, rąk i brzucha. Przybita jak motyl na szpilce, stopami w bucikach, które jej kupił Peikswa, dotykając własnej czaszki, musiała już teraz uznać, że roztopi się, tak jak wszyscy, w soki ziemi.

Niepokoje na plebanii ustały natychmiast i nie słyszano już odtąd o jakichkolwiek popisach Magdaleny. Nie jest nieprawdopodobne zresztą, że skuteczniej niż przez gotowanie na niewidzialnej kuchni, niż przez stuki i gwizdy przedłużyła swoje życie wchodząc w sen Tomasza, który nigdy o niej nie zapomniał.

XIX

Owej jesieni, kiedy straszyła Magdalena, sady nadzwyczajnie obrodziły, a ponieważ nie miano gdzie sprzedawać owoców, karmiono nimi świnie, zbierając na domowy użytek i na przechowanie tylko najlepsze gatunki. W trawie gniły stosy jabłek i gruszek, między nimi bzykały osy, a także mnóstwo szerszeni. Tomasza ugryzł jeden w wargę i spuchła mu cała twarz; nie zawsze można było je zauważyć, bo wciskały się w środek słodkiej gruszki wąską dziurką, dopiero kiedy się nią potrząsnęło, wysuwał się pulsujący prążkowany odwłok. Tomasz pomagał w sadobraniu włażąc na drzewa i przyczyniało mu dumy, że dorośli nie umieją drapać się jak on po kociemu na cienkie nawet gałęzie. I ciągle dojrzewały nowe rodzaje: „cukrówki", „poczciwe", „lipówki", „sapieżanki", „bergamoty".

Letnio-jesienną porą Tomasz dobrał się do biblioteki. Dotychczas ten narożny pokój z malowanymi olejną farbą ścianami, tak zimny, że kiedy na dworze upał, tu się dygotało, nie wydawał mu się interesujący. Teraz wyżebrał klucze od szaf i wyciągał z nich ciągle coś zabawnego. W jednej z tych szaf, oszklonej, znalazł czerwono oprawione książki, na okładkach złote ozdoby, a wewnątrz dużo rysunków. Podpisów nie potrafił przeczytać, bo to było po francusku, dziewczynka na tych rysunkach miała na imię Sophie i nosiła długie majtki zakończone koronką. W innej szafie, w ścianie, między pajęczyną i zwojami pożółkłych papierów, wygrzebał tom z tytułem *Tragedie* Szekspira i spędzał z nim dużo czasu na trawniku, na samym jego skraju, gdzie przy zielonym murze krzaków pachniało mchem i cząbrem. Oprócz niego lubiły ten zakątek duże rude mrówki i nieraz wściekle tarł łydką o łydkę, bo kąsały boleśnie. W luce między szczytami świerków drgała przestrzeń, maleńkie pojazdy wlokły za sobą kurz po drugiej stronie doliny. W książce ludzie w zbrojach albo kuso ubrani (czy te ich nogi są gołe, czy w takich obcisłych majtkach?) krzyżowali miecze, przewracali się przebici sztyletem, wiało stęchlizną od kartek z plamami rdzy. Prowadził palcem wzdłuż rządków liter, ale choć pisało po polsku, zniechęcił się i uznał, że dotyczą jakichś spraw dla dorosłych.

Więcej radości dawały mu książki o podróżach. W nich Murzyni, goli, stali z łukami na łódkach z trzciny albo ciągnęli na sznurach hipopotama, takiego jak w historii naturalnej. Ich ciała pokrywały prążki i zastanawiał się, czy ich skóra jest w rzeczywistości pełna linii, czy tylko tak ich narysowano. Śniło mu się często, że jedzie z Murzynami wodą w coraz bardziej niedostępne zatoki wśród papirusów wyższych od człowieka i tam buduje sobie wioskę, do której nie trafi nigdy żaden obcy. Dwie z tych książek, ponieważ polskie, przeczytał (na nich właściwie czytać się nauczył, bo go porywały) i wtedy wkroczył w zupełnie nową fazę.

Na łuki wybierał leszczyny, ale nie te, które rosną w słońcu, bo są przeważnie krzywe. Wpełzał w cień pod krzakami, gdzie nie ma trawy, tylko splątane pokłady suszu, a między nim mysikróliki przemykają się z trwożliwym czik-czik-czik. Leszczyna pnie się tam do góry, żeby wyjrzeć na światło, i wtedy, zupełnie prosta, bez gałązek, nadaje się najlepiej. W takiej też ciemnej grocie urządził swoją kryjówkę, gdzie umieszczał broń.

Ze strzałami, do których przybijał lotki z indyczych piór, żeby lepiej leciały, wybierał się na polowanie, a zwierzynę sam wymyślał, mogła nią być na przykład okrągła kępa agrestu. Przesiadywał na kładce, która służyła do nabierania w konewkę wody z sadzawki, nie z tej Czarnej, ale z drugiej, pomiędzy skrzydłem domu i sadem a zabudowaniami folwarcznymi. Zdawało mu się, że płynie, i strzelał do kaczek, co raz doprowadziło do śledztwa, bo jedną kaczkę znaleziono nieżywą na środku; ale się nie przyznał. Zresztą może umarła z innego powodu. Indianie polują na ryby z łukiem, więc wypatrywał rybę w rzece na płyciźnie (tak, żeby strzały nie zgubić), ale umykała zawsze w porę.

Na ganku przy stoliku przymocowanym na głucho do podłogi rysował w słotne dnie miecze, włócznie i wędki. Tutaj zauważmy pewną cechę jego charakteru. Zabrał się raz do rysowania łuków, ale nagle przerwał i papier podarł. Bo łuki kochał, a jakoś przyszło mu na myśl, że tego, co się kocha, nie powinno się przedstawiać, że to powinno zostać zupełnym sekretem.

Babcia Misia wzięła go raz ze sobą na strych i pokazała mu skrzynię, wyładowaną po brzegi rupieciami. Wśród nich okładki! I natrafił na przygody chłopca, który zakradł się na okręt, tam pod pokładem za pożywienie służyły mu suchary, a wielkie niebezpieczeństwo groziło mu ze strony szczurów. Wodę znalazł tam w beczkach: słodką wodę. Czy to znaczy, że była z cukrem? Tak Tomasz sobie to wyobrażał i tym wyjaśniał sobie radość chłopca, kiedy udało mu się wyświdrować otwór w beczce.

Różnym marzeniom o przeczytanych historiach sprzyjała szczególnie wygódka. Prowadziła do niej ścieżka, ponad którą nawisały krzaki porzeczek. Drzwi zamykały się od środka na haczyk, a przez wycięte w nich serce obserwowało się, kto do wychodka zmierza. Przez szpary przeświecało słońce, a naokoło grała bezustanna muzyka much, pszczół i trzmieli. Taki włochaty trzmiel bucząc ciężko zapuszczał się czasem z tyłu nad dół, smród z którego Tomasz wciągał w nos z lubością. W kątach pająki rozpinały swoje sieci. Na poprzecznej belce zacieki stearyny zostawiały świece tutaj przylepiane. W bocznych ścianach też otwory, choć nie widziało się w nich nic prócz liści czarnego bzu.

Jeżeli przez serce w drzwiach Tomaszowi mignęła Antonina, przerywał swoje rozmyślania i szybko zapinał majtki. Na drugim końcu ścieżki, przy pomyjnej jamie, Antonina rżnęła kury. Wydymała i zaciskała wtedy usta, przygotowując się do uderzenia tasakiem i układając kurę na pieńku; ta, przestraszona, ale w miarę, zastanawiała się pewnie, co z tego wyniknie, albo może nie myślała nic. Błyskał tasak, twarz Antoniny kurczyła się w bólu (ale również jakby w uśmiechu) i potem łopotanie, podskakiwanie pierzastego kłęba na ziemi. Tomasza przenikał wtedy dreszcz i dlatego temu asystował. Raz to odbyło się rzeczywiście w niezwykły sposób. Kogut — ogromny, najeżony złoto lśniącymi piórami, zerwał się już bez głowy do lotu, niosąc na przedzie czerwony kikut szyi. Ten lot bez głosu wart był otwartych z podziwu ust Antoniny i jakby uznania, bo kogut spadł dopiero uderzywszy się o pień lipy.

Tomasz rzadziej teraz chodził z wędką nad rzekę i rzadziej biegał do Akulonisów, może z powodu Magdaleny, a może z powodu książek. Ustronia nad Issą zaczęły mu się wydawać groźne, a co do polowań z łukiem, to jakoś z nikim z dzieci nie miałby ochoty ich dzielić, zaraz wyglądałyby śmiesznie, nie to co poważne zajęcia jak łowienie ryb czy kręcenie dudek z łozy. Wolał także, żeby nikt niektórych jego zabaw nie podglądał, zbyt dziecinnych na dużego chłopca: ustawiał dwie armie z patyków wetkniętych w piasek i to był jedną, to drugą, bijąc w żołnierzy przeciwnika artylerią z kamieni.

XX

Na początku zimy przyjechała z Dorpatu w Estonii babka Dilbinowa i pokój, który zajęła, bardzo nęcił Tomasza. Niewiele od niego wyższa, różowa, stanowiła w tym przeciwieństwo babci Misi, że troszczyła się o wszystko, cerowała Tomaszowi skarpetki i majtki, urządzała z nim lekcje i egzaminowała z religii. Najważniejsza jednak była jej inność od wszystkich. Paliła papierosy z długim munsztukiem, nauczyła się tego, jak sama mówiła, ze zmartwień, papierosy trochę na to pomagały. W kufrze, który ze sobą przywiozła, wyjmowało się płaskie pudło, a wtedy otwierał się dostęp do skrzyneczek blaszanych i drewnianych, do pakiecików przewiązanych wstążeczkami, różnych małych przedmiotów owiniętych starannie w gazety. Obrządek rozkładania zawartości kufra nie odbywał się często, zachowywał swoją odświętność. Zawsze wtedy przypadał Tomaszowi jakiś podarunek, na przykład tabliczka prawdziwego chińskiego tuszu; do czego służyła, babka mu wytłumaczyła, ale głównie urzekał go jej kształt, czarność i ostrość kantów.

Nigdy dotychczas nie dowiadywał się o świecie tak wiele jak teraz. Babka młodość spędziła w Rydze i opowiadała mu o wycieczkach do Majorenhofu i o kąpielach w prawdziwym morzu, o tym, jak raz o mało nie porwała jej fala, o jej ojcu a jego pradziadku, doktorze Ritterze, który leczył dzieci i nie brał pieniędzy, jeżeli ich rodzice byli ubodzy; o tym, jak go kochano i jaką sławę miał jako facecjonista, bo często płatał niewinne figle, przebierał się, wyczyniał zabawne miny i raz nawet jej matka wrzuciła mu do kapelusza monetę, myśląc, że żebrak — tak dobrze zmienił wygląd. Tomasz usłyszał też o teatrze i operze: na scenę wpływał łabędź, kołysał się, a przysiąc można by było, że naprawdę niesie go woda. Babka wymawiała nazwisko śpiewaczki — Adeliny Patti — i wzdychała. Wzdychała również, kiedy wspominała wieczory w Rydze, gdzie zbierało się dużo młodzieży, grano, śpiewano, urządzano żywe obrazy. I jeszcze wieś: majątek Imbrody pod Dynaburgiem, który należał do Mohlów, rodziny jej matki. Więc podróże karetą, przez lasy pełne rozbójników, odludne karczmy w zmowie z rozbójnikami, łóżko-gilotyna, którego baldachim spadał w nocy i zabijał podróżnego, a wtedy łóżko z ciałem zagłębiało się pod podłogę, taka maszyneria. Kareta przewożona na promie, konie się spłoszyły i wszyscy utonęli. Panna służąca w Imbrodach, którą chłopcy straszyli w ten sposób, że za lustro (bo lubiła się mizdrzyć) wkładali długie cybuchy lulek i znienacka puszczali na nią dym. Kiedyś wynieśli ją z jej łóżkiem i ustawili w jeziorze, a nie przebudziła się — dopiero potem krzyczała, nie rozumiejąc, gdzie jest. I spacery po tym jeziorze, w białym baciku z żaglami. To wyławiał Tomasz ze zdarzeń i nazwisk mniej go obchodzących.

Babce też zawdzięczał powiastki o facecjach sławnego na całą Litwę żarłoka i oryginała, Bitowta. Kiedy nastawało lato, Bitowt kazał oporządzać drewnianą brykę i ładować na jej tył poszor dla koni; zasiadał w pudermantlu za furmanem i ruszał w podróż, która trwała kilka miesięcy, bo rzemiennym dyszlem zajeżdżał do wszystkich majątków po drodze, gdzie go podejmowano jak króla, także dlatego, że strach budził jego złośliwy język, żeby później nie obszczekał. Na tym swoim wozie palił cygara, a niedopałki rzucał za siebie i raz ledwo zdążył zeskoczyć, bo siano z tyłu stanęło w płomieniach. Kiedyś na rynku miasteczka podszedł do Żydka sprzedającego pomarańcze i zapytał, ile tego da się zjeść; Żydek na to, że pięć, Bitowt, że on zje kopę, Żydek, że on oddaje darmo temu, kto to potrafi. Bitowt skończył pięć dziesiątków, a Żydek już w krzyk: „Ratujcie, un zjadł kopę apelcynów, un zaraz umrze!" U siebie w domu trzymał doskonałego kucharza, z którym ciągle powtarzały się utarczki. Wieczorem Bitowt wzywał go do siebie i jęczał: „Łajdaku, ze służby ciebie wyrzucę, znów tak smaczno zrobiłeś, obżarłem się i spać nie mogę". Ale zaraz znów go wołał i pytał, co jutro będzie na obiad.

Tomasz przez rozmowy z babką uczył się też co nieco historii. Wyjęty z kufra wisiał nad jej łóżkiem ryngraf z Matką Boską, a nad stolikiem mały portret pięknej panny z gołą szyją nad rozłożonym na dwie strony kołnierzem. Piękna panna nazywała się Emilia Plater i istniało między nią i Tomaszem odległe pokrewieństwo przez Mohlów, z czego powinien był być dumny, bo została o niej pamięć jako o bohaterce. W 1831 roku wsiadła na konia i dowodziła oddziałem powstańczym w lasach. Umarła z ran odniesionych w bitwie z Rosjanami. A ryngraf należał do dziadka, Artura Dilbina, który w młodości też wybrał las, to był rok 1863 (zapamiętaj, Tomasz: tysiąc osiemset sześćdziesiąty trzeci). Hasło powstańców „Za naszą i waszą wolność" znaczyło, że walczą też za wolność Rosjan, ale car był wtedy potężny, a oni przeciwko niemu mieli tylko dubeltówki i szable. Dowódcę dziadka Artura,

Sierakowskiego, car powiesił, a jego zesłał na Sybir, skąd dziadek wydostał się dopiero po wielu latach i wtedy ożenił się. Ojciec i stryj Tomasza są teraz w Polsce w wojsku i też biją się z Rosjanami.

Babka Dilbinowa chodziła po pokojach ubrana jak do miasta, nawet z bursztynową broszką. Pod spód, jak podpatrzył, wkładała kilka wełnianych halek, ściskała się też w pasie rodzajem gorsetu z fiszbinami. Jej bladoniebieskie oczy płoszyły się, w ustach pojawiał się bezbronny grymas, kiedy babcia Misia swoim zwyczajem zadzierała spódnicę pod piecem. Drażniło ją jej jakby szyderstwo z uczuć ludzkich czy przedrzeźnianie. Bo na przykład, jeżeli mówiła o kimś, że kocha jakąś dziewczynę, babcia Misia tarła siedzeniem o kafle pieca i pytała przeciągając z litewska: „A dlaczego, proszę pani, on ją kocha?" I zawsze: „A dlaczego?", jakby samo to, że ludzie pragną, drżą i cierpią, nie wystarczało. Gniewne wzruszanie ramionami, mruczenie o „pogańskich obyczajach" — tak, ale Tomasz nie skłaniał się na stronę babki Dilbinowej, bo odgadywał w niej słabość. I to pomimo całej jej dobroci. Łamała nad nim ręce, że jest zaniedbany, obdarty i rośnie jak dziczka. Przez to go psuła, bo dotychczas uważał za zwyczajne, że sam przyszywał sobie guziki nitką i igłą Antoniny, a teraz zwracał się o każdy drobiazg, bo już ktoś o niego dbał i był na jego usługi.

W pochyleniu okrągłych pleców babki Dilbinowej, w żyłkach na jej skroni kryło się coś kruchego. Przekonał się, że o którejkolwiek rannej godzinie zajrzeć do jej pokoju, o szóstej czy o piątej, zastanie się ją siedzącą w łóżku i odmawiającą modlitwy, głośno, prawie z krzykiem, a spojrzenie obracała nieprzytomne, załzawione i dwie wilgotne strużki żłobiły ślad na policzkach. Babcia Misia w zimie spała do dziesiątej, obudziwszy się, przeciągała się jeszcze rozkosznie po kociemu. Wieczorem długo w pokoju babki Dilbinowej rozlegały się kroki. Chodząc paliła swoje papierosy. Monotonny tupot rozlegający się w ciszy domu usypiał Tomasza. W dzień na spacery po ogrodzie babka nigdy nie wybierała się sama, potrzebowała jego obecności, bo cierpiała na zawroty głowy; zatrzymywała się na środku ścieżki z wyciągniętymi rękami i wołała, że pada, żeby ją podtrzymał. Kiedy raz jechali końmi w sąsiedztwo, tam gdzie droga wiodła skrajem urwiska, zamykała oczy i po chwili pytała, czy już minęli tę przepaść.

Tomasza korciło, żeby wyrządzać jej przykrości i wystawiać ją na próby. Na jej wezwania na spacerze, żeby wziął ją pod rękę, nie odzywał się zaraz, chował się za pniem drzewa i w ogóle tak się urządzał, żeby wyrwać z tej okrągłej, różowej kulki lękliwe skargi: „oje, oje".

XXI

Córka grafa von Mohl wyszła za mąż za doktora Rittera i z tego małżeństwa urodziło się sześć córek, z których najmłodszą, Bronisławę, czas miał zmienić w babkę Dilbinową. Z okresu ciepła, miłości i szczęścia przed swoim osiemnastym rokiem życia przechowywała w kufrze kajety zapisane drobnym pismem. Układała wtedy wiersze. Kilka zasuszonych kwiatów przetrwało dłużej niż bliscy jej ludzie.

Konstanty pięknie grał na fortepianie, śpiewał barytonem i na wszystkich wieczorkach młodzieży w Rydze słynął jako deklamator patriotycznej poezji. Ale rodzice byli mu przeciwni, bo za młody, zbyt lekkomyślny i w dodatku bez grosza. Wkrótce po zerwaniu zjawił się nowy konkurent i Brońcia zaznała pierwszych nocy samotnego płaczu i tej grozy, kiedy rozstrzyga się los. Artur Dilbin, wówczas już nie pierwszej młodości, a nawet starszawy, uchodził za człowieka statecznego, opromieniał go poza tym nimb przebytego męczeństwa. Majątek jego został skonfiskowany za udział w powstaniu, ale byt miał zapewniony, bo zarządzał dobrami swoich krewnych. Przyjęto go i Brońcia opuściła miasto swojej młodości, przenosząc się na zapadłą wieś między kłopoty ze służbą i rachunki w milczące wieczory pod kloszem lampy, za którą Artur palił fajkę.

Oto jego portret: duże czoło, wąska twarz, w spojrzeniu gwałtowność i duma, policzki, wklęsłość których podkreślają ogromne jasnoblond włosy. Barczysty, suchy, rękę zakłada za skórzany pas z klamrą. We dworze trzyma sforę psów i każdą wolną chwilę poświęca polowaniu. Przepada też za wyścigami tarantasów, tą próbą sił między kierowcą i końmi, kiedy napięte lejce zdzierają skórę z dłoni. Jest czułym mężem i pewne świadczenia dla matek swoich nieślubnych dzieci w okolicy przekazuje tak, żeby nie spostrzegała tego żona. Te dzieci pochodzą zresztą przeważnie z jego kawalerskich czasów. Wszyscy naokoło wiedzą, że Artur Dilbin jako młodzieniaszek uratował pewną arystokratyczną rodzinę od wygaśnięcia odwiedzając hrabinę, której mąż był kompletnie zidiociały. Te gadania nie przynoszą mu ujmy. Gładzi wąsy i kiedy zdarza mu się go spotkać, przygląda się spod oka młodemu hrabiemu, który wyrósł na chłopa na schwał.

Rezygnacja i obowiązek. Później dzieci i na dzieci Bronisława przenosi całą swoją miłość. Kiedy starszy syn, Teodor, ma siedem lat, zabiera go ze sobą na lato do Majorenhofu nad morze, ale nie odnajduje już tam tego piękna, które znała dawniej. Młodszy syn rodzi się w roku śmierci Artura, który przeziębił się na polowaniu. Nadaje mu imię Konstanty.

Nigdy, jak daleko sięgnie się wstecz w historię rodu Dilbinów, Ritterów i Mohlów, nie natrafi się na ślad podobieństwa rodzinnego do Konstantego. Oczy czarne, włosy jak smoła zarastające niskie czoło, cera oliwkowa południowca, nos garbaty. Jest chudy i nerwowy. W dzieciństwie podbija wszystkich, bo ma złote serce i wystarczy, żeby go ktoś o coś poprosił, a natychmiast gotów jest oddać co jego, zdjąć nawet palto i kurtkę. Zapowiada się też na genialnie zdolnego chłopca. Kiedy jednak Bronisława przenosi się do Wilna, żeby synów wychować (a przychodzi to jej z trudem, bo zdana jest tylko na własną przemyślność), okazuje się, że Konstanty nie chce się uczyć. Nuży go najmniejszy wysiłek. Matka błaga go, pada przed nim na kolana, przyrzeka prezenty, grozi. On wie, że z gróźb nic nie wyniknie, a co do prezentów, nie ma rzeczy, której by nie mógł od matki uzyskać. Wkrótce dostaje się w złe towarzystwo, karciarzy i rozpustników. Pije, zaciąga długi, zadaje się z dziwkami z szantanów. Wyrzucają go wreszcie z czwartej klasy gimnazjum i na tym kończy się jego wykształcenie.

Tymczasem starszy, Teodor, studiuje weterynarię w Dorpacie, a po uzyskaniu dyplomu utrzymuje matkę i brata. Podobny z twarzy i budowy do ojca, jest łagodniejszy, skłonny do romantycznych marzeń. Przygniata go odpowiedzialność i własna rzetelność, ciągnie go do podróży i przygód — wszyscy Dilbinowie byli trochę awanturnicy i jeden z nich służył w wojsku Napoleona, biorąc udział w kampanii włoskiej i hiszpańskiej. Żeni się z Teklą Surkont, którą poznaje, kiedy spędza wakacje u swoich kuzynów niedaleko Ginia. On jest ojcem Tomasza. Wybuch wojny wita bez niechęci, jako zapowiedź zmian: jest to przepowiadana od stulecia bez mała „wojna narodów", mająca zniszczyć potęgę Tyrana Północy.

Łzy Bronisławy Dilbinowej, przełykane najpierw ukradkiem, torowały sobie coraz śmielej drogę po policzkach. Modliła się o zmiłowanie Boga nad Konstantym i przebaczenie mu jej grzechów, jeżeli za te grzechy został ukarany. Prośby jej wznosiły się w przestrzeń w godzinach świtu, kiedy dowiedziano się, że fałszuje na wekslach podpis brata, i później, kiedy, zmobilizowany do armii rosyjskiej, dostał przydział do szkoły podoficerskiej i stamtąd miał być skierowany na front. Kiedy następnie walczył na froncie, o niego drżała, nie o Teodora, który jako fachowiec przebywał gdzieś na tyłach. Wreszcie otrzymała wiadomość, że ranny, dostał się do niewoli. Odtąd paczki z dykty, obszyte płótnem, adresowane na Czerwony Krzyż, docierały do niego gdzieś w niewiadomym punkcie Niemiec. Dnie liczyła od paczki do paczki, szyła woreczki na cukier i kakao, obliczała, żeby jak najwięcej w paczkę wcisnąć. Aż rok 1918 i jego list, w którym donosił, że po tamtej ranie od szrapnela zachował tylko bliznę na piersiach; że z obozu próbował uciekać podkopem, ale go złapano; że przebywa już na wolności i wstępuje do polskiej kawalerii.

Wojna toczyła się tam dalej, między Polską i Rosją, w której zabito cara. Teodor z żoną odwiedzili ją w Dorpacie, spod Pskowa kierując się na południe, ku obowiązkowi patriotycznemu. Przesuwała ziarnka różańca, wyobrażając sobie nocne pochody, Konstantego garbiącego się na koniu w śnieżycy i deszczu, szarże z podniesionymi szablami i jego raz już rozdartą pierś, wystawioną na kule. Prześladowały ją twarze trupów: Niemcy, zająwszy Dorpat, rozstrzelali bolszewickich komisarzy i ciała porzucili na placu, zakazawszy grzebać. Leżały ścięte szronem, szkliste.

Błagała o życie Konstantego. Ale w tych godzinach świtu przenikała ją trwoga inna, trwoga czasu, splątanej przeszłości i przyszłości. Wszystkie jego kłamstwa. Wszystkie pochylenia nad szufladą Teodora, ukradkowe wyciąganie stamtąd banknotów, drżenia jej, kiedy musiała się zdobyć, żeby mu powiedzieć, że zauważyła. Bladł i rumienił się, było mu jej żal i zawsze potem tą chwila: podrzut głowy do góry, przeskok w bezczelność. I wierzył sam, w co mówił, kłamiąc, a to było najboleśniejsze. Tkwiła w nim jakaś niezdolność przeżywania świata, jaki jest, ozdabiał go swoimi fantastycznymi pomysłami, zawsze pewien, że wynalazł nowy sposób zdobycia fortuny, który chwilowe podłostki usprawiedliwia. Wiedziała, że nie mógł się zmienić. Zaklęcie, wzywające jego powrotu, nie było czyste. Bez ustanku przychodziły obrazy tego, co musiało się dokonać, przez jego słabość, niezdolność do jakiejkolwiek wytrwałości, brak zawodu. Jakieś sutenerskie spelunki wielkich miast, mężczyźni grający w karty z prostytutkami opartymi im o ramię, wśród tego on, jej mały Kostuś. Zaklęcie nie było czyste i czuła się temu winna, dlatego podnosiła głos i przy słowach litanii kiwała się, tym ruchem próbując cierpienie odegnać. Te właśnie „Wieżo z kości słoniowej", „Arko Przymierza" przez drzwi słyszał Tomasz.

Jej grzechy. Tego nikt się nie dowie. Może tylko wnikając w siebie, w ruch swojej krwi, w całą cielesną swojość, której język nie zdoła innym przekazać, natykała się tam na skazę, na winę samego swojego istnienia i urodzenia dzieci. To też można przypuścić. Sumienie skrupulatne, skłonność do robienia sobie o wszystko wyrzutów Tomasz odziedziczył prawdopodobnie po niej. Zresztą drażniąc ją mścił się za to, że wstyd, jakby o niego samego chodziło, budziła w nim ta skarga: „Oje, oje".

XXII

Miało się ku wiośnie, lód na sadzawce zachodził wodą i zacierały się na nim rysy po butach Tomasza — ślizgał się albo bawił się samym stukaniem w zieloną taflę, w której, niedosięgalne, zakrzepły owady i liście wodorostów. Śnieg już był zmęczony, w południe kapało z dachu i krople żłobiły wzdłuż domu linie dziurek. Wieczorem jasna różowość światła na białych garbach gęstniała w żółtość i karmin. Ślady ludzi i zwierząt ciemniały zebraną w nich wilgocią.

Tomasz zawzięcie rysował, z rozpędu, jakiego nabrał wskutek przywiezienia przez babkę Dilbinową ilustrowanych pism niemieckich. W nich oglądał armaty, tanki i aeroplan „Taube", który bardzo mu się podobał. Aeroplan dwa razy pojawił się nad Giniem, ale wysoko, ludzie zbierali się i pokazywali palcami w niebo, skąd szło brzęczenie. Ale teraz Tomasz przekonał się, jak wygląda naprawdę. Na jego rysunkach żołnierze biegli do ataku (ruch nóg oddać nie jest trudno, trzeba ich patyczki zgiąć tam, gdzie kolano), przewracali się, z luf wydobywały się pęki prostych linii i kule mknęły — rzędy przerywanych kresek. I „Taube" przesuwał się nad tym wszystkim.

Zanim przystąpi się do zdarzenia, mającego bądź co bądź pewien związek ze scenami, jakie wymyślał na papierze, trzeba podać rozkład pokoi w skrzydle domu. Zamieszkiwano w zimie tylko tę część, która miała okna na sad, to jest do wewnątrz kąta tworzonego przez stary dwór i dobudowę. Najpierw tkalnia (tam gdzie pracował Pakienas), później nic, skład na wełnę i nasiona, dalej pokój babki Dilbinowej, za nim ten, w którym sypiał Tomasz. Następnie dziupla babci Misi i już w samym rogu dziadek.

Tego ranka Tomasz obudził się wcześnie, bo było mu jakoś zimno, przewracał się i kulił, ale nie pomagało, dmuchało na niego mroźne powietrze. Odwrócił się od okna, zaciągnął kołdrę na szyję i przyglądał się słońcu na ścianie. Pod ścianą na wielkiej płachcie rozsypano mąkę, żeby przeschła. Leniwie wodząc oczami po niej, nagle zaciekawił się, błyszczało coś w niej, jakby kryształki lodu czy soli. Zerwał się i przykucnął dotykając: okruchy szkła. Wtedy, zdziwiony, oglądnął się za siebie na okno. W szybie dziura tak na dwie pięści i naokoło rysy rozpryskiwały się gwiaździście. Pobiegł zaraz do babci Misi wołając, że ktoś w nocy cisnął z sadu kamieniem.

Nie był to jednak kamień. Szukano długo, wreszcie dziadek wyszperał pod łóżkiem Tomasza, w samym kącie, czarny przedmiot i powiedział, żeby go nie ruszać. Posłano do wioski po kogoś, kto służył w wojsku. Czarny przedmiot, Tomasz mógł potem obejrzeć go do woli, był podobny do dużego jajka, bardzo ciężki. Okrążał go w środku jakby ząbkowany kołnierz. W sadzie pod oknem znaleziono ślady butów i zapalnik. Przypomniano też, że psy w nocy szczególnie zajadle ujadały.

Granat nie wybuchł, ale mógł wybuchnąć i wtedy złożono by pewnie Tomasza pod dębami, niedaleko Magdaleny. Świat dalej by trwał, wróciłyby jak co roku z zamorskich podróży jaskółki, bociany i szpaki, a osy i szerszenie tak samo spijałyby słodycz z gruszek. Dlaczego potrzeba było, żeby nie wybuchnął, nie do nas tutaj należy sądzić. Uderzył o ścianę, odbił się i toczył się ku łóżku Tomasza, a dojrzewała w jego wnętrzu decyzja na samej granicy tak i nie.

Dziadek Surkont zmartwił się. Na wszystkie opowieści o napadach na dwory, o przykład do czego nie było trudno tuż na wschód, łagodnie chrząkał i obracał te strachy w żart. Nawet kiedy po lasach włóczyły się gromady rosyjskich „plenników" żyjących z bandytyzmu, nie nakazał żadnych ostrożności. A któż z okolicznych mieszkańców miałby na niego napadać? Czyż nie znano go tu od dziecka i czyż wyrządził komuś krzywdę? Chyba mimo woli? Co do nienawiści między Polakami i Litwinami, to Polakom perswadował, że Litwini mają prawo do swego państwa i że oni, ci mówiący po polsku, są też przecie tak jak on „*gente Lithuani*". Ale granat został rzucony. Przez kogo i przeciw komu? Liczono okna: jedno dziadka, dwa babci Misi, dwa w pokoju Tomasza. Gdyby to zrobił ktoś dobrze znający dom, nie celowałby przecie w dziecko. Więc albo ktoś z daleka, albo orientujący się mniej więcej i pomylił się.

Babci Misi wcale to nie przejęło, że mogłaby być nie lubiana do tego stopnia. Wylała na dziadka zwykłą porcję o jego litwomaństwie i chłopomaństwie i o tym, że on taką teraz dostaje zapłatę. Nie zdawała się też bardzo troszczyć o własne bezpieczeństwo, zresztą o jakieś środki zaradcze było trudno: drewniane okiennice zamykały się od zewnątrz i tylko do okiennicy babci Dilbinowej wygrzebano teraz kłódkę, bo się naprawdę bała; rozpieszczała Tomasza po owym cudownym ocaleniu bardziej niż kiedykolwiek i z głębi kufra, który mieścił nigdy do końca nie zbadane skarby, wyciągnęła podłużne pudełeczko z prawdziwymi farbami i pędzelkiem. Pierwszym jego malowidłem był gil; bo gil (a ciągle łuskały swoje ziarenka w krzakach koło domu) to duża masa czerwieni, do niej dodaje się niebieski zmieszany trochę z szarym, trochę z czarnym. Gil i pstry dzięcioł z czerwoną głową, stukający wysoko i strząsający z drzew białą okiść, są największymi niespodziankami zimy.

Zdarzenie z granatem nie wkraczało w zasięg podróżniczych i wojennych fantazji Tomasza. Skradająca się siła, ciemność nocy, nie jego żołnierze i piraci. Choć ślady na śniegu pobudzały go do wyobrażania sobie długich butów, kurtek ściągniętych paskiem, naradzań się szeptem. Zalęgała się w nim podejrzliwość i płoszył się, kiedy spotykał jednego z tych młodych chłopów, od których niosło czymś groźnym, nabytym przez nich w wojsku. Co prawda już latem, ile razy zbliżał się do Issy, stąpał z ostrożnością Indianina, bo przesiadywali tam w gąszczu, rozlegały się śmiechy i gwizdy. Strzelali z karabinu i kule szyły po powierzchni wody jak płaskie kamyki. Miru w wiosce nie mieli, odgradzali się od innych. Akulonis wygrażał im pięścią i wymyślał od żulików, ponieważ płoszyli ryby i raz nawet głuszyli granatami, przez co wywołali powszechne oburzenie: takie rybactwo jest za łatwe, nieprzyzwoite.

Ze środków bezpieczeństwa zastosowano właściwie tylko jeden. Do tkalni wstawiono łóżko i przeniósł się tam ze świrna Pakienas, co nie stanowiło szczególnie pewnej opieki. Mówiono o nim, że jest okropnym tchórzem, co datowało się być może jeszcze od jego wrzasków, jakie wyprawiał, kiedy dopadł żywych ludzi po swojej ucieczce przed duchem skierdzia. Zresztą do takich posądzeń skłaniania czyjś wygląd, w tym wypadku jego wyłażące oczy, ruszające się jak u raka. Pakienas prócz sękatego kija miał stary rewolwer, ale brakowało do niego naboi.

XXIII

Józef Czarny piął się pracowicie drogą do wioski. Grzązł w kaszy śniegu zmieszanego z końskim nawozem, a w koleinach wygładzonych przez płozy sań ciurkały strumyczki. Rozpiął swoją kurtkę z siwego grubego samodziału. Przed krzyżem uchylił czapki i mrużył oczy od blasku: biała spadzizna, nad nią na skraju parku biel ściany dworskiego śpichrza. W dole, nad Borkiem, w buchcie Issy, wrony krążyły z przedwiosennym krakaniem.

Nie skręcił w aleję, minął jej wylot i wzdłuż sadu skierował się na kumietynię. Dawniej we wszystkich chatach, stojących po obu stronach drogi, mieszkali kumiecie, czyli inaczej ordynariusze pracujący na dworskim. Teraz tylko kilka z nich było przez nich zajętych, w reszcie siedzieli różni, biedota chodząca na zarobek to tu, to tam. Józef grzecznie odpowiadał na przywitania, ale zbyt mu się spieszyło, żeby się zatrzymywał. Za kumietynią, koło krzyża z blaszanym daszkiem, zwrócił się na prawo, ku wiosce Pogiry i ciemnej linii lasu.

Pogiry to długa wioska, jej główna ulica ciągnie się z ponad wiorstę, a ma również drugą, poprzeczną ulicę. Dość bogata wioska, nie napotka się tutaj dachów krytych słomą ani kurnych chat. Sady niewiele gorsze niż w Giniu. Hodują też dużo pszczół, które zbierają ciemny miód z gryk, koniczyn i leśnych łąk. Józef przy trzeciej chacie za dworem Bałuodisa, Amerykańca, pomalowanym na zielono, zatrzymał się i zajrzał nad ostrymi deskami płotu. Stary mężczyzna w brązowym wełnianym kaftanie (owce w Pogirach trzymają przeważnie brązowe i czarne) ociosywał na podwórzu kłodę. Józef pchnął wrota i kiedy uścisnęli sobie ręce, zauważył, że niczego sobie jodła. Stary zgodził się, że niczego i że przyda się, bo świronek trzeba podeprzeć. Jodła trafiła tu pewnie przez Baltazara, ale to do Józefa nie należało.

Młody Wackonis wylazł skądś zaspany. Wyczesywał palcami słomę i pierze z włosów i świadczył Józefowi swój trochę zawstydzony szacunek, a równocześnie obserwował go niepewnymi oczami. Ubrany był w granatowe spodnie galife i w wojskową bluzę. Jego szeroka twarz zachmurzyła się, kiedy Józef oznajmił, że ma do niego sprawę.

Odstawiając cynowy kubek i ocierając wąsy wierzchem dłoni, Józef przyglądał mu się bez słowa. Wreszcie oparł łokcie o stół i powiedział:

— A ot, ja wiem.

Tamten w kącie ławy, w rogu, zatrzepotał powiekami, ale zaraz powieki opuścił sennie. Wzruszenie ramion.

— Nic nie ma tu do wiedzenia.

— Albo nie ma, albo jest. Ja do ciebie przychodzę, bo ty durny. Kto ciebie czytać nauczył? Może już nie pamiętasz?

— Wy.

— Aj, aj, to może po to, żebyś rzucał w ludzi granatami?

Wackonis podniósł powieki. Twarz miał teraz dorosłą i poważną.

— A jeśli to ja, to co? Nie w ludzi, a w panów.

Józef położył czeczotkową tabakierkę na stole i skręcał sobie papierosa. Wsadził w cygarniczkę, zapalił, pociągnął.

— Ty może widziałeś, żebym ja z panami trzymał?

— Nie widziałem, ale widzę.

— Ojciec tobie nie powie, to ja powiem. Ty słuchaj mądrzejszych, a nie takich samych jak ty. U was w głowie pusto.

Wackonis założył ręce na piersiach, drgał mu muskuł w szczęce.

— Panowie krew naszą pili i nam ich nie potrzeba. Zabijesz jednego, drugiego, uciekną do swojej Polski. A ziemia nasza.

Józef kręcił głową na boki z szyderstwem.

— Panów nam w Litwie nie potrzeba, ziemia nasza. Od kogo to słyszałeś? Ode mnie. A teraz ty będziesz mnie uczyć. Chcesz zabijać i palić jak Ruski?

— Cara u nich nie ma.

— Jak nie ma, to będzie. Ty jesteś Litwin. Litwin to nie bandyta. Ziemię panom i tak odbierzemy.

— Kto im tam odbierze.

— Litwa odbierze. A wszyscy Słowianie, czy Polacy, czy Rosjanie, takie same paskudztwo. W Szwecji pracowałem, tak jak oni nam żyć.

Wackonis słuchał ze zmarszczonymi brwiami, patrząc w okno.

— Każdy Polak to nasz wróg.

— Surkonty to Litwini od wieku wieków.

Tamten zaśmiał się.

— Jaki on Litwin, jeżeli pan?

Józef przysunął dzbanek i nalał sobie piwa. Zapytał:

— Ty — w niego chciałeś?

Chłopak miał minę obojętną.

— Nnnie, mnie było wszystko jedno.

Józef znów kręcił głową na boki.

— Aj, aj, ładnie. Podziękuj Panu Bogu, że granat nie rozerwał się. A kogo by zabił, mówili tobie?

— Nie mówili.

— Małego Tomasza. Znaleźli pod jego łóżkiem.

— Dilbiniuka?

— Aha.

Milczeli. Nie odrywając ust od kubka, Wackonis stwierdził:

— Wszyscy wiedzą, gdzie jego ojciec. Jaka jabłoń, takie jabłko.

— Durny. Na pogrzeb byś poszedł?

— Co miałbym chodzić.

Warga Józefa podniosła się odsłaniając zęby. Poczerwieniał.

— Ty, Wackonis, teraz uważaj. Kto ciebie podmówił i kto z tobą stał w nocy, też wiem. Twoich Żelaznych Wilków nie boję się. Z babami i dziećmi umiecie wojować.

Wackonis zerwał się.

— Wam nic do tego, podmówił, czy nie podmówił!
Józef odchylił się na zydlu i przyglądał mu się z dołu.
— Co ty? Z Polaków pewnie, że taki honorowy — powiedział pogardliwie.

XXIV

Lody pękały na Issie z hukiem armatnich strzałów. Potem szła kra i niosła słomę, deski, wiązki chrustu, nieżywe kury, a wrony podjeżdżały na niej spacerując drobnymi kroczkami. Suka Murza oszczeniła się w tym czasie na gumnie i nie udało się jej długo chować swego legowiska, bo szczenięta piszczały. Tomasz przytulał do twarzy te ciepłe pulpeciki i zaglądał im w ślepka powleczone niebieską mgiełką. Murza, rudawa, ni to wilk, ni to lis, z pyskiem murzatym w cętki, ziała wywieszając język i pozwalała łaskawie.

Pakienas włożył szczenięta do koszyka, a Murzę zamknięto w drwalni z tym jednym, największym i najżwawszym, którego jej zostawiono. Tomasz pobiegł za Pakienasem i dopędził go na urwisku nad rzeką — takie obrywy świeciły żółtą gliną, podziurawioną przez jaskółki brzegówki. Kra już spłynęła, obracały się w wypukłej toni lejki wirów.

Pakienas zamachnął się i cisnął pieska. Plusnęło, nic, koło rozerwał i pognał prąd, aż głowa pieska wynurzyła się dalej; przebierał łapkami, znów zniknął i pokazał się jeszcze na zakręcie. Teraz Pakienas wybierał po dwa z koszyka, kiedy jednego rzucał, drugiego trzymał przyciśniętego do piersi. Ostatni zagłębił się tylko na sekundę, walczył dzielnie, aż wyniosło go na środek i tak go Tomasz odprowadził wzrokiem.

Z ciepła, spomiędzy rzeczy, których jeszcze nie rozróżniały, w lodowatą wodę, nie wiedziały nawet, ża taka woda gdzieś jest. Tomasz wracał zamyślony. W jego ciekawość wkradł się cień tamtego snu o Magdalenie. Otworzył drzwi drwalni i głaskał Murzę, która skomliła niespokojnie i zaraz wyrwała mu się węsząc.

Pierwsze ładne dnie. Na trzaśniku grzebały się kury, stary Grzegorzunio zasiadł na swojej ławce i coś strugał — jego nożyk, tak starty od użycia, że ostrze zwężało się prawie w szydło, przecinał gałązkę jednym zamachem — nie tak jak u Tomasza, nawet tym samym nożykiem musiał podcinać z jednej i z drugiej strony, zanim się złamała.

Malinowska przyszła do dziadka Surkonta, żeby wziąć sad w arendę. Niezwyczajna prośba, ale powiedziała, że chce spróbować, bo jej syn Domcio ma już czternaście lat i że dadzą radę razem. Obiecał jej sad i wygrała na tym, że przyszła wcześnie. W kilka dni potem zabarszkotała bryka Chaima, który przyjechał proponując na arendarzy swoich krewniaków. Za Chaimem przemawiały gwarancje zawodowe i zwyczaj, bo arendują zawsze Żydzi. Ale przyrzeczenie zobowiązuje i skończyło się tylko na zwykłym targaniu się za włosy, krzykach i pięściach podniesionych w niebo.

Malinowska, wdowa, najuboższa z całej wioski Ginie, nie siała i nie zbierała, należała do niej tylko chata koło promu, bez gruntu. Niska, szeroka, dziób chustki unosił się nad jej piegowatym czołem, większy niemal od niej dach. Przez jej wizytę przygotowywała się już nowa przyjaźń Tomasza.

W kilka miesięcy później, zapędziwszy się do części sadu za rzędem uli (stecka wiodła tam tuż przy ulach i pszczoły często napadały), zobaczył budę. Wspaniałą budę, nie taką, jaką budują sobie koniuchy na noclegi na łąkach. Stojąc pośrodku nie zginało się głowy, a do pokrycia użyto całych kulów słomy, przyciśniętych żerdziami. Spojenie, tam gdzie przypada ostry koniec tej odwróconej litery V, umacniały gwoździe. U wejścia paliło się ognisko, przy nim siedział chłopiec i podpiekał na patyku zielone jabłka; on to Tomaszowi budę ze wszystkich stron i w środku pokazał.

Dominik Malinowski, piegowaty jak jego matka, ale wysoki i z ryżym wiechciem czupryny, wziął od razu we władanie Tomasza, który mówiąc mu „ty" czuł się zażenowany, jakaś przykrość go gniotła z tego przywileju wobec prawie dorosłego. Domcio przypuścił go do palenia fajeczki: z kuli karabinowej, do której wyborowana była dziurka i wsadzony ustnik. Nigdy dotychczas Tomasz nie palił, ale cmoktał, choć go w gardle wierciło, starając się, żeby żarzył się zwinięty liść domowej tabaki. Wszelkimi sposobami starał się — i odtąd już stale — zyskać aprobatę szarych, chłodnych oczu.

Dawniej, jeżeli znikał, Antonina na pytania odpowiadała: „Tomasz do Akulonisów znowu poleciał", teraz: „Tomasz w budzie". Nieprzeparty urok dymku snującego się między drzewami, zapachu nadgniłych jabłek wewnątrz, słomy. I tych godzin przy ognisku. Domcio umiał śliną strzykać na kilka sążni, wydmuchiwać dym nosem, dwie strugi wtedy unosiły się w powietrzu, przyrządzać pastki na ptactwo i na kuny (w parku kuna goniła wiewiórkę dokoła pnia lipy, ale z zastawieniem tych pastek należało czekać do następnej zimy), uczył poza tym Tomasza przekleństw. A od niego wymagał opowiadań o tym, co pisze się w książkach. Sam czytać nie umiał i ciekawiło go wszystko. Z początku Tomasz się wstydził, wiedza nabywana z liter wydawała mu się gorsza (wstyd taki sam jak na przykład z solidarności z babką Dilbinową), ale Domcio żądał i nigdy nie zadawalniał się łatwo, ciągle: „a po co?", „a jak?", „jeżeli tak, to dlaczego?", i nie zawsze udawało się wyjaśnić, bo nie zastanawiał się przedtem.

Pociąg, uległość. Może pociąg do tego, co szorstkie i złośliwe? Domcio występował jako arcykapłan prawdy, ponieważ jego ironia, nie wymówione naśmiewanie się godziły w powierzchnię tego, co Tomasz wiedział, a wyczuwał, że pod nią coś się kłębi dopiero rzeczywistego. I nawet nie te długie ślimaki bez skorupy, które zbierali i przypiekali węglami, żeby się kurczyły, ani bąki, którym pakowało się słomkę w odwłok i tak pozwalało im się lecieć, ani nawet szczur, którego Domcio wpuścił w tunel między rozżarzonymi węglami. Jeszcze dalej i głębiej. W każdym biegnięciu do budy w sadzie zawierała się obietnica.

Słuszne ostatecznie zgadywania, bo Domcio wobec niego odsłaniał część tylko swojej natury i traktował go oględnie. Nie potrzebował okazywać dobitnie, że nad nim góruje, przyjmował z pobłażliwością hołdy. Poza tym oszczędzał go. Dlatego że naiwne zaufanie rozbraja, albo że roztropniej było nie psuć sobie we dworze. W jego mruczeniu „hmm" i owijaniu rękami kolan, kiedy Tomasz napierał się, żeby wskoczyć w niedozwolone, nie dla niego, wiadomości, zawierało się wiele, to właśnie, do czego mały lgnął. Jeżeli wreszcie ta powściągliwość nagle została złamana, stało się to za przyczyną diabłów znad Issy albo też głupoty Tomasza, który zlekceważył przepis, że nie trzeba zawsze i wszędzie czepiać się tych, których się uwielbia. Skąd mu zresztą do taktu, jeżeli żył ze swoimi urojeniami i nikt mu właściwie dobrze nie przytarł nosa.

Malinowska w budzie gościła rzadko. W południe przynosiła obiad dla syna, ale też nie zawsze i Domcio gotował sobie kapuśniak, odkrajał z wielkiego bochna czarnego chleba pajdy scyzorykiem i zajadał z plasterkami słoniny. No i pieczone jabłka i gruszki — gruszki w popiele są smaczne jak nic, a kartofle, które też sobie szykowali, pokrywają się chrupiącą skorupą, próbuje się, czy gotowe, wbijając ostry patyczek. Antonina zaglądała po to, żeby wyciągać za kark Tomasza albo z koszami po inspekcję — tak nazywa się część owoców przypadająca z arendy na bieżące potrzeby dworu — i wtedy pomagało się jej nieść. Do Domcia odzywała się figlarnie a brzydko: „riapużuk", czyli krewny wszystkich ropuch.

XXV

Domcio, wyznajmy to tutaj, był przebranym królem. Rządził przy pomocy cichego terroru i przestrzegał tej cichości. Na urząd królewski wydźwignął się dzięki swojej sile i powołaniu do rozkazywania. Bici w zęby jego twardą pięścią przestrzegali zakazu i nigdy nie ośmielili się naskarżyć rodzicom. Dwór, który go otaczał na wioskowym pastwisku, składał się, jak należy, z najbliższych zauszników czy ministrów i zwyczajnych pochlebców, używanych do podrzędnych usług, jak na przykład uganianie się za krowami, kiedy wchodziły w szkodę. Do poważnych badań, jakie przeprowadzał, dopuszczał tylko zauszników.

Umysł krytyczny, nie przyjmujący niczego na wiarę, wymagający naukowego potwierdzenia, zwracał żywą uwagę na wszystko, co biega, lata, skacze i pełza. Obcinał nogi i skrzydła i w ten sposób próbował zgłębić tajemnicę żywych maszyn. Nie pomijał ludzi, a wtedy jego ministrowie trzymali obiekt, to jest trzynastoletnią Wercię, za nogi. Intrygowały go również wytwory techniki i długo podglądał budowę młyna, aż sklecił dokładny model, nawet z własnymi ulepszeniami, który ustawił tam, gdzie ruczaj wpada do Issy.

Narzucając swoją wolę rówieśnikom, Domcio mścił się za to, co wycierpiał od dorosłych. Od małego tylko poniżenia: i matka, i on pracowali na cudzym, najczęściej dla bogaczy z sześćdziesięciu czy osiemdziesięciu hektarami, a tacy najgorsi. Patrzeć im w oczy, zgadywać ich życzenia, skoczyć i uprzedzić, co za chwilę każą, niby wesoło i dobrowolnie, bać się, że jak co do czego, nie dadzą przyrzeczonego pudu żyta czy pary starych butów — z tego rośnie nienawiść albo wątpliwość, czy cały ten świat nie opiera się na jakimś kłamstwie.

W początku owego lata, przed tym nim wprowadził się do budy w sadzie, zaszedł w życiu Domcia ważny fakt. Dopóty zabiegał i spełniał cudze kaprysy, dopóty kręcił się, aż jeden z byłych żołnierzy pozwolił mu używać od czasu do czasu swego karabinu. Zresztą stanowiło to zapłatę za milczenie o pewnych sprawkach.

Otóż rozporządzanie karabinem zbiegło się z wypadkami wścieklizny w okolicy i podejrzewano w wiosce jednego psa, że ukąsił go wściekły. Mówiono, że trzeba go zabić, ale nikt się nie kwapił, że Domcio podwinął się i ofiarował się go skończyć. Dano mu go, niezbyt chętnie, bo może wcale nie został ukąszony. Pies — wielki, czarny, z zadartym ogonem i siwymi włosami na pysku, łasił się do niego, rad, że spuszczono go z łańcucha i że zamiast ziewać i wybierać pchły, idzie w pole. Dał mu jeść, a potem zaprowadził nad jeziorko. To jeziorko pośrodku buchty w pętli Issy zasilała rzeka w czasie wiosennych roztopów przez bagnisty rów; wtedy na jego ciepłych płyciznach narestowały szczupaki; latem podsychało i więcej w nim wtedy zostawało mułu niż wody; stale mieszkały w nim tylko rybki cierniki. Dookoła trzciny, gęsty mur, wysoki jak człowiek na koniu. Przy jednym brzegu, wewnątrz tego kręgu trzcin, rosła grusza. Do niej przywiązał Domcio psa na grubym postronku. Sam zasiadł niedaleko z karabinem. Z naboi wykręcił kule i wstawił drewniane, które na to wystrugał. Pies merdał do niego ogonem i wesoło szczekał. Oto chwila: mógł strzelić albo nie strzelić, przykładał kolbę do ramienia i jeszcze zwlekał, żeby delektować się samą możnością. Właśnie to, że pies niczego się nie domyśla, a on, Domcio, ma w ręku wybór i on decyduje. I jeszcze to, że przez ruch jego palca pies zamieniłby się na pewno w inną rzecz niż dotychczas, ale w jaką: czy padłby, czy skakał? Ale razem wszystko by się pod gruszą i naokoło zmieniło. Z takim zabijaniem kulą żadne się nie porówna, bo spokój, cisza, jakby człowieka nie było, i bez gniewu, bez wysiłku, powie: już.

Trzciny szumiały, czerwony wilgotny język zwieszał się z otwartego pyska. Pysk zamknął się z kłapnięciem: złapał muchę. Domcio celował w lśniącą sierść.

Już. Przez ułamek sekundy psem targnęło jakby zdumienie. I zaraz rzucił się naprzód z chrypiącym ujadaniem, naprężając sznur. Zagniewany za tę wrogość, Domcio puścił mu drugą kulę. Pies przewrócił się, wstał i nagle zrozumiał. Ze zjeżoną sierścią cofał się przed przerażającym widzeniem. Dostawał nowe kule z rzadka, tak żeby nie za prędko umarł, i za każdą było z nim inaczej, aż do ciągania zadem, jęków i konwulsyjnego przebierania łapami, kiedy leżał na boku.

Przed ogniskiem w sadzie Domcio snuł myśli teologiczne, wsparte na przypomnieniach tamtej chwili. Jeżeli on tak górował nad psem, wymierzając mu los, jaki tylko zechciał, to czyż Pan Bóg nie postępuje tak samo z człowiekiem? Do Boga chował urazę. Przede wszystkim za jego nieczułość na najbardziej szczere prośby o pomoc. Kiedy raz, przed Bożym Narodzeniem, zabrakło w domu nawet chleba, a matka płakała klęcząc przed świętym obrazem i odmawiając modlitwę, żądał cudu. Wlazł na strych, ukląkł, przeżegnał się i swoimi słowami powiedział: „Nie może być, żebyś Ty nie widział, jak martwi się moja matka. Spraw cud, a ja Tobie oddaję siebie i zabij mnie zaraz, pozwól tylko cudu doczekać". Zeskoczył z drabiny, pewny skutku, siadł spokojnie na ławie i czekał. Ale Bóg okazał zupełną obojętność i poszli spać głodni.

Poza tym Bóg, dzierżący w dłoni piorun, jeszcze lepszą broń niż karabin, wyraźnie sprzyja kłamcom. W niedzielę wkładają paradne ubrania, kobiety sznurują zielone aksamitne gorsety i wiążą pod brodą mieniące się chustki, wydobyte z kufrów. Śpiewają chórem, przewracają oczami i składają ręce. Ale kiedy tylko wrócą do domu! Mają, ale choćby się zdychało na ich progu, nie dadzą, a sami będą żreć bonduki z tłuszczem i ze śmietaną. Bić potrafią, zaciągnąwszy do świrna, żeby nie było słychać. Jeden drugiego nienawidzi i obszczekuje przed innymi. Źli i głupi, udają raz na tydzień, że są dobrzy. A zapłata? Największe bogactwo w wiosce Pan Bóg zesłał temu, który śpi ze swoją córką; podglądał ich; w szparze jej gołe kolano, sapanie starego i jej miłosne jęki.

Ksiądz uczy, że trzeba być łagodnym. Ale przecie każde zwierzę goni i zabija inne zwierzę, każdy człowiek gniecie innego człowieka. Nad Domciem, kiedy jeszcze był mały, znęcali się wszyscy. Dopiero jak podrósł i nabrał dość zdrowia, żeby puszczać krew z zębów i nosów, zaczęli go szanować. Bóg pilnuje, żeby silnym było dobrze, a słabym źle.

Gdyby tak polecieć do nieba i schwycić Jego za brodę! Ludzie już wymyślili latające maszyny i na pewno jeszcze lepsze wykombinują. Tymczasem jednak Domcio gubił się w zawiłościach. Bo kogo diabły porywają do piekła? Bóg może tylko udaje, że nic go nie wzrusza, chytry, odwraca głowę jak kot, kiedy puszcza mysz i potem jej dopada. Gdyby nie strach przed piekłem, można by było zupełnie inaczej żyć, swoje przeprowadzić, a kto by się sprzeciwił, to w niego z karabinu.

Wtulając kolana między ramiona i słuchając łaskawie gaworzenia Tomasza, szukał wyjścia z tych kręcących się ścieżek. I raz olśnił go nowy pomysł. A jeżeli księża plotą bajki i Bóg zupełnie nie zajmuje się światem? Jeżeli nieprawda, że wszystko widzi, bo sam nie ma na to ochoty? Piekło naturalnie gdzieś jest, ale to już załatwia się między ludźmi i diabłami — te, podobnie jak przezroczysta czarownica Laume, która przybiera taką czy inną postać, polują na głupich gotowych się z nimi zadać. Może nawet Boga wcale nie ma i nikt nie mieszka w niebie. Ale jak się o tym przekonać?

Domcio, jak się stwierdziło, odznaczał się umysłem doceniającym wagę eksperymentu. Rozwinął powoli następujące rozumowanie. Jeżeli człowiek jest dla psa tym, czym Bóg dla człowieka, to kiedy pies ugryzie człowieka, ten łapie za kij, a Bóg ugryziony przez człowieka też wpadnie w gniew i ukarze. Cała rzecz to wynaleźć coś tak obrażającego Boga, żeby musiał użyć swoich piorunów. Jeżeli wtedy nic się nie stanie, dowód zostanie przeprowadzony, że o Niego dbać nie warto.

XXVI

Ostre szydło szewskie. Domcio próbował jego ostrza palcem, kiedy niósł w kieszeni. Tej niedzieli słońce wschodziło we mgłach, później mgły opadły i wlokły się w powietrzu błyszczące nitki babiego lata. Niedaleko jednego z obrywów Issy leży wielki kamień obrośnięty chrzęszczącymi liszajami. Wierzch ma płaski, niby ołtarz. Ministrowie Domcia — w trzewikach i czystych koszulach, bo po kościele — siedzieli naprzeciwko tego głazu na trawie i ćmili cygarki, nadrabiając miną jeden przed drugim. Nie jest bynajmniej wykluczone, że obok nich gromadziły się już istoty niewidzialne, które wysuwały szyje i oblizywały się w oczekiwaniu widowiska.

Domcio tymczasem stał na brzegu rzeki i w zamyśleniu puszczał w wodę kamyki. Jeszcze mógł się cofnąć. A jeżeli tamto to prawda? W takim razie piorun spadnie zaraz i jego zabije. Podniósł głowę. Niebo bez chmurki, słońce wysoko, południe. Taki piorun z jasnego nieba, żeby mógł przynajmniej to zobaczyć, ale nie, wtedy już nie zdąży. Falki goniące jedna drugą w coraz szerszych kręgach kołysały rozpostartymi liśćmi, jeden zgiął się i woda zalewała jego zieloną skórę. Więc co? Boi się? Wycelował kamyk daleko, aż pod cień drugiego brzegu, zacisnął pięści w kieszeniach i namacał szydło.

Zbliżył się do głazu. Wtedy oni, jego podwładni, zaczęli się cofać. Przenosili się szybko coraz dalej od niego, coraz dalej, i oglądnął się na nich z pogardą. Wyjął z kieszeni zgniecioną niebieską chustkę, rozwijał ją ostrożnie i wygładzał jej rogi na chropowatej twardziźnie.

Zaraz po kościele Tomasz chciał się do niego zbliżyć, ale stracił go z oczu. Ktoś go widział, jak szedł w stronę pastwiska, więc, łowiąc ślad, Tomasz puścił się tam pędem. Nie powinien był. Do rozwścieczenia Domcia wystarczyło już to, że tak się za nim włóczył, ale gorzej, że zjawił się, kiedy wszystko dojrzało do najwyższego napięcia, kiedy pionowa zmarszczka między brwiami wyrażała wolę odwagi. Dlaczego Domcio miałby troszczyć się o cokolwiek prócz tego, co należało spełnić? Czy przeciwnie, w takim momencie nie załatwia się porachunków, na przykład nie ujawnia się, że pozorna sympatia była ledwie znoszeniem czyjegoś towarzystwa? Domcio wrzasnął na Tomasza, który nic nie rozumiał, chociaż już uchwycił niestosowność, jakąś obrzydliwą śmieszność swojej osoby, pokazaną przez zwrócone do niego twarze chłopców. Na rozkaz ministrowie rzucili się na Tomasza, przewrócili go i siedli na nim. Szarpał się, a ich łapy śmierdzące tabaką gniotły go do ziemi. Tylko brodę zdolny był dźwignąć do góry. Kazali mu być cicho.

Kamienny stół sięgał Domciowi nieco powyżej pasa. Na środku chustki bielał okrągły opłatek: ciało Boga. Przystąpiwszy do komunii świętej i stąpając ze skrzyżowanymi na piersiach rękami, niósł go na języku i zaraz wypluł zręcznie w chustkę. Teraz się przekona. Ujął szydło i obrócił w dół, ku Bogu. Opuszczał powoli, znów podnosił.

Uderzył.

I trzymał ostrze w tej ranie, rozglądał się, pragnąc kary. Ale nic nie nastąpiło. Stado małych ptaszków mieniło się trzepotem lecąc znad rżyska. Żadnej chmurki. Schylił się i badał, czy z przebitego opłatka, pod szydłem, nie wycieknie kropla krwi. Nic. Wtedy zaczął kłuć i kłuć, rwąc biały krążek na strzępy.

Tomasz, wypuszczony, zerwał się do biegu z łkaniem, które go dławiło w gardle. Uciekał i zdawało mu się, że ucieka od całego zła świata, że nic gorszego nie mogło go spotkać. Nie tylko groza śmiertelnego grzechu. Nagle pojął swoją niepotrzebność, cały fałsz tych chwil, kiedy myślał, że jest Domciowi przyjacielem. Nikomu z nich nie jest przyjacielem. Uciekał na zawsze. W domu trząsł się i czepiał ramienia babki Dilbinowej, on teraz potrzebował pomocy, a ona wypytywała go, co mu się stało, ale nic nie wydobyła prócz spazmatycznych szlochów. Wieczorem krzyczał, że się boi, żeby nie gasić lampy. Bredził też przez sen i kilka razy babka wstawała i zaniepokojona kładła mu dłoń na czole.

Ksiądz Monkiewicz, któremu spowiadał się nie czekając następnej niedzieli, ledwie zdolny zresztą wykrztusić sprawozdanie o okropnym czynie, tak przejął się bezbożnictwem w swojej parafii, że wiercił się i podskakiwał w konfesjonale; starał się ciągnąć go za język, żeby zło jak najprędzej wyrwać z korzeniem. Tomasz jednak nie zdradził, choć ksiądz tłumaczył mu, że to nawet należy do obowiązków chrześcijanina w takich wypadkach. Jakoś to imię nie chciało przejść mu przez usta. Dostał rozgrzeszenie i to go trochę uspokoiło.

Budy w sadzie unikał, choć to był najlepszy czas sadobrania, i używał wykrętów, kiedy Antonina wtykała mu w ręce koszyk. Zawsze się wtedy gdzieś zawieruszył. Jeżeli mignęły mu między drzewami parciane portki Domcia, chował się, a spotykając go przypadkiem, zniżał wzrok do ziemi i udawał, że go nie spostrzega.

W istocie cały obrządek nad Issą skończył się wtedy nijako. Chłopcy, raczej zawiedzeni — gdyby walnął grom albo przynajmniej pokazała się krew, to co innego — niezdolni do zgłębienia naukowego sensu odkrycia, za najstosowniejsze zajęcie uznali zaraz grę w durnia. Domcio — warto zwrócić uwagę na ten szczegół — zgarnął okruchy opłatka i zjadł; kłucie kłuciem, ale rozsypywać na wiatr albo deptać jakoś nijako. Zwiesił nogi z obrywu, tłukł obcasem w glinę i palił swoją lulkę z karabinowej kuli. Dolegała mu jakaś pustka. Bo choćby bić się z ojcem, choćby kij na nim połamać albo do niego strzelić, to lepiej, niż kiedy prawować się nie ma z kim. Ogarnął go smutek sieroctwa, podwójnego sieroctwa. Więc nikogo, nikogo, żeby o coś poprosić. Sam, zupełnie sam.

Na powierzchni Issy smużyło delikatnie. Wąż wodny przeprawiał się z jednego brzegu na drugi, niosąc wystawioną prostopadle głowę, a wąsy fałd układały się za nią ukośnie. Domcio mierzył odległość i w ramieniu odgadywał celność rzutu. Ale wąż wodny jest święty i kto go zabije, przywoła na siebie nieszczęście.

XXVII

Każdej jesieni Tomasz asystował młóćbie. Maszyna najciekawsza jest, kiedy rusza albo kiedy wypuszczają z niej parę. Na jej kotle, trochę z brzegu, bliżej paleniska, gdzie wrzuca się polana drzewa, kręciły się dwie duże kule na metalowych sztabkach, opuszczonych, jakby rękach. Czy kiedykolwiek te ręce się podnoszą, nigdy się nie przekonał. W kule potrafił wpatrywać się, zapominając o wszystkim naokoło. Jeżeli ruch powolny pru-tak, pru-tak, to rozróżnia się je doskonale, ale jeżeli bardzo szybki, zlewają się w wirujący krąg i latają tef-tef-tef, ledwo pokazując swoją czarność. W kącie żółto malowanej szopy (z jej dachu sterczał komin lokomobili) stały dwie ławy. Na jednej przesiadywał Tomasz i przychodzili na nią na chwilę mężczyźni ze stodoły, żeby zakurzyć. Na drugiej, naprzeciwko, leżał zwykle na podesłanym kożuchu młody Sypniewski, siostrzeniec Szatybełki, który pilnował kotła. Podkurczał nogi, głowę opierał na dłoni i rozmyślał — ale o czym, zostanie to jego sekretem. Co pewien czas złaził, sprawdzał manometr, otwierał drzwiczki i do buchającej ogniem czeluści miotał dębowe polana; czasem oliwił z oliwiarki z prztykającym denkiem, choć właściwie samą maszyną zajmował się kowal.

Z rozgrzaną twarzą, z nosem pełnym zapachu smarów, Tomasz wynurzał się na powiew, który burzył liście topoli. Na zewnątrz inny ruch go przywabiał: ruch pasa. Szeroki na łokieć, z gęsto połatanej skóry, łączył wielkie koło od lokomobili z małym kółkiem przy młocarni. W jaki sposób nie ześlizgiwał się z tego dużego koła? Co prawda spadał, jeżeli zwalniały się obroty, i rozlegały się wtedy krzyki ostrzeżeń, żeby nikt się nie podwinął, bo walił się z łomotem i mógł łatwo połamać kości. Kiedy zatrzymywano pracę, kowal i Sypniewski przykładali kije do pasa (a musieli mocno gnieść) i tak łagodzili jego hasanie, później odskakiwali i już zsuwał się bez hałasu. Że maszyna zwalniała, poznawało się po tym, że łaty na pasie jeździły już widoczne.

W stodole tumany pyłu, huczenie, uwijanie się. Worki zaczepiano o żelazne haki i pęczniały szybko. Tomasz zanurzał rękę w strumieniu chłodnych ziaren sypiących się z otworów. Pełne worki kowal odciągał na bok, pod topolę, na wagę. Na toku (pył gryzł w oczy i ledwo co majaczyło) białe chustki kobiet i spocone twarze. Snop na widłach zataczał łuk, a wtedy młocarnia zachłystywała się — wwwch. Z tyłu łapy bladoczerwonego koloru (bo kiedyś młocarnia była czerwona) przebierały niezdarnie i spomiędzy nich wysupływała się słoma.

Wielu par koni potrzeba, żeby ruszyć lokomobilę czy młocarnię z miejsca. Niekiedy, choć rzadko, wieziono ją w sąsiedztwo, z nawoływaniem, klaskaniem batów i podkładaniem gałęzi pod koła. W okolicy tylko dwór i Bałuodis — Amerykaniec w Pogirach, mieli tę maszynę. Gdzie indziej młócono cepami. Jeżeli już wypożyczano ją, to nigdy w dół, nad rzekę, bo z góry to jeszcze, ale pod górę koniom za ciężko.

Zawsze przy młóćbie jak u siebie, Tomasz po raz pierwszy zaznał po owej przygodzie z Domciem swojej tutaj obcości. Pogwarki mężczyzn, którzy sennie strzykali śliną żółtą od tabaki i nie zwracali na niego uwagi, oddzielały go od nich. Zamyślenia Sypniewskiego; niecierpliwe sarkania kobiet, żeby nie przeszkadzał, kiedy drapał się na tok; umorusane dzieci w jego wieku, które miały wyznaczony obowiązek: wytaszczać spod młocarni płachtę z pośladem; wszystko to spychało go jakoś na ubocze.

I, być może, inne porażki nabierały teraz wyrazistości. Na przykład ubawiona pobłażliwość, z jaką mężczyźni traktowali go, kiedy próbował kosić albo orać. Także baraban — kawał żelaza zawieszony na drutach, w który Szatybełko barabanił młotkiem, rano — że pora do pracy, w południe — że pora na obiad, później, że znów do pracy, i wieczorem na wyjście z pola (przy młóćbie służył do tego sygnał lokomobili, gwizdała tak mocno, że zatykano uszy). Szatybełko wystukiwał na nim całą melodię, a ludzie śmieli się, że baraban mówi: „pan-gałgan, pan-gałgan". Śmieli się bez gniewu, ale Tomasza to trochę urażało.

W czeladnej Antonina i kobiety często rozmawiały o panach, o tym, jacy byli dawniej, jak męczyli. Jedna ich zabawa szczególnie pobudziła jego wyobraźnię: kazali dziewczynie włazić na drzewo i kukać, a wtedy do niej strzelali. Dziewczyny włażące na drzewo, kiedy zbierały wiśnie czy jabłka, Tomasz lubił, starał się wtedy zaglądnąć im w ciemność pod spódnicą (jak świat światem nie nosiły w Giniu majtek). Chichotały i przezywały go, ale jakby zadowolone. Więc jak to? Z fuzją pod drzewem i strzelali? W westchnieniach Antoniny uchwycił nie tylko gniewną zadumę, ale i poczucie wyższości nad nim, też panem.

Z takich czy innych powodów zaczął garnąć się do dziadka i, kiwając się, z dłońmi wsuniętymi pod uda, wysłuchiwał jego wykładów o azocie, który wdychają rośliny, i o tlenie, który wydychają; o tym, jak dawniej wypalano las i siano rok po roku zboże, aż wyjaławiała się gleba, a później wymyślono trójpolówkę i na czym ona polega. Dziadek powoli stał się jego głównym towarzystwem i Tomasz przewracał kartki jego książek, teraz już domagające się objaśnień. W zielone królestwo roślin wkraczał, kiedy żółkły i opadały z drzew liście — w inne królestwo niż w rzeczywistości. Przebywał w nim bezpiecznie, rośliny nie są złe, wśród nich nie spotka go żadne odtrącenie. Ze strony dziadka też nic nie groziło. Nigdy zniecierpliwiony, nigdy tak zajęty jakimiś sprawami dorosłych, żeby zlekceważyć życzenia Tomasza, odzywał się do niego poważnie, z tym swoim chrząkaniem, w którym był humor i sympatia. Nawet jeżeli mył się albo smarował fiksatuarem i zaczesywał włosy na łysinie, odpowiadał na pytania. Fiksatuarem, rodzajem mydełka w papierowej tubce, Tomasz nacierał sobie ręce i wąchał. Dziadek mył się zwykle ciepłą wodą, przepasywał się wtedy ręcznikiem; piersi i brzuch porastała mu siwiejąca sierść.

Babka Dilbinowa ubolewała, że Tomasz nie przygotowuje się jak należy do gimnazjum, bo co to za nauka u Józefa Czarnego; sama też go uczyła, ale przecież od dawnych czasów tyle się zmieniło. Obiecywała mu, że przyjedzie jego mama i zabierze ich ze sobą, ale to się ciągle odwlekało. Wiedza jego, to prawda, nie rozkładała się równomiernie. Czytał dobrze, bo go pchała ciekawość. Pisał jak kura patykiem, niewyraźne kulfony; mówił z tutejsza, wtrącając litewskie wyrazy (później w szkole miał doznać z tego powodu upokorzeń). Przez nagły zwrot do dziadka nabierał teraz całkiem niezłej znajomości botaniki i ten cieszył się, że może zamiast zostać żołnierzem czy piratem, zostanie rolnikiem. Żadna jego fotografia z tych czasów nie zachowała się, bo nigdy jej nie zrobiono. Już wtedy przeglądał się w lustrze, ale nie umiał siebie widzieć porównując z innymi. Żeby użyć grzebienia i szczotki do poskromienia swoich włosów, nie przychodziło mu do głowy; twarda i gęsta strzecha ciemnoblond sterczała na czoło i tak po niej, w dół, szczotką machał. Pyzate policzki, oczy szare, nosek zadarty jak u knurka (taki sam jak na fotografii liliowego koloru prababki Mohlowej). Wysoki na swój wiek.

„Tomasz ma twarz jak tatarska dupa" — podsłuchał, jak jeden Korejwiuk szeptał do drugiego. To dopełniło miary jego nienawiści. Dwóch tych chłopców Korejwy, sąsiada z drugiego brzegu Issy, raz tylko gościło w Giniu ze swoimi rodzicami. Zabawy nie kleiły się, chcieli nim dyrygować i obrażały go ich zmawiania się, kuksania się i śmieszki.

Powstaje podejrzenie, że odziedziczył po kimś trudność obcowania z ludźmi: samowystarczalność babki Surkontowej czy trwożliwość babki Dilbinowej. Albo po prostu działał tutaj brak wprawy. Raz dziadkowie wzięli go ze sobą na dalszą wizytę. Na córeczkę gospodarzy zerkał z ukosa i zadrżał, kiedy ujęła go za rękę, żeby oprowadzić po ogrodzie. Stąpał sztywno i powstrzymywał oddech, bojąc się tych jej wąskich, gołych łokci, które go wzruszały. Na mostku nad strumieniem w parku oparli się o brzozową poręcz i czuł, że czegoś od niego oczekuje, ale tylko milczał. Bo właściwie powiało tamtymi zabawami z Onutė i struchlał.

Maniery: szurgał nogami kłaniając się gościom, rumienił się. W miasteczku był parę razy, ale jako znajomość szerokiego świata chyba to się nie liczyło. Na rynku tkwił wtedy przy wozie i pomagał Antoninie układać jabłka, które sprzedawała. Niektóre domy miasteczka mokły prawie w Issie, innej tutaj, szeroko rozlanej; ulice wybrukowane były tak dużymi kamieniami, że wykręcały się nogi; Żydzi stali na drewnianych schodkach i zapraszali do swoich sklepów. Największy budynek, biały pałac książąt, nad stawami pokrytymi rzęsą, teraz pusty, przerabiano wewnątrz na szkołę czy szpital. Ze względu na stację kolejową nieco na uboczu wolał, kiedy wracali trochę dalszą, ale za to lepszą drogą przecinającą tor, bo wtedy udawało się zobaczyć pociąg. Powrót witał z ulgą. Antonina oddawała mu lejce i trzaskał z bata. Jeżeli w podróż ruszali sami, dbała o to, żeby zaprzężono najlepsze konie: istniała możliwość spotkania samochodu. Tomasz ściągał derkę, którą pokrywali siedzenie z siana, pędził i owijał im łby, żeby nie szalały.

Z dziadkiem, bez manier i przymusów, które czatują, kiedy przestaje się z ludźmi, wędrował bajką o podziemnym kiełkowaniu nasion, o pięciu się łodyg, o koronach, płatkach, słupkach i pręcikach kwiatów. Postanowił sobie, że następnego lata będzie już dostatecznie znał się na rodzinach roślin, żeby układać zielnik.

XXVIII

Kiedy był zupełnie mały, sadzano go na niedźwiedzim futrze i wtedy święty spokój, bo podnosił ręce, żeby nie dotknąć włochatego zwierza, i tak nieruchomiał, na wpół przerażony, na wpół zachwycony. Skóra, zszargana i pogryziona przez mole, pochodziła od ostatniego chyba niedźwiedzia w okolicy, upolowano go dawno, jeszcze w dzieciństwie dziadka. Niedźwiedzie — znane z tej skóry i z obrazków — wzbudzały w Tomaszu tkliwe uczucia. Może nie tylko w nim, bo starsi często o nich opowiadali. Dawniej trzymano je po dworach i przyuczano do różnych prac, na przykład kręcenie żaren czy noszenie drzewa. Zdarzały się z nimi śmieszne historyjki. Tu, w Giniu, pozostała pamięć po niedźwiedziu ambitnym: lubił słodkie gruszki i jeżeli jego pan dopuszczał go do wspólnej uczty, musiał baczyć, żeby dzielić sprawiedliwie, bo dostając gruszki nadgniłe albo zielone, niedźwiedź obrażał się i ryczał. Tomasz poprawiał się z podnieceniem na krześle, dowiadując się o sprycie innego, który dusił kury, więc musiano wziąć go na łańcuch; wtedy wynalazł sposób: siedząc sypał piasek z przednich łap i głupie kury zbliżały się w zasięg łańcucha, a on bił łapą i chował zdobycz pod siebie robiąc niewinną minę jakby nigdy nic. Bohaterem najcudaczniejszej przygody (tę opowiedziała babka Dilbinowa) stał się niedźwiedź, który, kiedy powóz stał przed gankiem jakiegoś dworu, a furman gdzieś się zawieruszył, wlazł do środka. Konie poniosły, a on, też w strachu, nie zdążył zeskoczyć. Tak wpadli na gościniec. Na rozstaju stał krzyż, powóz zarzuciło i niedźwiedź schwycił się krzyża, ale że trzymał się drugą łapą, wyrwał go i wjechał z nim w ulicę wioski, gdzie powstał popłoch, bo wyglądało to rzeczywiście po diabelsku.

Jeden wielki pan użył niedźwiedzi do okazania swojej pogardy Rosjanom. Zjawił się do niego z wizytą gubernator i to zobaczył: przed gankiem dwa niedźwiedzie z halabardami, a na stopniach ten wielki pan, w rosyjskiej chłopskiej rubaszce, wybijający nisko pokłony. Gubernator zrozumiał, że znaczyło to: „My, dzicy poddani Imperatora, pół zwierzę, pół ludzie, witamy w naszych progach", zaciął usta i kazał odjeżdżać.

Niedźwiedzie w tych wszystkich gawędach występowały jako istoty ludzkiej prawie inteligencji i może niesłusznie męczono je, tak jak w Akademii Smorgońskiej, którą opisywał mu dziadek. Podłoga w niej zrobiona była z blachy, pod nią palono ogień, a niedźwiedzie puszczano w drewnianych chodakach. Grała muzyka, blacha parzyła i biedne misie stawały, bo przednie łapy zostawiano bose. Później kiedykolwiek usłyszały tę muzykę, przypominała im się rozpalona blacha i tańczyły.

Co pomagało do rozbudzania sympatii, to to, że takie duże, mocne, usposobienie miały właściwie łagodne i nawet strachliwe. Świadczy o tym na przykład to, co przydarzyło się, kiedy jeszcze dużo ich spotykało się w lasach, pewnemu chłopu. Zginęła mu krowa, która, zawsze niesforna, często odbijała się od stada. Zły, schwycił drąg i znalazłszy ją leżącą w maliniaku, wyrżnął z całej siły. Rozległ się ryk, bo był to niedźwiedź. Chłop uciekał w jedną stronę, on w drugą i zadryzdał cały maliniak. Rozwolnienie ze strachu nazywa się nawet „niedźwiedzia choroba".

Dziadek pamiętał, że kiedy zabito tego niedźwiedzia, z którego została skóra, i uwędzono z niego szynki, psy poznawały mięso po zapachu i sierść im się jeżyła.

Babcia Misia w zimie kładła przy swoim łóżku dywanik z łosia. Ale główny użytek z łosia to jego skóra wyprawiona, bardzo gruba i miękka; jeżeli Tomaszowi zdarły się podeszwy w papuciach, wydobywała ze schowka taki płat, odmierzała i wycinała nożycami dokładnie według konturu ołówkiem. To też przechowało się z dawnych czasów, bo łosi zostało już mało. W lasach, jakieś dwadzieścia wiorst od Ginia, jeszcze zabijali je czasem kłusownicy.

Skóry wspomina się tutaj w związku z miłością Tomasza. Baltazar któregoś jesiennego dnia pokazał się i powiedział, że przywiózł dla niego prezent, żeby poszedł z nim do wózka. Tam na podściółce ze słomy klatka z drewnianych prętów, a w niej — puchacz.

Nie obyło się bez gderania babki Surkontowej, że to ptaszysko zapaskudzi cały dom, ale puchacz został. Baltazar złapał go jeszcze nie latającego i podchował. Wcale nie tak znowu dziki, pozwalał się brać pod brzuch i wtedy piszczał cienko jak kurczak, dlatego Tomasz dał mu na imię Cipuś. Żeby podobny głos z niego się wydobywał, trudno było uwierzyć. Nie większy co prawda od kury, ale skrzydła, jeżeli rozpięte, dłuższe niż rozpostarte ramiona Tomasza, dziób zakrzywiony, potężny i szpony mordercy. Odtąd zaczęło się wybieranie szczurów ze wszystkich pastek. Cipuś mięso przytrzymywał szponami, a darł dziobem. Kłapał nim, jeżeli do krat zbliżyć rękę, ale nigdy nie schwycił go za palec. O zmroku Tomasz wypuszczał go na pokój. Lot cichy, tylko prąd powietrza, nic więcej. Na środku zrzucał kupę, która rozpryskiwała się z pluskiem (to przestępstwo zbierało się zaraz gałganem, żeby nie irytować starszych), i na piecu hukał teraz już basem. Kiedy wylatał się, wsadzany bywał z powrotem do klatki.

Miękkość jego piór, oczy czerwono-złote, ruchy głową w górę i w dół, jak u krótkowidza, który chce przeczytać napis. Tomasz przywiązał się do niego i stwierdzał różne jego obyczaje. Jeżeli posadził go na łosiowym dywaniku, puchacz zachowywał się tak, że musiało się pękać ze śmiechu: targały nim nerwowe drgawki, szpony zwierały się same, miesił pod sobą przestępując z nogi na nogę. Widocznie dotyk do krótkiej sierści przywoływał wspomnienia wszystkich jego przodków, którzy rozszarpywali sarenki i zające. Natomiast na niedźwiedziej skórze nic szczególnego z nim się nie działo.

Tomasz z pewnością wstydziłby się przyznać do niektórych swoich niezbyt jasnych skojarzeń. Rozmyślał bowiem o włochatości w ogóle. Dlaczego, jak mówiono, podniósł ręce na tej puszystej skórze? Dlaczego niedźwiedzie wszyscy uważają za miłe? Czy nie dlatego, że takie włochate? Magdalena wtedy w rzece. Czy puchacz, dostając tych spazmów, nie czuł tego samego co on, tego dreszczu we śnie? Utożsamiając się niejako z puchaczem, przemieniając się w niego, kiedy tak podrygiwał na łosiu, niewiele brakowało, a zapytałby, czy chciał też Magdalenę rozedrzeć, albo czy słodyczy doznawał nie dlatego, że już umarła. Jeżeli nie zapytał, tym lepiej.

Kurczęta też piszczą, ale takie są. Podwójność natury puchacza: bez obrony, ufny, serce bijące pod palcami, nogi zwisają niezdarnie, albo oczy zachodzące z dołu powieką, kiedy drapie się go za uchem — i on, terror lasu nocą. A może nie jest wcale bandytą? A jeżeli, to jakby nie zmieniało to jego wewnętrznej natury. Może każde Zło nosi w sobie ukrytą bezbronność — podejrzenie, ledwie cień myśli.

Ciotka Helena, przyjechawszy na wiosnę i zobaczywszy puchacza, zaczęła szeptać z babką Surkontową. Zapadła decyzja, żeby go sprzedać, bo myśliwi dobrze za niego zapłacą: sadzają go na słupku, sami chowają się w szałas z gałęzi i stamtąd strzelają do wszelkiego ptactwa, które zlatuje się, żeby puchacza bić. Tomasz posłusznie przyjął wyrok, jakby pojmując, że żadnej miłości nie trzeba przeciągać poza jej kres. Co prawda z obiecanych pieniędzy nie powąchał ani grosza.

XXIX

Idąc do biblioteki wkładał kożuszek, bo jej nie opalano, ręce mu tam siniały od zimna, kiedy przebierał w starych pergaminach, mając zawsze nadzieję natrafić na coś o roślinach i zwierzętach. Porywał najczęściej po kilka tomów i uciekał w ciepło, żeby przejrzeć. Jedna tak wyjęta książka miała tytuł wypisany literami pokręconymi jak węże i z trudem wysylabizował: *O Urzędzie miecza używającem*, ale dalszego ciągu nie mógł, poszedł więc do dziadka, żeby mu wytłumaczył, o czym to jest. Dziadek włożył *pince-nez* i powoli czytał: „Wyznanie zboru Pana Christusowego / który w Litwie / z Pisma Świętego krótko spisane. Przytem tegoż urzędu obrona przeciw wszem jego sprzeciwnikom przez Simona Budnego napisana. K temu jasne z Pisma Świętego pokazanie / że Christianin może mieć Poddane wolne i niewolne / gdyby ich tylo bogobojnie używał. Roku od narodzenia Pana Christusowego 1583".

Uderzał skórzaną pochewką od *pince-nez* o zapleśniałą okładkę i przewracał kartki. Potem chrząknął.

— To nie jest książka katolicka. Widzisz, dawno, dawno temu żył Hieronim Surkont. Ta książka chyba została tu po nim. Bo on był kalwin.

Tomasz wiedział, że „kalwin" oznacza kogoś bardzo złego, że jest to nawet przezwisko. Ale ci bezbożnicy, którzy nie chodzili do kościoła, tylko do kirchy, należeli do odległego świata miast, kolei i maszyn. Tutaj, w Giniu? Ocenił zaszczyt, że zostawał przypuszczony do nieskromnego sekretu.

— Heretyk?

Palce dziadka schowały *pince-nez* do pochewki. Patrzył w śnieg za oknem.

— Hm, tak, tak, heretyk.

— A ten Hieronim Surkont tu mieszkał?

Dziadek jakby się przebudził.

— Czy mieszkał? Chyba, ale wiemy o nim mało. Głównie siedział w Kiejdanach przy księciu Radziwille. Kalwini mieli tam swój zbór i swoją szkołę.

Tomasz odgadywał w nim jakąś powściągliwość, opór, tę wykrętność dorosłych, którzy o pewnych osobach z rodziny mówią półgłosem i milkną, kiedy wejść nagle do pokoju. Twarze tych osób, niemożliwe do wyobrażenia, ginęły w cieniu, jak na poczerniałych portretach — ledwo zarys brwi czy plama policzka. Ich jakieś winy, dostatecznie wielkie, żeby dorośli za nich się wstydzili, czas ich życia, stopnie pokrewieństwa roztapiały się w szeptach, albo w fuknięciach za mieszanie się do nie jego spraw. Teraz jednak odbyło się to inaczej.

— Jest rodzina Surkontów niemiecka. Właśnie od Hieronima. Prawie trzysta lat temu, w 1655 roku, weszli tutaj Szwedzi. Wtedy Hieronim przeszedł na stronę króla szwedzkiego Karola Gustawa.

— Był zdrajcą?

Koniec nosa z fioletowymi żyłkami dziadek lubił brać w dwa palce, nadymał nozdrza i kiedy puszczał nagle palce, wydobywał się dźwięk tch, tch.

— Był — i znów tch, tch. — Tylko że gdyby bił się przeciwko Szwedom, zdradziłby księcia, któremu służył. I byłby zdrajcą też. Radziwiłł sprzymierzył się z Karolem Gustawem.

Tomasz zmarszczył brwi i rozważał zawiły dylemat.

— To Radziwiłł jest winien — orzekł wreszcie.

— On. To był człowiek dumny. Uważał, że od Karola Gustawa otrzyma tytuł Wielkiego Księcia i nie będzie już podlegać polskiemu królowi. Wtedy by rządził Litwą i kazał wszystkim przyjąć religię kalwińską.

— A jeśliby jemu udało się, czy my bylibyśmy kalwini?

— Pewnie tak.

Przyglądał się teraz uważnie Tomaszowi i jego uśmiech nie wiadomo co oznaczał, może to, że przenikał myśl, która układała się w gasnące szybko pytania. Jak to jest, że jest się tym, kim się jest? Od czego to zależy? I kim byłby, gdyby został kim innym?

— Ale Hieronim Surkont nie był właściwie kalwin, tylko socynianin. To jeszcze jedna odmiana między tymi, co nie uznają papieża.

I opowiedział mu o socynianach czy inaczej arianach, którzy wymyślili nową naukę: że nie wolno brać urzędów, ani być wojewodą, ani sędzią, ani żołnierzem, bo Chrystus tego zabronił. Także że nie wolno mieć poddanych. Jednak kłócili się między sobą, wielu z nich mówiło, że Pismo Święte wyraźnie na to zezwala, i ta książka jest, zdaje się, o tym. A Hieronim Surkont, kiedy wygnano stąd Szwedów, wywędrował i nigdy nie wrócił. Osiedlił się w Prusach, gdzieś koło Królewca.

Tak oto rzucono ziarno i dziadek nie wiedział, jak długo przechowa się ono w roślinnym śnie wszystkich ziaren, czekających cierpliwie na swój czas. Zwinięte w maleńki węzeł leżały tam skrzypienia posadzki pod krokami przesuwającymi się wzdłuż półek, z których świecą białe kartki z cyfrą na ciemnych rzędach oprawy i łokcie oparte o stoły, w kręgu światła padającego z zielonego klosza, i ołówek — ręka nim balansuje w powietrzu do wtóru pomysłu, który jest z początku nie więcej niż mgłą, bez linii i granic. Nikt nie żyje sam: rozmawia z tymi, co przeminęli, ich życie w niego się wciela, wstępuje po stopniach i zwiedza, idąc ich śladem, zakątki domu historii. Z ich nadziei i przegranej, ze znaków, jakie po nich zostały, choćby to była jedna litera wykuta w kamieniu, rodzi się spokój i powściągliwość w wypowiadaniu sądu o sobie. Dane jest wielkie szczęście tym, co umieją je zdobyć. Nigdy i nigdzie nie czują się bezdomni, wspiera ich pamięć o wszystkich dążących jak oni do nieosiągalnego celu. Tomasz zdobyć miał kiedyś to szczęście albo nie, w każdym razie chwile jak ta z dziadkiem trwały w nim, wzywając wieku, w którym głosy przytłumione przez odległość stają się cenne.

XXX

Hiszpan Michał Servetus ponad dwie godziny konał i nie mógł skonać, bo drzewa podłożono za mało i przez płomienie jęczał skargi na oszczędność miasta Genewy: „Nieszczęsny ja, że nie mogę zakończyć życia na tym stosie! Dwieście dukatów i złoty łańcuch, które mi wzięto, kiedy mnie uwięziono, wystarczyłyby, żeby kupić dość drzewa, abym spalił się, ja nieszczęsny!"[1]

A Kalwin, sztywno siedząc na krześle w półmroku swego pokoju, czytał Biblię i tylko jego wikary, Guillaume Farel, któremu dym wyciskał z oczu łzy, krzyczał do smażonego żywcem heretyka: „Uwierz w wiekuistego Syna Bożego, Jezusa Chrystusa!"

Przypadło Michałowi Servetowi, po dwudziestu latach ukrywania się we Francji, wśród papistów, aby ten los spotykał go za przyczyną odnowiciela chrześcijaństwa, któremu ufał, z którym wymieniał tajne listy i pod którego obronę się uciekł. Ale jego duch był mocny i język w na wpół zwęglonych ustach jeszcze się poruszał, a słaby głos świadczył bluźnierczej prawdzie: „Wierzę, że Chrystus jest prawdziwym Synem Bożym, nie że jest wiekuisty".

Został po nim szept po różnych krajach i gęsie pióra skrzypiały w Bazylei, Tybindze, Wittenberdze, Strasburgu, Krakowie, przepisując pożyczane w ukryciu od przyjaciół tezy przeciwko Trójcy. Książę prychał: *„Schwärmerei!"*, kiedy u studentów polskich w Tybindze odkryto zakazane pisma, uniwersytet drżał i starał się sprawę zamazać. Nie wymawiano imienia Serveta i nawet ten, który po powrocie z Padwy rozpowszechniał nowe odkrycie wśród zborów Polski i Litwy, Petrus Gonesius, dbał o to, żeby publicznie

---

[1] Relację o ostatnich dniach Serveta podał Wiszowaty według zaginionych następnie źródeł. Patrz: Stanisław Kot, „L'influence de Michel Servet sur le mouvement antitrinitarien en Pologne et en Transylvanie". W zbiorze „Autour de Michel Servet et de Sébastien Castellion", 1953, H. D. Tjeenk, Willing and Zoon, N. Y., Haarlem.

nie wspominać swego mistrza. Choć poznał się na nim Melanchton: „Czytałem książkę Litwina, który starał się przywołać Serveta z piekieł" — pisał. Jakub Paleolog w Transylwanii i na Morawach układał wielkie dzieło swego życia już jawnie w obronie Hiszpana: „Contra Calvinum pro Serveto", ale na skrzyni z jego rękopisami rękę położyła Święta Inkwizycja, kiedy został aresztowany i przewieziony do Rzymu na śmierć męczeńską.

Opowiadając, odtwarza się ludzi i wypadki z drobnych szczegółów, jakie dotarły do naszej wiadomości: byłoby niezbyt uczciwie zapewniać, że Hieronim Surkont był niski czy wysoki, czarnowłosy czy jasnowłosy, jeżeli nie przechował się o tym żaden ślad, tak samo jak nie przechowały się daty jego urodzenia i śmierci. Jedno jest pewne, że Rzym uważał za siedlisko Antychrysta i że jeżdżąc konno w swoim łosiowym kolecie drogą wzdłuż Issy z melancholią patrzył na lud, niezdolny do przyjęcia prawdziwej wiary. Takie to i chrześcijaństwo, akurat na miarę papistowskich zabobonów: po nabożnych pieniach w kościele kobiety biegły, żeby złożyć ofiarę wężom, bo jeżeli jej się nie złoży, siła opuści ich mężczyzn i nie będą zdolni spełniać małżeńskich obowiązków. Nie Pismo Święte, ale jakieś bajania o bogu wiatru i bogu wody, którzy trzęśli światem, rzucając go sobie z rąk do rąk jak talerz. I te pogańskie obrzędy, kiedy zbierali się osacznicy idąc na zwierza. I ciągle jeszcze tajne zgromadzenia pod dębami.

Musiał być dociekliwy, drążący każdą rzecz do sedna i szukał towarzystwa takich samych jak on — znalazł je w Kiejdanach. Uczył się pewnie tam wiele, żeby czuć się równym w tych dysputach przy blasku świec, w których przepierano się cytatami z Pisma: a nie, dialektyka waszmości wykrętna, sofistyką raczej winna być nazwana, bo to miejsce po hebrajsku inaczej się wykłada, cóż to, panie bracie, czynicie, albo w grece i w łacinie nie jasno pokazano, że tak i tak wykładać się ma? Wonczas trójczaki wiernie przestrzegający Kalwina i dwubożniki, i nawet ci, co za Szymonem Budnym odmawiali adoracji Chrystusa, nie gnietli siebie wzajemnie, ich nienawiści łagodził wpływ księcia Radziwiłła, który choć sam wzór czerpał z kościoła Genewy, nie bronił teologicznych sporów, a nawet skłaniał się ku nowościom. Na jego dwór schroniło się z Polski kilku arian i nie spotkała ich krzywda, choć co prawda zachowywali pewne ostrożności.

Hieronim Surkont czy został ponurzony, to jest, czy otrzymał chrzest w wieku dojrzałym, przepisany przez Braci, którzy odmawiali ważności baptyzmowi dzieci? Nie wiadomo, w każdym razie trójczakiem być przestał i mękę Serveta, od dnia której upływało wtedy bez mała sto lat, ciągle zachowywał w pamięci. Że ów trójgłowy Cerberus, podstawiony za diabelską radą na miejsce Jedynego Boga, jest potworem urągającym rozumowi — to przyjmował jako objawienie. Ogarniał doniosłość tezy, która przewracała do góry nogami ład dotychczasowy: Bóg jest jeden i jedno jest jego Pismo, jasne, nie wymagające objaśniaczy jego tajemnic, kto je czyta, dowiaduje się sam, jak ma żyć, i powraca ku czasom Apostołów, poprzez wieki, które scholastyką próbowały zaciemnić proste słowa proroków i Chrystusa. Kalwin zatrzymał się w pół drogi, zabił Serveta z lęku przed prawdą. Kto nie zniszczy Cerbera, nie wyzwoli się całkowicie z mamrotań, odpustów, mszy za dusze zmarłych, błagań o wstawiennictwo świętych i tym podobnych czarów.

Ze szczupłych danych można wywnioskować, że w sporze, który od wielu dziesiątków lat dzielił Braci, skłaniał się ku dziedzictwu, jakie zostawił Petrus Gonesius. To znaczyłoby, że nadzieję na zbawienie swojej duszy pokładając w Jezusie Chrystusie („jako zgniły pies jestem przed obliczem Pana Boga mego" — odcyfrowano na jednej z jego książek), utrzymywał, że Chrystus nie był współistniejący w bóstwie z Ojcem, że Logos, słowo niewidzialne, nieśmiertelne, przekształciło się w ciało w łonie dziewicy, czyli z Logos dopiero Chrystus wziął początek. Przeżywał więc z grozą, wdzięcznością i słodyczą ludzką naturę Jezusa, ale nie tak jak non-adoranci, którzy między Jeremiaszem czy Izajaszem i Jezusem nie dostrzegali żadnej różnicy i więcej powoływali się na Stary Testament niż na Nowy.

Co jednak z pismem Gonesiusa *De primatu Ecclesiae Christianae*, które zapewne studiował, i z pismami jego następców? Hieronim Surkont nie mógł lekceważyć ich argumentów w innej, praktycznej sferze, tych argumentów, od których długo huczało na synodach Litwy. Gdyż to, czego żądali, mocno wspierało się na Ewangeliach. Czyż nie jest powiedziane: „Temu, który by cię uderzył w policzek, nadstaw mu i drugiego; a temu, któryć by brał płaszcz, i sukni nie wzbraniaj"? Czy nie jest powiedziane: „Niechaj umarli grzebią umarłe swoje; a ty poszedłszy opowiadaj królestwo Boże"? Czy nie jest powiedziane: „Który słucha, a nie czyni, podobny jest człowiekowi, który zbudował dom swój na ziemi; o który się otrąciła rzeka i zaraz upadł, a był upadek domu owego wielki"? Żydzi, Grekowie, niewolnicy i panowie mają być równi i wszyscy braćmi. Chrześcijanin nie przelewa krwi, odpasuje miecz. Darowuje wolność swoim poddanym. Sprzedaje swoje majętności i pieniądze rozdaje ubogim. Tylko tak staje się godny zbawienia i tylko tym różni się od bezecnych, których czyny przeczą mowie.

Okres, o którym idzie rzecz, przypadł już po odrzuceniu przez synody Litwy tych bezwzględnych wymagań, co doprowadziło wtedy do gorzkich swarów z Braćmi Polskimi. Surkont więc odpierał zapewne argumenty, wskazując na Stary Testament i na przykłady z doświadczenia. Wyzwolić niewolnych (zaiste ucisk i nędzę znosili wielką)? Ależ byłaby to wolność do pogaństwa, do barbarii i do rozboju. Kiedy za starosty żmudzkiego, Rekucia, uczyniono taką próbę, rozbiegli się po puszczach, wypadając stamtąd na kradzież i mord. A bliżej, ta chłopska rebelia ze wskrzeszeniem starych bogów, która dała się panom we znaki również w dolinie Issy. Odpasać miecz? Złą porę wybrali zwolennicy Gonesiusa na przekonywanie o tym: wtedy na wschodzie, za Dnieprem, nie wygasały prawie wojny z Iwanem Groźnym. Przegrali, przegłosowano ich na synodach i odtąd się nie podźwignęli.

A oto Karol Gustaw dzierżył miecz, fundując Imperium wszystkich protestantów. Nikt nie wie, jakie były wahania, jakie chwile decyzji Hieronima Surkonta. Jego książę roztaczał przed swoimi wizję potężną. Litwini równie dobrze jak od króla Polaków mogli zależeć od króla Szwedów, z jego pomocą wydzierając obszary i dusze papistom. Dalej na wschód i na południe, aż po Ukrainę, wszędzie gdzie ciemne parochy, bełkocące o świętym Bizancjum, ale nie znające już greki, durzą lud, nieśliby światło. Nie znalazłoby się zresztą innego sposobu: inwazja jezuitów, ich przemyślne metody uwodzenia umysłów, ich teatry, ich szkoły z każdym rokiem odciągały wiernych, motłoch studencki w Wilnie znieważał świątynie, napadał na orszaki pogrzebowe. Jeszcze trochę, a z reformy na Litwie nie zostanie nic. Książę grał ostatnią kartę, wierze służąc i swojemu powołaniu protektora wiary. A cel odległy, tak: korona. I kto wie, to: szwedzkie, litewskie i polskie wojska w bramach Moskwy.

Jest się skłonnym przypuścić, że nie tylko lojalność wobec księcia go popychała, ale i pogarda dla wrzaskliwej masy szlacheckiej, którą księża zagrzewali do świętej wojny przeciwko heretykom. Nigdy chłodno rozumujący, nigdy nie otwierający Pisma Świętego, żywioł, ślepota instynktu.

Wierny do końca. A doświadczenia straszliwe, chwianie się najbardziej, zdawałoby się, oddanych po pierwszych niepowodzeniach, walka bratobójcza, kraj spustoszony przez armie, łupieżcza beztroska sojusznika. Książę umarł, kiedy papiści wdzierali się do twierdzy, ostatniej. Należało sporządzić rachunek własnej klęski: chwila, kiedy każdy człowiek powtarza za Chrystusem: „Panie, czemuś mnie opuścił", a wola i duma rozpadają się w nicość.

Spodziewajmy się, że Pismo było mu pomocą. I może pamięć o ich własnym, anty-trójczaków męczenniku, którego głowę owijał wiecheć słomy napojonej siarką, łańcuch przykuwał ciało do słupa, a do nogi przywiązana jego książka czekała na pierwszy płomień. Dokładny opis zgonu Serveta przechował się tylko dzięki współwyznawcom Hieronima Surkonta ze zborów Polski i Litwy. Oni to skopiowali manuskrypt, poza tym zaginiony, *Historia de Serveto et eius morte*, którego autorem był Petrus Hyperphragmus Gandavus. Nie, wygnanie nie mogło równać się z torturą ciała.

Ale Surkont zaznał tortury duszy, piętna zdrajcy i ważył swoje czyny, nigdy nie zyskując pewności, czy postąpił, jak był powinien. Pomiędzy obowiązkiem wobec króla, wobec Rei Publicae i wobec księcia, który nie trzymał mu za złe teologicznej różności. Pomiędzy wstrętem do papistów i odrazą do najeźdźców, którym powodzenia, nie przegranej, musiał życzyć. Heretyk dla katolików. Ledwie tolerowany odszczepieniec dla protestantów. Zaiste, powtarzać mógł tylko: „Jako zgniły pies jestem przed obliczem Pana Boga mego".

Przypadek pozwolił dowiedzieć się, że ostatni potomek Hieronima, lejtenant Johann von Surkont, student teologii, padł w 1915 roku w Wogezach. Jeżeli leży na wschodnim zboczu, tam gdzie gęste rzędy krzyżów, które z daleka można wziąć za winnice, schodzą w dolinę Renu, czeszą trawę na jego grobie wiatry suche, od strony rodzinnej Litwy.

XXXI

Bitnikiem, czyli pszczelarzem (od bitè — pszczoła po litewsku) była w Giniu ciotka Tomasza, Helena Juchniewicz. Za swoją opiekę nad ulami otrzymywała część miodu i wosku — choć w rodzinie, ale według starego zwyczaju. Przyjazd jej zapowiadał wyciąganie przyborów ze specjalnej szafy i przebieranie się. Zapinała rękawy przy dłoni agrafką i wkładała na głowę maskę — coś jak kosz z zielonego muślinu. Zresztą pszczoły mało ją gryzły i nie zawsze nawet używała rękawic. Tomaszowi poruczała nabierać żar z kuchni do podkurzacza z blachy z drewnianą rączką; na żar sypało się próchno i trzeba było nim długo machać, żeby się zatliło. W swojej masce, z nożem i wiaderkiem w jednym ręku, z dymiącym podkurzaczem w drugim, wyglądała jak — chciałoby się znaleźć porównanie, ale trudno, w każdym razie Tomasz gapił się na jej postać oddalającą się aleją w stronę uli z żarliwością. Kiedy wracała, z misy czerpała na gałgan kwaśne mleko przykładając tam, gdzie użądliły. Przy podbieraniu miodu Tomasz kręcił centryfugę — metalowy garniec, który obracał się na kiju; wtedy miód wylewał się z plastrów wstawianych tam w ramkach.

Nos ciotki Heleny, duży, kształtu piramidy, sterczał spomiędzy wysuniętych naprzód jabłek-policzków, zupełnie jak u babci Misi, do której była podobna, tylko większa i z niebieskimi oczami. Uśmiech jak z cukru, mina świątobliwa, zdaje się, że przynosząca jej wiele pożytku, bo przez nią przystrajała swoje pasje w niewinność. Głównym jej zamiłowaniem było skąpstwo, ale takie, które nie polega nawet na oszczędności, tylko siedzi w głębi i każe postąpić tak czy inaczej niby z innych powodów. Jeżeli wypadła jej sprawa w miasteczku, nigdy tam nie jechała, mówiła: „Taka śliczna pogoda, pójdę sobie spacerkiem", i szła te dziesięć wiorst, zaraz na drodze zdejmując buty, „bo boso zdrowiej". Właściwej przyczyny może ktoś doszukałby się w tym, że furmanowi wypadałoby dać kilka groszy, żeby sobie coś wypił, a buty się zdzierają. Dzieląc miód czy mąkę, dbała o to, żeby innym przypadła lepsza część, i wzruszała się anielsko swoją własną dobrocią, tylko że w tej lepszej części naprawdę krył się jakiś defekt. Na czeladny stół u siebie, jak mówiono, wydzielała wędliny, jeżeli w nich zalęgły się robaki, ale pewnie cieszyło ją jej własne dobre serce, że tak dba o ludzi, którzy prócz kartofli i klusek powinni przecie dostawać i mięso.

Po babci Misi odziedziczyła końską wytrzymałość i odporność, nie chorowała nigdy (zresztą gdyby zachorowała, krzyknęłaby, że doktorzy na niczym się nie znają, żeby, broń Boże, nikt nie ośmielił się którego sprowadzić). Dwadzieścia wiorst w kilka godzin to naprawdę był dla niej spacerek, mogłaby zrobić chyba sto tym swoim lekkim chłopskim chodem. I naturalnie kąpała się w rzece aż do listopada. Tomasz nie widział u niej nigdy żadnej książki, nawet książki do nabożeństwa, jakby przysięgła nie tknąć druku, ale przecież kiedyś się uczyła, bo umiała nawet trochę po francusku.

Jej mąż, Luk Juchniewicz, jeżeli przyjeżdżał, rozpętywał jakiś teatr, w którym nie sposób było nie wziąć udziału, tak zaraźliwy. Wrzeszczał już na wozie, wyrzucał w górę ramiona, wyskakiwał i biegł, a poły pudermantla albo burki rozwiewały się za nim i tak, gotów do uścisku, piszczał dyszkantem: „Mamusiu! Ojejejej! ja tak ciesza sia, że was widza! Nareszcia! Ojejejej! Jak dawno nie widzieliśmy sia!..." I cmok, cmok i mm, mm... Ale najważniejsza w tym jego twarz: okrągła, z ciemną grzywką na czoło, marszcząca się od serdeczności, od czułości, że żadna chyba inna twarz nie umiałaby się tak miąć. „Poczciwy Luczek", odwzajemniała się duszona i obśliniana babcia Misia, choć poza jego plecami tylko pobłażliwie wzdychała: „Luczek to poczciwota". Natomiast według babki Dilbinowej Luk stanowił dowód, że w starym powiedzeniu jest coś z prawdy: nad Issą rodzą się albo opętani, albo durnowaci.

Tego lata, kiedy Tomasz układał zielnik (tektury do niego wyżebrał od Pakienasa), nie zbliżać się do pszczół nie licowałoby już z jego honorem badacza przyrody. Napierał się, aż ciotka zgodziła się zabrać go ze sobą do pasieki. Ubrał się tak, żeby żadna pszczoła na pewno nie mogła się wcisnąć, w długie majtki dziadka spięte w kostce, w starą maskę z zardzewiałego drutu i w gumowe rękawice. Pszczoły, które ceni się za ich mądrość i na które spływa cała poezja miodowego smaku, są jednak zupełnie inne, kiedy otworzy się ul, niż kiedy brzęczą w gałęziach lipy. Zapach ostry i gorączka, obłąkane wrzenie, surowość prawa — Tomasza pewnie źle Ginie przygotowywało do życia w społeczeństwie, jeżeli przeraził się czymś nienazwanym, bezlitosnym. Rzucały się, żeby żądlić, obsiadły mu rękawice, ze zgiętym kurczowo odwłokiem wibrowały czepiając się łapkami gumy, sycząc — po to, żeby spełnić akt dla nich śmiertelny i drgać bezsilnie, konać w trawie. Ciotka pracowała spokojnie, strzepując je od czasu do czasu niedbale. Ostrzegała: „Tylko bez gwałtowności!", ale na Tomasza działało bardziej niż ból samo piekło ula narzucające swój własny rytm, nie mógł go znieść i zaczął uciekać, wtedy pszczoły za nim (w ich bzyku, kiedy ścigają, słyszy się morderstwo), kwiczał, wymachiwał rękami, czyli cały zamiar czynu praktycznego skończył się niesławą.

Rośliny są lepsze, bo spokojne. Niektóre, kiedy czyta się o nich w grubym *Zielniku ekonomiczno-technicznym*, budzą chęć, żeby przygotowywać tygle i moździerze i zakładać aptekę — bo niezwykle zachęcająco przedstawione są ich lecznicze własności. Widzi się niemal te wywary różnej barwy, które należy zlać i odcedzić, ekstrakty przez zalewanie spirytusem, konfitury z korzeni uważanych przeważnie za bezużyteczne. Wyobraźnia pogrąża się w aromatyczny półmrok, jak w śpiżarni w Giniu. Jednak Tomasz wolał oddawać się na razie mniej praktycznej pracy kolekcjonowania gatunków.

Miał słabość do storczyków. Jest w nich czar tajemnicy istot żyjących w cieple i wilgoci, w północne okolice przynoszą wieść z tropikalnego południa. Ich łodyga, mięsistość zielonego ciała, tuż przy niej, zakrywające wieloramienny kandelabr, kwiaty, co pachną dzikością i zgnilizną, ale słabo, żądają, żeby wąchać tak długo, aż ta woń się uwyraźni i potrafi się ją nazwać, co nigdy się nie udaje. Pojawiają się na łąkach nad Issą w czerwcu, kiedy między jaskrawością traw parują jeszcze wody zalewu we wgłębieniach pełnych mułu i szczątków trzciny. Storczyk plamisty, jasnoliliowy stożek popstrzony cętkami ciemnego fioletu, jest trudny do uchwycenia w pełni rozkwitu, bo zaraz dotyka go tu i ówdzie rdza uwiądu. Tomasz przyklękał i dłubał scyzorykiem w czarnej ziemi (scyzoryki, niestety gubione od czasu do czasu, zaznaczały różne okresy jego życia. Po takim z drewnianą rękojeścią miał teraz płaski, cały z metalu). Podważał ostrożnie grunt, żeby wydobyć całą bulwę, rozkładającą grube palce. Z tej bulwy storczyk wytryska na krótkie spotkanie ze słońcem, potem ona ciągle tkwi tam w głębi aż do następnego roku. Przyciśnięty między tekturami, storczyk rdzewiał, a bulwa rozpłaszczała się, przybierając dziwaczne kształty.

Storczyk podkolan to lekkość i ta białość, która świeci w letnie zmierzchy jak białość narcyza. Łąka nimi pokryta w wieczornej mgle od rzeki pełna jest małych widm. Niestety, podkolan zasuszony traci cały powab, zostaje tylko wysmukły rysunek brązowego koloru. To samo dzieje się z arum. Jak się przekonał, kwiaty, które rosną na suchych miejscach, przechowują się doskonale, prawie się nie zmieniają, ale jego ciągnęło do bujnej roślinności mokrych miejsc. Nawet owady poruszające się w sprażonym piasku, w plątawisku żylastych pędów, są nieciekawe, opancerzone, szybkie w ruchach. Co innego te w cienistej dżungli. Bo nadmiar światła umniejsza istnienie.

Z mieszkańców wydm Tomasz zbierał dziewanny, jednak są za długie, żeby je pomieścić w zielniku, musiał je łamać w zygzaki. I naturalnie gorliwie szukał tych kwiatów, które książka podawała jako rzadkie. Właśnie, ponieważ rzadki, cenił zerwany między dębami przy cmentarzu pełnik (*Trollius*), rodzaj dużego jaskra, podobny do żółtej róży.

Dziadkowi pomagał w uprawie grządek pod ścianą z obu stron ganku — więc pleć, przesadzać i nosić wodę z sadzawki. Do kładki schodziło się po stopniach z darni umocnionej kołeczkami. Wiodła tam furtka (nikt nie odgadnie, po co tam była) w drewnianym płocie niewidocznym pod zwałami chmielu i powoi. Zanurzał konewkę w warstwę rzęsy, a duże zielone żaby, które skoczyły w popłochu za jego zjawieniem się, nieruchomiały przy patykach pływających na środku. Potem niósł konewkę, trochę stękając, bo daleko, i przyglądał się, kiedy dziadek polewał, na ile mu starczy. Wieczorem pachniały mocno drobne niebieskoszare gwiazdki maciejki, którą obsadzane były brzegi grządek. Dziadek hodował głównie lewkonie — ich kwiaty mają głębokie odcienie aksamitu — i astry, które kwitną do późnej jesieni, aż kładzie się na nich szron.

Rezeda jest niepozorna i nic w niej ładnego, ale Tomasz jej dawał pierwszeństwo, bo, tak jak storczyki, budzi chęć, żeby się w nią wwąchać, i żal, że taka mała — rezeda wielkości kapusty, to by dopiero był zapach.

Ponieważ babcia Misia uważała, że choroba należy do rzeczy, które nie mogą zdarzyć się ludziom normalnym, nie wykorzystywano leczniczych zalet roślinnego świata. Śpiżarnię z dawnych czasów nazywano co prawda „apteczką", ale lekarstw w jej szufladkach nie przechowywano, z wyjątkiem kwiatów arniki na stłuczenia i suszonych malin — odwar z nich brał na poty dziadek, kiedy się przeziębił. Tomasz, często podrapany i potłuczony do krwi, wiedział, że najlepszym środkiem są liście babki, przykładał taki liść i przewiązywał ranę kawałkiem płótna. Jeśli nie goiło się, Antonina śliniła kawałek chleba i ugniatała go z pajęczyną — to zawsze pomagało. Babka Dilbinowa wprowadziła użytek jodyny — krzywił się, bo piekła.

Botanicznym upodobaniom Tomasza nie sądzone było przetrwać dłużej niż przez jeden sezon. Zielnik, zakrojony na monumentalne dzieło o florze, coraz rzadziej wzbogacał się nowym okazem i dodatkowe tektury okazały się zbyteczne. Uwaga jego zwracała się już ku ptakom i zwierzętom, aż zapomniał o wszystkim innym. Dokonało się to za sprawą ciotki Heleny — choć trudno określić, czy jej rola miała się ograniczać do wypełniania przeznaczeń siostrzeńca. Zresztą nie Helena jest tu ważna, a pan Romuald.

XXXII

Romuald Bukowski, w koszuli i w gaciach, skończył po południu kosić koniczynę, zatknął kosę przy rowie i poszedł kąpać się do rzeki. Odpoczął, rozebrał się i w wodzie do kolan mył się dokładnie, a czarny sznurek od medalika dyndał, kiedy się schylał. Mydlił sobie wklęsły brzuch i uda z przyjemnością: jeszcze nie starość. Na mokre ciało włożył swoje szmaty i ścieżką, przez sadzik, z kosą na ramieniu, do domu. Barbarka niosła donicę kwaśnego mleka z chłodnika, trąciła go mocno pod żebra łokciem — przy ludziach nie pozwalała sobie na poufałości. Dał jej głośnego klapsa po tyłku, ona w pisk, że wyleje jej mleko.

Psy skomliły ze swojej zagrody; ponieważ był w dobrym humorze, sięgnął po trąbkę na ścianie pod dubeltówką i harapami z sarnim kopytkiem. Wrócił z nią na ganek i zagrał, a na to rozległy się ich jęki i płacze za wolnością i polowaniem. Potem w swojej starokawalerskiej alkowie otworzył kufer, golił się przed lusterkiem — zarost twardy, siny — i szczotkował wąs. Twarz spalona słońcem na cegłę, sucha, białe nitki w czarnym wąsie, ale to nic.

Wciągnął buty z błyszczącymi cholewami, zapiął pod szyją kołnierz ciemnogranatowego frencza. „A gdzież to jedzie?" — zapytała Barbarka. „Łowić niedźwiedzie. Ty zakąsić co daj, a nie barabol". Spomiędzy rzemieni w kącie wyplątywał dwa siodła: „Leć, zawołaj Pietruka, niech osiodła Karego i Kasztankę". Pietruk pojawił się ze swoimi piegami i skrobaniem się przez dziurę w portkach, wtedy Romuald za nim, dopilnować, żeby jak trzeba dopiął popręgów. Wskoczył na Karego lekko, kółka w ostrogach pobrzękiwały, wiódł luzem drugiego konia. W kotlinkę i pod górę, po kamienistej drodze w lasku. Jarząbek furknął, położył się na końską szyję i patrzył za nim, gdzie siadł.

Na palcu Romualda sygnet z herbem, ale nie złoty, żelazny. Frencz z domowego płótna, pofarbowanego na ciemno. Książęta Radziwiłłowie dawno, począwszy od szesnastego wieku, znęcali kolonistów w dolinę Issy i Bukowscy przyjechali wozami z budą na łękach przez bory, brody i bezdroża z Królestwa Polskiego w tutejsze puszcze. Wiodło się im różnie. Wielu z ich mężczyzn zostało na polach bitew ze Szwedami, Turkami i Rosjanami, bitew bliskich czy odległych od miejsca, gdzie osiedli. Niektóre gałęzie rodu zbiedniały i zrobili się z nich rzemieślnicy czy chłopi. Ale Romuald przechowywał tradycje. Jego ojciec władał rodowym folwarkiem bliżej Wędziagoły, później działy, sprzedaże, kupna i przenieśli się tutaj. Żadna fortuna, o tym, kto kim jest, nie decyduje pieniądz.

Za laskiem droga zniżała się na murawy, między plątaniną przegród z wiązanych chrustem żerdzi. Żuraw studni, dachy obejścia; na przywitanie, kiedy mijał dom, dotknęli obaj czapki. Masiulis, czarownik, siedział oparty o ścianę i pykał fajeczkę. Nie bardzo się lubili. Ziemi miał tyle samo co Romuald, ale co za sąsiad: i chłop, i Litwin. Odprowadzał jeźdźca zmrużonymi oczami, pociągnął, zakaszlał się i splunął.

Piękny wieczór. Jeszcze jasność, ledwie podchodząca różowością zza czarnej masy na widnokręgu, zaznaczonej ostro szczytami jedlin, a już księżyc-opłatek, echo niesie się od grania gdzieś pastucha na długiej tubie z drewna owiniętego brzozową korą. Puścił konia w kłus. Faluje ziemia, nie myśli się o niczym, jest tylko radość ruchu, radość nogi czującej ciepło i zgrabność zwierzęcia. A oto już ukazują się płaskie pastwiska i pola, na ich krawędzi kępa parku, za nią, w dziurze powietrza, w niebieskawej mgiełce, majaczeją pagórki po drugiej stronie, za doliną rzeki.

Na skraju parku, na ławeczce obrośniętej brodami siwego mchu, Helena Juchniewicz wpatrywała się w nabierający mocy księżyc. Wyszła, żeby odpocząć i odetchnąć powietrzem letniego wieczoru, niech nikt nie twierdzi, że po to, żeby przygotować się na przejażdżkę z panem Romualdem, bo wtedy chyba włożyłaby spodnie? Nie, nie pamiętała wcale, że ot tak, żartując, wyznaczyła spotkanie, żadna grzeszna chęć nie kierowała jej krokami. Kiedy Romuald, który przywiązał konie do drzewa niżej, koło drogi, wspinał się ku ławeczce, krzyknęła: „och", zdziwiona. Przywitał się z galanterią, składając ukłon i całując jej końce palców. Rozmawiali o pięknej pogodzie, o gospodarstwie, opowiedział parę żarcików i śmiała się. Wzbraniała się, kiedy zaproponował jej spacer, bo odwykła od jeżdżenia konno, bo zresztą nie była stosownie ubrana. Zgodziła się jednak wreszcie i nogę kładła w strzemię, jakby urodziła się kawalerzystą. „Gdzież pojedziem?" — zapytała. „Spróbujemy tam — pokazał przed siebie — dobrze?"

Droga, smużąca się pyłem, prowadzi od Ginia wzdłuż Issy ku miejscom, gdzie tarasy pól są coraz bardziej strome. Najpierw z obu jej stron buchty i łąki, później przypierana przez wyniosłość chroni się pod nadrzeczne wierzby, aż za jedną, drugą wioseczką, gdzie przy domach schną długie wiązki naciętej trzciny, rozwidla się: dla dążących na tamten brzeg jest tutaj bród, dla tych, co przedłużają podróż prosto, drapanie się na górę Wiłajni. Wartki prąd żłobi i podmywa ławice żwiru, pośrodku zarośnięte łozą. Bród wygodny, woda nie sięga po osie, w jesieni i w czasie deszczów niebezpieczny — konie wtedy chrapią, postępują naprzód strasząc się, ale jest się zdanym na ich mądrość, bo nie ma jak sprawdzić, co przed nimi. Góra Wiłajni, usiana wielkimi głazami i krzakami jałowca przypominającymi ciemne postacie, obrywa się stromo ku rzece, która żłobi w niej parów. Ze szczytu widok roztacza się zachwycający na tę niebieską wstążkę w dole i wysepki koło brodu, ale góra, dzika i pusta, zyskała czemuś złą sławę.

Już cisza, z mijanych zagród pachnie wieczornym udojem, czasem jeszcze ciurkanie mleka w wiadro i zniecierpliwiony okrzyk gospodyni: „E, Marga", kiedy ją krowa walnie po twarzy ogonem. Jechali w zmierzchu, w blasku tu i ówdzie z drzwi chat, w szczekaniu psów zza płotów. Bród lśnił się, łuszczyła się fala. Kiedy konie stukały kopytami o kamienie wypłukane przez deszcz na stromiźnie Wiłajń, Helena ściągnęła cugle Kasztance.

— Jakoś straszno.

Zaśmiał się.

— A cóż tu strasznego?

— Broń Boże, żeby nie wymówić tego imienia.

— U mnie na niego sposób jest.

— Jakiż to sposób?

— Grzecznie do niego przemówić, zaprosić do kompanii. Wtedy nic nie zrobi.

— Jezus Maria, jak można! Bo ja wracam.

— Jaż tak, dla żartów.

Wspinali się, ciemność na zboczu gęstniała, lekki wiaterek kołował w trawach. Zatrzymali się na skraju obrywu. Rzeka pod nimi przebłyskiwała bladawo. Ptak zawołał płaczliwie tiu-tiu-tiu lecąc gdzieś nisko.

Stają nieruchomi, brzęknie wędzidło, Helena wzdycha. Dlatego, że tak wypada, miny i gesty wybiera się takie, jak się da, czy dlatego, że czasem chciałoby się, żeby było inaczej?

Mleczna Droga, nazywana w tym kraju Drogą Ptaków, rozstawiała swoje promieniste znaki na niebie.

XXXIII

Ciemny posąg, ruchoma prostopadłość nad grzbietem konia — taki ukazał się Tomaszowi pan Romuald, w małej granatowej czapce z daszkiem, z harapem wiszącym przy siodle, kiedy wjeżdżał aleją przed ganek. Wkrótce wszedł z nim w najlepszą komitywę. Przy stole w jadalni ciotka Helena podsuwała konfitury, dziadek wypytywał o urodzaje. Jednakże Tomasz wiedział, choćby z niedostrzegalnych niemal oznak w zachowaniu się babek, że dystansu przestrzegano. Pan Romuald mógł sobie bywać, ale nie należał do tej samej sfery. To nie miało żadnego znaczenia, od tej postaci bił potężny urok. Wizyta i rozmowa o zwierzętach zapowiadała nowe dziwy.

Przede wszystkim już same Borkuny. Tomasz tam nigdy nie był, choć ledwo trzy i pół wiorsty. Teraz wybrał się tam z ciotką, której akurat wypadło pojechać do czarownika po lekarstwo dla owiec i przy tej okazji powstał pomysł, żeby odwiedzić Bukowskiego. Przy krzyżu za kumietynią skręcało się nie na prawo jak do Pogir, ani trochę w prawo, trochę prosto, jak do Baltazara, tylko na lewo, zbliżała się linia lasu i za pierwszymi jego drzewami otwierał się zupełnie inny świat: z pagóreczka w dolinkę, tu borek, tu rojścik, kręcące się dróżki z jedną koleiną między bukietami zieleni. Dom i podwórze pana Romualda odsłaniały się nagle w dole za jelniakiem — mały dworek z drewnianymi kolumienkami ganku, obrośnięty czarnym bzem. Schowany za nim sad, olszyny, dalej wznoszące się warstwami młodniki aż do rzędu wysokopiennych sosen. A wewnątrz zapach skóry, w kątach stosy rzemieni, siodła, chomąty, a w tych stosach i na ścianach wiele niezwyczajnych przedmiotów — trąbki, gwizdki, torby, ładownice. Tomasz wypytywał, do czego każda rzecz służy, i dostał do rąk strzelbę, którą Romuald załamał, zajrzał, że nie nabita, ale na trzaśnięcie kurka podskoczył i powiedział, że nie trzeba tego robić — jeżeli spuszcza się kurek bez naboju, to może się zepsuć. Ta strzelba to była szesnastka, średni kaliber, dwunastka z wielką dziurą w lufie czasem przydaje się lepiej, szczególnie na grubszego zwierza, a dwudziestki, najmniejszej, używa się tylko na małe ptactwo. Pan Romuald dostał ją po swoim ojcu, choć stara, biła dobrze. Całą lufę pokrywał srebrny wężykowaty deseń — taka nazywa się dziwerówka.

Stół został nakryty serwetką i usługiwała młoda dziewczyna ze skromnie spuszczoną głową. Tomasz gapił się na nią, czyli, jak się mówi, nie mógł od niej oderwać oczu, pewnie ze względu na kolory: biel, delikatnie, stopniowo, przepływająca w rumianość policzków, zwinięta kosa, ciemnozłotawa, a kiedy przez mgnienie spojrzała na niego, tajemnicze błyśnięcie ciemnej niebieskości. Zdawało mu się, że w tym jej wzroku zawiera się sympatia, i spochmurniał, kiedy podsłuchał później, gdy wychodzili, jak szepnęła do pana Romualda w przelocie: „szutas" — o niego chodziło — zawstydził się okropnie, po litewsku to tyle samo co pokazać palcem na czoło. To zamąciło całą przyjemność wizyty, ale równocześnie odtąd ciągnęło go do Borkun, jakby na przekór, albo żeby coś naprawić.

Pan Romuald siadł z nimi na bryczkę. Nalegał, że to tuż-tuż i że jego matka będzie bardzo rada. Borkuny składają się z trzech folwarków, które nie mają osobnej nazwy; grunta tak są rozdzielone, że pomiędzy gospodarstwo pana Romualda i starej Bukowskiej wciskają się granice Masiulisa. Ten dom z kolei na górce, z ganku widok na nieduże jezioro na dnie miski rojstu. Pani Katarzyna Bukowska rzeczywiście rozpływała się w uprzejmościach i zapraszaniach. Ale jej twarz! Pokryta brodawkami, na której sterczały kępki włosów, brwi płowe i naczupierzone, puchacz Tomasza górował nad nią urodą. I głos: męski bas. Jej powierzchowność zresztą pasowała do sposobu jej rządów, jak to szybko zauważył. Gospodarkę prowadził jej syn Dyonizy, nieżonaty, ale nie tak znowu młody. W niczym się jej nie sprzeciwiał, kładł uszy po sobie, ile razy na niego krzyknęła. Nie odznaczał się dla Tomasza niczym szczególnym, z wyjątkiem butów, jakie nosił: nie do kolan, ale za kolana, z miękką cholewą ściąganą na rzemyki i rozszerzającą się na uda kielichowato. Trzeci syn, Wiktor, podrastający młodzieniec, miał wyłupiaste oczy, rysy źle wyciosane i jąkał się, a jeżeli już swoje wykrztusił, to połykał część słów i wymawiał właściwie tylko samogłoski, przeplatane gardłowym dźwiękiem, który mógł oznaczać każdą literę, na przykład: „Siano my już zebralim", brzmiało u niego: „gago gygu gegagim".

Naturalnie znów stół i przymuszanie, butla z krupnikiem: „waspan to już może pić, już nie dziecko" i „w pańskie ręce perswadujem", i podnoszenie kieliszków, dźwięk szkła. Tomasz umoczył usta i załzawił się, trunek palił jak ogień, ale Bukowska wychyliła jednym gulgnięciem (do gąsiorka, jak przekonał się później, zaglądała często — niby szuka czegoś w szafie i chlup, zaraz szafkę zamyka z rozgrzaną miną). Dyonizy dolewał kolejkę za kolejką, ciotka Helena też nie odstawała — piła co prawda nie tak jak inni, przymrużała się i wycedzała zawartość kieliszka, jakby to była woda. Zaraz także podniesione głosy, żarty, których nie rozumiał, cała głupota dorosłych, nudził się. Zaczęli podśpiewywać, Bukowska zerwała się, podbiegła do ściany i z dywanika z wyszytym na nim kotkiem zdjęła gitarę. Na środku pokoju, przytupując, zahuczała swoim basem:

Aniu moja, Aniu miła
Za co ciebie mama biła
Ci za cukier, ci za kawa
Ci za honor, ci za sława?

Ni za cukier, ni za kawa
Ni za honor, ni za sława,
Ale za to mama biła
Żeb' ja chłopców nie lubiła.

Rozochocona powodzeniem, już siedząc, przebierała po strunach i rzewnie przewracała oczami śpiewając o Wurcelu. Tę piosenkę Tomasz znał — słyszał ją od Antoniny i dziwił się. Czy kto może być młody jak jagoda, jeżeli kochał się przez czterdzieści lat? Bo słowa są następujące:

Wurcelu, Wurcelu, ty życia tyranie,
Ty zimny i nieczuły na moje wzdychanie.

Kochałam cię przecie lat czterdzieści z górą
Świadkiem czego, świadkiem czego
Listów pełne biuro.

Żeń się, żeń, Wurcelu, diabeł ciebie zwiąże
A mnie młoda jak jagoda
Weźmie jaki książę.

Co prawda u Bukowskiej wychodziło to bardzo śmiesznie z tą romansowością, a jeszcze śmieszniej, kiedy przeszła do „Zaprzęgajcia czwórka koni, bo ja musza jechać do niej" z refrenem „Musza-musza-musza-musza". W każdym razie wolał, żeby już tak siebie zabawiali, zamiast tylko nakładać i dolewać. Godził się na znoszenie tego wszystkiego, bo zrozumiał, że potrzeba cierpliwości, nie umieją nigdy skupić uwagi na jednym. Już rozpaliła się jego ciekawość, Dyonizy opowiadał o gnieździe wilków tu niedaleko, że widział starego wieczorem na skraju bagna, więc prawie na pewno chowają tu młode, ale kiedy zaczął go rozpytywać, zaraz rozpłynęło się w gwarze, śmiechach i brzękaniu talerzy. Jednak w Borkunach masę rzeczy pozostawało do dowiedzenia się. Zresztą nie czuł się tutaj tak skrępowany, jak kiedy jeździli z wizytą do jakiegoś dworu. Zachowanie się przy stole nie wymagało tej ciągłej baczności, ośmielały go ich paznokcie z czarną obwódką i dłonie zrogowaciałe od pracy w polu, a także ich względy dla ciotki i dla niego.

Borkuny pana Romualda były z tych dwóch ciekawsze: u jego matki głównie zajmowali się tym, jak obrodziło, a co posiać, a po czemu teraz len, a u niego konie, psy, strzelby. Chciałby tam znów znaleźć się jak najprędzej, a równocześnie kłuło go tamto wspomnienie, bo naprawdę wyrażał tylko wzrokiem, jak bardzo mu się podoba — czy zawsze, jeżeli ktoś się podoba, należy udawać, że nie?

Wracali wieczorem, ciotka popędzała konia lejcami, wesoła, choć nie pokazywała po sobie, że dużo wypiła. Zmierzch tutaj, w tej rozmaitości, co wyłaniała się z obu stron drogi, inny niż w Giniu, odzywał się mnóstwem głosów z chaszczy i podmokłych łąk. Buczenia, kwaknięcia, żaby czy dzikie kaczki, albo inne ptaki. Lelki trzepotały się skośnym lotem przed nimi. Tomasza przenikał nabożny podziw dla tego wrzenia w ciemności, dla tylu istot, których zwyczaje i sprawy, zakryte, wzywały, żeby poznawać i śledzić. Głupio, że ludzie wszędzie pourządzali pola. Kiedy wjeżdża się między pola, kończy się natychmiast cała piękność. Gdyby od niego to zależało, zabroniłby orać, niechby wszędzie rosły lasy, a w nich biegały zwierzęta. Tak rozmyślał, i postanawiał, że jak dorośnie, założy takie państwo, które całe będzie lasem, ludzi się tam nie będzie wpuszczać, chyba tylko niektórych. Na przykład jak kto? Na przykład takich jak pan Romuald.

XXXIV

Zajęcie, któremu Tomasz oddawał się z upodobaniem w Borkunach, kiedy dostał pozwolenie, żeby tam zostawać na kilka dni, może budzić wątpliwości. Niektóre stworzenia chroni lęk, jaki ogarnia ludzi na ich widok, lęk czy wstręt, i niekoniecznie z powodu wyraźnego niebezpieczeństwa przetrwały dotychczas ślady dawnych milczących umów czy dawnych obrzędów. Występować otwarcie przeciwko tej sferze, w której nic nie poddaje się słowom, może jest wskazane, a może niezupełnie, jeżeli tak, to pod warunkiem, że nie ściągnie się na siebie nieznanej zemsty. Tomasz jednak przezwyciężał w sobie obawy, bo uważał, że działa jak rycerz tępiący Zło.

Mówimy o gadzinach. Była ich w Borkunach niebywała ilość, wpełzały przez ganek, a nawet wślizgiwały się do domu, jedną pan Romuald znalazł raz pod swoim łóżkiem. Główne siedziby miały dwie. W małym brzozowym gaiku przy dróżce do strumienia drzewa rosły gęsto i ziemię zaściełała warstwa suchych liści — tam w tę warstwę szmyrgały i wtedy już nie można było ich znaleźć. Dróżka służyła im za balkon do wygrzewania się na słońcu, tamtędy też szły chyba polować na myszy w pole. Drugie swoje miasto założyły w klinie rojstu, w kępach mchu pod karłowatymi sosenkami. Żeby je tam dosięgnąć, wypadało wkładać długie buty Romualda i zapuszczać się we wrogi kraj, z odrobiną ściśnięcia serca, kiedy się mijało te kępy prawie na wysokości twarzy.

Gadzina, według książek *Vipera Berus*, gryząc zapuszcza jad, od którego się ciężko choruje, a czasem umiera. Jako środek na ukąszenie zna się zamawianie albo wypalanie rany rozpalonym do czerwoności żelazem, albo upicie się aż do delirium, stosować te trzy środki razem zresztą najlepiej. Te w Borkunach były szare z czarną zygzakowatą pręgą na grzbiecie, ale w lesie spotykało się prócz nich również inne, mniejsze, brązowej barwy z zygzakowatą pręgą nie czarną, ale ciemnobrunatną. Pan Romuald mówił mu, że gadzina nie składa jajek tak jak inne węże, tylko rodzi z brzucha przewieszona na gałęzi i że kiedy tak z niej wychodzą, jej głowa czatuje na to, żeby swoje dzieci zjeść, ale są od razu zwinne i zaszywają się w trawę. Nie włazi raczej na drzewa, ale jednak to się zdarza, bo ugryzła raz w twarz dziewczynę, która zbierała orzechy. W Borkunach stanowiły prawdziwą plagę i nic dziwnego, że Tomasz zapalił się do roli tępiciela.

Romuald opowiadał mu również o innych wężach. Jakieś dwadzieścia wiorst stamtąd, w lasach, rozpościerały się wielkie oparzeliska nigdy nie zamarzające, do których człowiek nie miał dostępu. Zresztą nikt by się nie odważył, ze względu na węże mieszkające tylko tam. Są czarne z czerwoną głową, atakują pierwsze, skaczą i gryzą w twarz albo w rękę. Nie ma wtedy żadnego ratunku, umiera się, zanim zdąży się powiedzieć „Jezus Maria" — jak od pioruna. Dostać się tam byłoby ciekawe — zobaczyć, jaka zwierzyna tam się trzyma. Podobno łosie potrafią tam uciekać, jeżeli ścigane.

W upały pan Romuald przenosił się na spanie do odryny, nie wiadomo zresztą, czy z gorąca, bo w domu osłoniętym przez krzaki nigdy nie było duszno, ale wolał, więcej powietrza. Tomasz z początku nie mógł się oswoić z mnóstwem drobnych meszek czy żuczków, które łaziły po nim i łechtały. Zapach świeżego siana usypiał go jednak szybko. A rano, te przebudzenia! Wrzawa ptaków napełniała najpierw sen, potem coraz mocniejsza, otwierał oczy, a nad nim rozjarzone słońcem szpary w gontach dachu, po tych gontach szurają pazurki, łopoczą skrzydła i zgaduje się, kto tam chodzi — czy tylko wróble, czy jakieś większe, może nawet leśne gołębie. Zrywał się i szli z Romualdem myć się pod studnię. Przed nim radość, długi dzień letni. Jedli razowiec, zapijając mlekiem, Tomasz wkładał buty (nosiło się je tutaj dla bezpieczeństwa), brał swój leszczynowy kij — i na polowanie.

Sztuka polegała na tym, aby zbliżyć się cicho i żeby, spłoszone, nie skoczyły za prędko w brzezinkę. Widział zwykle z daleka kilka tych rozciągniętych biczów, biorących słoneczną kąpiel. Dopadał i walił kijem, celując w głowę. Wtedy podskoki, wicia się, czołgania do zbawiennego gąszczu, ale już odcinał jej odwrót. Miał i drugi kij, rozszczepiony na końcu, z gałązką w tym rozszczepieniu, przyciskał szyję gadziny i gałązkę wyjmował. Tak niósł ją do domu, a ona drgała i skręcała się — życie w nich jest nadzwyczaj twarde. Zawieszało się ją razem z tym kijem do suszenia — gadziny suszone są lekarstwem na choroby krów i dopominali się o to lekarstwo ludzie znad rzeki, gdzie ich nie było.

Polowanie w rojście różniło się ostrożnością — a nuż która siedzi na krzaku bahunu czy między jagodami pijanic — i tym, że miękki mech nie pozwalał jej porządnie ogłuszyć, więc gonienie rozszczepionym kijem za miotającą się szyją wymagało wprawy. Kiedy już chodził ze strzelbą (nie tego, dopiero następnego lata), napotkał przed sobą, o jakieś osiem kroków, gadzinę zwiniętą na kępie.

Wygarnął do niej i tu nastąpiło coś dziwnego, bo znikła, jakby rozpłynęła się w powietrzu, a przecie śrut na taką odległość idzie gęsto.

W ogóle walka z nimi nie dowodzi, że Tomasz uwolnił się od przesądów co do nich, czy raczej od przykrego dreszczu wobec energii, która objawia się, nigdy nie da się przewidzieć jak. Siła, która przebiega tym kawałkiem sznura, obrzydliwe ślizgi pierścieni na brzuchu, pionowy wykrój źrenicy — cóż za wyjątek pośród wszystkich żywych istot. Jeśli to prawda, że ptaki ze strachu coś paraliżuje, kiedy się zbliża, łatwo to pojąć, bo siła żmii mieści się niejako poza nią, jakby sama służyła tylko za dodatek czy instrument.

Na wiosnę dane było Tomaszowi oglądać w lesie koło Borkun rzadkie chyba widowisko: zaloty żmij. Działo się to pośrodku duktu. Zatrzymał się, nie żeby coś przed sobą zauważył. Nic, tylko wibrowanie, wyładowanie jakiegoś elektrycznego ładunku. Taniec błyskawic na ziemi. Ledwo zdążył rozpoznać, że to dwa węże, już znikły.

Nie tylko takim rodzajem polowania zajmował się owego pierwszego lata przyjaźni z panem Romualdem. Dostąpił zaszczytu strzelania z dubeltówki pod jego kierownictwem. Najpierw w ścianę odryny, żeby oswoić się z kopnięciem przy strzale. Następnie do żywego celu. Usłyszeli skrzeczenie sójki, palec na ustach, podkradli się blisko. Młoda i głupia, zamiast odzywać się z ukrycia, siedziała na wystającej gałęzi. Strzał — i Tomasz krzyknął, pędząc, żeby ją podnieść. Choć kiedy trzymał ją za nogi, rozwinęły się skrzydła i z dziobka wyciekła kropla krwi, zawód, do którego nie chciał się przyznać. Ale trzeba być mężnym i stłumić w sobie mazgajstwo, jeżeli ma się zyskać tytuł badacza i myśliwego.

Dopuszczony do czynności zawodowych, odmierzał metalową miarką śrut, kiedy Romuald robił naboje, pakułami umoczonymi w oliwie czyścił lufy strzelby, tak żeby błyszczały jak lustro, kiedy patrzy się przez te długie lunety pod światło. Nauczył się też zdejmować skórę z ptaków. Jastrzębie napadały często na kury, wtedy rozlegał się wrzask Barbarki: „Ptak! Ptak!" (na wszystkie latające drapieżniki tak się wołało), i jeden został zabity, bo nie odleciał, ale odegnany od kur obserwował podwórze ze szczytu olchy. Na nim Tomasz się wprawiał. Rozcina się skórę na piersi i brzuchu, rozgarnia ją na boki, podcinając nożykiem to, co ją łączy z mięsem, schodzi łatwo, trudność dopiero przy ogonie — żeby nie przeciąć piór, i przy nogach — same szpony powinny odejść ze skórą, po minięciu tego miejsca ściąga się już jak pończochę, a z czaszki wydłubuje się mózg i oczy — też trudna operacja, wtedy nieumiejętny ruch nożykiem, a rozedrze się cienkie powieki. Natarta popiołem i wypchana pakułami skóra schnie. Można ją uformować na siedzącego ptaka, ale do tego potrzebny drut i szklane guziki zamiast oczu.

Pierwszy raz Tomasz asystował podstępom, jakich człowiek używa wobec zwierzyny, kiedy przyjechał do Borkun na kilka dni pomagać zbierać grzyby. Ranki pogodne, niebo bladoniebieskie, na trawach ni to zimna rosa, ni to już szron. W jelniaku tuż koło domu znajdowało się we mchach tyle rydzów, że starczało na całe kosze. Pan Romuald łęk kosza przewiesił przez ramię, przytrzymywał ręką rzemień fuzji, na sznurku w kieszonce frencza miał kościany wabik, który, jak powiedział, może się przydać. Wabiki wyrabia się ze skrzydła sowy, czasem z kości zajęczej, ale wtedy ton ich nie jest tak czysty. Na tym wabiku naśladuje się trel jarząbka, a to dlatego, że inaczej nie dadzą się wypatrzyć, przy każdym niebezpieczeństwie przytulają się do pnia tak, że nie odróżni się ich od kory. Na dany znak Tomasz znieruchomiał z nożykiem przyłożonym do grzyba, w ciszy sypiącego się igliwia odezwało się drżące gwizdanie. Powolutku wsunęli się w gęstwinę, w półmrok. Pan Romuald przyłożył do ust wabik, dmuchał delikatnie i przebierał palcem po dziurkach. Cisza. Serce Tomaszowi waliło tak głośno, że bał się, żeby nie było tego słychać. Nagle odpowiedział jarząbek, i znów, bliżej. Furkot i przed nimi, na gałęzi świerku, zobaczył w rudej ciemności cień, który kręcił głową na wszystkie strony, szukając towarzysza. Podrzut ramienia tak szybki, że echo strzału rozległo się z nim równocześnie, a kiedy rozwiał się dym (Romuald używał dymnego, nie bezdymnego prochu), jarząbek leżał nieruchomo pod drzewem, ledwo do odróżnienia od ściółki zeschłych igieł.

Romuald zasługiwałby na to, żeby wpuścić go do Królestwa, do którego wstęp zwyczajnym ludziom byłby wzbroniony. Bo przejmował się obecnością zwierzyny, muskuł latał mu w policzku, zmieniał się cały w czujność i na pewno nic poza tym na świecie wtedy go nie obchodziło. Co innego jego gospodyni Barbarka — ta należała do dorosłych, szkoda, taka ładna i wyglądająca prawie dziecinnie. Że ludzie żyją odnosząc się obojętnie do tego co najważniejsze, powinno nas zasmucać — nie wiadomo, czym właściwie wypełniają swoje życie. Pewnie się nudzą. Barbarka co prawda dużo czasu zużywała na pielęgnowanie ogródka — wyhodowała prześliczne kwiaty, całe grządki pachnącej rezedy, wysokie malwy i rutę, którą umiała przechowywać zieloną przez zimę — do kościoła upinała ją we włosach, jak wszystkie panny. Ale te jej błyski spojrzeń, w nich ciekawość i jakby taksowanie z jakąś ukrytą myślą — to było obce i dorosłe. Tomasz przebaczył jej tamto pierwsze przezwisko i odtąd już udawał, że nie zwraca na nią większej uwagi, jednak drażniła go jej pobłażliwość, jakby na przykład czyszczenie strzelby uważała za taką sobie zabawę. Gdyby mógł wyrwać z jej ust słowa podziwu, szacunku — ale to się nie udawało. Do łupów, jakie przynosił ze swoich wypraw na żmije, odnosiła się ze wstrętem, mówiła „fuj" i wykrzywiała kąciki warg z rodzajem śmieszku, jakby w tym zajęciu zawierała się jakaś nieprzyzwoitość.

XXXV

Romuald miał cztery psy: trzy gończe i jednego wyżła. Czarnopodpalany Zagraj z żółtawymi brwiami odzywał się basem. W wieku statecznym, ceniony za upór i wytrwałość, tym uporem nadrabiał węch nie więcej niż średni. Jeżeli gubił trop, nie miotał się bezładnie to tu, to tam, ale zataczał koła według rozsądnego planu. Tenor Dunaj, wyglądający podobnie, tylko szczuplejszy, nie zdobył sobie szacunku, bo był fantastą. Raz zasługujący na najwyższe pochwały, kiedy indziej do niczego, uzależniał swoją gorliwość od humoru i nieraz tylko markował, jakby mówiąc: „Śpiewać mogę, ale niech one znajdą, mnie dziś głowa boli". Węch niezawodny i zapał, same cnoty, reprezentowała żółta suka Lutnia z rasy kostromskich ogarów. Żar w jej oczach zupełnie złotych mienił się fioletowo i niebiesko, jej piękne łapy opierały się miłośnie o pierś pana Romualda, kiedy próbowała lizać go po twarzy. Ta trójka spędzała lato w nudzie, na łańcuchach, bo puszczona wolno umiała urządzać swoje własne polowania, zapędzając sobie nawzajem zwierzynę. Jesienne pajęczyny na ścieżkach zapowiadały wyzwolenie, natomiast dla pointera Karo nastawała wtedy pora rozmyślań pod piecem, kiedy z pyskiem pod ogonem wciąga się własny zapach.

Cały tydzień przed ową niedzielą Tomasz liczył dnie, w sobotę pojechał z ciotką, która wróciła, a on został w Borkunach na noc. Wiercił się z podniecenia, skopał prześcieradło i słoma go kłuła, ale rozgrzany ciężarem kożucha, którym był przykryty, zasnął wreszcie twardo. Obudziło go w ciemności, ledwo szarawej, stukanie w szybę. Przykładali do niej twarze Dyonizy i Wiktor. Weszli, ziewali, Barbarka, zaspana, z włosami spadającymi luźno na plecy, wniosła lampkę z okopconym szkiełkiem, rozpalała ogień w kuchni i smażyła kartoflane bliny. Na dworze mgła, w niej tylko grube krople kapiące z gałęzi pod gankiem.

Przy śniadaniu bracia wypili po jednym. Wiktor domagał się: „Bagagga, pogag gogano", co oznaczało: „Barbarka, pokaż kolano", taki zwyczaj, przynosi szczęście, ale pokazała mu figę. Psy szalały z radości, wzięli je na smycze, Tomasz dostał Dunaja i z całej siły odginał się w tył, żeby nie biec, tak mocno go ciągnął. Schodzili dróżką do rzeczki i przez kładkę, na rządowy las. Z leśniczym Romuald utrzymywał dobre stosunki i ten pozwalał mu polować, tak półoficjalnie.

Wielka cichość, mgła trochę opadła, z niej wynurzały się obfite mokre trawy i rudość liści na ścieżkach. Echo trąbki przyłożonej do ust pana Romualda niosło się szeroko, grając wydymał policzki, aż oczy mu nabiegały krwią. U Tomasza, jeżeli próbował, trąbka wydawała dźwięki, ale nigdy nie zdołał połączyć ich w melodię.

Zapachy jesieni: skąd pochodzą, jakie tworzą mieszaniny, nie da się tego określić, butwiejące liście i igliwie, wilgoć białych nitek grzybni, w czerni, pod oślizgłymi szakalikami, z których obłazi kora. Dobre miejsca rozpościerały się na wszystkie strony stąd, gdzie stanęli. Polanki poprzedzielane szczotką sośniaków, dukt na granicy wysokiego boru, od niego ukosem drugi, co wiedzie w głąb, gładki jak gościniec, zarosły mchem, ze ścieżką pośrodku. Zwierzyna pilnuje się swoich przyzwyczajeń. Spłoszona, zakreśla krąg próbując się pozbyć prześladowców i wbiega na jedną ze swoich dróg, których używa co dzień. Z głosu psów poznaje się kierunek, trzeba odgadnąć przesmyk, jaki wybiera, i znaleźć się tam w czas. Uwaga jej jest tak skupiona na psach za nią, że nie oczekuje niebezpieczeństwa przed sobą, wpada wprost na człowieka.

Tomasz nie niósł strzelby, uczestniczył jako praktykant niskiego stopnia. Miał trzymać się Romualda. Spuścił skomlące psy, które natychmiast dały nurka w gąszcz. Zagraj wyskoczył, węsząc, minął ich, spoglądając pytająco. „Ty, Dyonizy, poszedłbyś na dukt", powiedział Romuald. „A ty, Wiktor, na Czerwoną Łąkę. My z Tomaszem tu".

Tamci oddalali się, ich plecy z metalem lufy przesłoniły drzewa. „Zobaczysz, że Lutnia ruszy", zapowiadał Romuald.

Dzięcioł gdzieś stukał, coś szeleściło drapiąc korę. Nagle, daleko, usłyszeli cienki psi głos: „Aj, aj". „A nie mówiłem! Lutnia". Znów nic. I znów: „Aj, aj". „Doławia się, trop niewyraźny, musi popracować". Wtedy Tomasz usłyszał po raz pierwszy w życiu granie gończych. „Ach, ach, ach, ach", szło teraz równo, zaraz dołączył się drugi głos. „Dunaj!" — krzyknął Romuald, zdarł strzelbę z pleców, potężny, w rzadkich odstępach odezwał się bas Zagraja. Tomasz zdumiał się, że z gardeł psów może wydobywać się taka muzyka, rozlegająca się gdzieś we wnętrzu lasu, prawdziwy chór przytłumiony przez odległość. „Ruszyły zająca. Ale on tu nie wyjdzie. No, Tomasz, biegiem", i Tomasz pędził za Romualdem, z początku lekko, później zadyszał się, ledwo nadążał. Z duktu skręcili w bok, między leszczyny, w parów, później dnem parowu i pod górę na wał. „Tu" — pokazał mu Romuald na niski świerczek, gdzie ma stanąć, sam z wyciągniętą w napięciu szyją, z dubeltówką gotową do strzału na dłoni, nieruchomy, czekał pośrodku. Wał, tutaj brunatny od opadłych igieł, zniżał się łagodnie w zieloną kotlinkę, widać było ją dokładnie i za nią znów płowy pas między ścianami lasu. Granie psów buchnęło na lewo od nich, pragnienie, upór, dzikość, i umilkło. „Aj, aj" zawodziła, znów doławiając się, Lutnia.

Nie będzie... Jest! Wydał się Tomaszowi ogromny, prawie czerwony na tle murawy, kiedy wychynął znienacka w kotlince na wprost nich. Otwierając usta, przez to mgnienie rad był, że to nie on musi strzelać, gorączka, kiedy tak zbliżał się i rósł, przekraczała jego siły, i tak w tym otwarciu ust zaskoczył go strzał. Zająca podrzuciło, zakręcił się w powietrzu i już miganie podrygujących łapek. Tomasz dopadł go pierwszy. Romuald przewiesił strzelbę przez ramię i zbliżał się powoli, uśmiechnięty.

Nie, pierwsze dopadły go psy. Dunaj już szarpał, podnosił ku Tomaszowi pysk pełen sierści. Romuald wyjął nożyk, odciął skoki i rzucił je psom, gładząc Lutnię za dobrą robotę. Zapalił papierosa. „Ten Dunaj to potrafi pół zająca zjeść, jeżeli znajdzie rannego, a nie przyjść w porę", powiedział.

Tomasz próbował dostać wyjaśnienie, jak się to dzieje, że Romuald wiedział, gdzie trzeba stanąć. Ten śmiał się. „Trzeba znać. Jeżeli jego ruszyły tam — pokazał na parowy leszczyn — i on obracał tamtędy — pokazał na lewo — to dla niego musowo wyjść tu. On wraca tam, gdzie mieszka".

Zagrał na trąbce, żeby przywołać Dyonizego i Wiktora. Przysiedli na pieńkach. Blade słońce przebijało się zza mgieł. Tomasz zapytał, jakie zwierzęta mogą teraz spotkać? Koziołka. Czasem lisa, ale to rzadko, za chytry.

Kiedy tamci wreszcie wynurzyli się z gąszczu, rozsuwając na bok mokre łapy jedlin, odbyli naradę i skierowali się wałem, między suche terasy dróżek umocnionych kamieniami, które tworzyły jakby szerokie stopnie. I tam — szli sobie spokojnie, rozmawiając — psy zaniosły się gwałtowną skargą, jękiem obrazy: „Aj, aj", chwytali za strzelby. „Gonią na oko!" — wrzasnął Dyonizy i Tomaszowi błysnął na zboczu kosmyk zająca, za nim wydłużone kształty Lutni, Dunaja i Zagraja. „Poooszedł! — stwierdził Romuald. — Teraz nie ma co śpieszyć się". I opowiedział historyjkę o myśliwych, którzy, kiedy psy obracały tak daleko, że ledwo było je słychać, zasiedli do kart pod drzewem, a zając im przez te rozłożone karty przeskoczył. Ta historyjka oburzyła Tomasza jako przykład świętokradczego stosunku ludzi do zadań istotnych. Podejrzenia, niezupełnie ugruntowane, podszeptywały mu, że polowanie dla niektórych nie przedstawia większego znaczenia niż wódka czy karty, stanowi ot taką sobie rozrywkę.

Zaciekła skarga zamieniła się w regularny gon i ten oddalał się. Nie śpiesząc się, rozstawili się na stanowiskach.

Sójki zaniepokojone ich obecnością skrzeczały, Tomasz wpatrywał się z napięciem w linię dróżki przed sobą, ale odezwały się dwa strzały, echo je niosło w szumie drzew. „Dyonizy", odgadł Tomasz, bo Wiktor nie mógłby strzelić dwa razy ze swojej jednolufej berdanki.

Wygląda się na zakręcie zza pni i całe widowisko jakby pomniejszone w szkiełku: Dyonizy, zając pod jego nogami, psy. Na przycinki Romualda przyznał się, że spudłował za pierwszym razem i poprawił. Romuald pociągał z płaskiej flaszki obszytej wojłokiem; Tomasz odmówił, kiedy mu ją podał żartobliwie, i zastanowił się, czy ten płyn licuje z godnością Romualda Wspaniałego.

„Ej, Tomasz, twoje buty całkiem na nic". Rzeczywiście, trzewiki, które wkładał do kościoła, nie nadawały się do włóczęgi po rosach. On, teraz już wtajemniczony prawie, powinien nosić buty z długą cholewą, jeżeli to możliwe z rzemykiem, który zapina się pod kolanem, jeżeli już nie wolno marzyć o butach takich jak Dyonizego, ponad kolana. Osobą, którą by dało się wzruszyć taką prośbą, był dziadek, bo babka i ciotka na pewno odniosłyby się do niej wrogo z podobnych oszczędnościowych powodów.

XXXVI

Tomy *Dziejów starożytnej Litwy* Narbutta przeglądał dziadek, który, zanim Tomasz nie zaczął grzebać się w szafach ze starymi książkami, nie sprawdzał zawartości biblioteki. Za radą dziadka Tomasz zaniósł te tomy Józefowi Czarnemu, a od niego trafiły do księdza Monkiewicza. Z pewnością każdy z nich znalazł w tych książkach co innego, stosownie do swoich zainteresowań. Proboszcz chrząkał gniewnie, poprawiając się na krześle, kiedy czytał o niesłychanej obfitości bogiń i bogów czczonych kiedyś w kraju i rozpoznawał znajome zabobony, dziwnie trwałe, nad wyplenieniem których pracował. Nie wiadomo, czy takie lektury są zdrowe dla duszy. Na przykład zamyka się książkę, zdejmuje się okulary i przystępuje się do innych zajęć, a wtedy, zupełnie niespodziewanie, wyskakuje obraz Ragutisa, takiego jak go odkopano gdzieś z leśnych piasków. Gruby bożek pijaństwa i rozpusty, wycięty w dębowym klocu, uśmiecha się figlarnie, stopy w chodakach ma olbrzymie, na nich stoi nie potrzebując podpory, w całej nieprzyzwoitości starannie przedstawionej, *in naturalibus*. I nie można o nim nie myśleć.

Co do Józefa, to niektóre rozdziały były jakby specjalnie napisane dla niego, te choćby, w których mówi się o bogini Liethui, podobnej według autora do Frei Skandynawów i opiekującej się wolnością. Ojczyzna odzyskała po wiekach niepodległość, ale żadna, najmniejsza nawet okruszyna prochu nie przetrwała po Lejczisie, wbitym na pal czy powieszonym przez panów. Do końca świata nie odkryje się po nim nic, prócz imienia na skrawku pergaminu, na przywileju królewskim z Anno Domini 1483. Tym przywilejem szlachcic Rynwid otrzymywał ziemię „w nagrodę uśmierzenia rozruchów kmieci dobijających się swobody, wzwyż nad tę, którą im prawo zabezpieczyło, tudzież za pojmanie dowódcy buntowników zwanego Lejczis, który nie bacząc na godność i powagę majestatu królewskiego, śmiał kota podnosić królowi, mieniąc to być znakiem pogańskiej swobody Liethui".

Historyk Narbutt, szlachcic tak jak tamten Rynwid czy jak Surkont, dał w 1805 roku swój zegarek człowiekowi, który na jarmarku powtórzył mu słowa starodawnej pieśni-skargi do bogini, tak podnieciła ona jego ciekawość zbieracza. „Maleńka Liethua — brzmi pieśń — droga swobodo! Skryłaś się w niebie, gdzież ciebie szukać? Czy śmierć nas tylko przygarnie? Niech patrzy, gdzie chce, nieszczęśliwy — spojrzy na wschód, spojrzy na zachód, bieda, przymus, ucisk. Pot pracy, krew od razów zalały wielką ziemię. Maleńka Liethua, droga swobodo, zejdź z nieba, użal się".

Oczywiście, że to dla Józefa. I tak, każdy ciągnąc w swoją stronę, rozmawiali o tej książce na plebanii, w pokoju, gdzie tykał zegar i dokąd zaglądały przez okna twarze gieorginii. Cały piękny ogródek założyła Magdalena i wystarczyło już tylko dbać, żeby go nie zapuścić.

Któregoś jesiennego popołudnia Józef, mniej skłonny do powrotu w przeszłość, bo w miasteczku wpadła mu w uszy nieprzyjemna wiadomość, powoli rozsnuwał swoje żale, a proboszcz, z rękami na brzuchu, przymykał powieki. W istocie te żale mieściły się w ich zwykłych pogawędkach, ale powstawała teraz wyraźna wątpliwość, jak postąpić, a dotyczyła ona tak samo panów.

Józef wyliczał grunta orne, łąki i pastwiska Surkonta i wtajemniczał księdza w to, czego się dowiedział. Że ten, zdawałoby się najlepszy ze wszystkich, też używa podstępnych sztuk, godne było co najmniej wzruszenia ramion.

— I po co to jemu? — pytał Józef. — Czy zabierze ze sobą dobro do grobu? Jeżeli wszędzie będą umieli tak sobie samym pomagać, to kto dostanie ziemię? Dlaczego nie chcą zrozumieć, że ich czas minął?

Na Łotwie zostawiano im tylko czterdzieści hektarów, i tak lepiej. Proboszcz mruknął, że rzecz nie w ilości hektarów, ale w tym, że naród zepsuty i że urzędnicy kłaniają się każdemu, kto bogaty. Według Józefa decyzja o tym, co komu zabrać, powinna by należeć do okolicznych wiosek, proboszcz na to, że to byłaby anarchia. Może i tak, ale jaki wynaleźć sposób.

Przede wszystkim jednak coś należało przedsięwziąć. Józef nie pochwalał bynajmniej składania donosów, czy innych starań, które nawet inaczej ochrzczone nie przestają być tym samym. Bywa jednak, że innego wyjścia zabraknie. Waży się wtedy: czy ponosić winę przez obojętność, czy spełnić obowiązek, choćby nieprzyjemny. Trzeba powiedzieć, jakie skutki to może pociągnąć dla bliźniego. Przecie Surkonta nie zabiją, ani wsadzą do więzienia, ani skonfiskują mu majątku, tyle tylko że będzie miał mniej gruntu. To mniej więcej tłumaczył księdzu, prosząc o wypowiedzenie opinii.

Proboszcz rozmyślał, gładził się po łysinie i trafił wreszcie w samo sedno.

— Czy Surkont obiecał dać budulec na szkołę? — zapytał.

— Obiecał, jak tylko zamarznie.

— A jak on da i gospodarze dadzą, ile tobie będzie jeszcze brakować?

— Tak trzydzieści sążni.

— Hm.

W tym „hm" kryło się wiele. Józefowi dotychczas takie rozwiązanie nie przyszło do głowy, ale teraz widział jasno. Wystarczy, że siądzie z Surkontem i krążąc, niby nie zmierzając do niczego, pokaże, że on wie i że jest zdecydowany nie pozwolić na wykręcanie się od parcelacji. Wtedy tamten gotów będzie na wszystko, żeby załagodzić, i trzydzieści sążni załatwione zostanie za jednym zamachem.

Nie pytał już dalej i zabrali się do dyskusji o polityce, to jest rozważań, czy Wielki Książę mógł ocalić kraj, jeżeli do wyboru miał tylko albo iść z Polakami przeciw Krzyżakom, albo z Krzyżakami przeciw Polakom. Spór ważny, jeżeli się zastanowić, co wynikło z pierwszego wyboru. Choćby Michalina Surkontowa, która wolałaby umrzeć, niż uznać, że jest Litwinką. I sam Surkont, i tysiące takich jak on. Tak to po wydarzeniu sprzed kilku setek lat rozchodziły się kręgi jak po kamieniu wrzuconym w wodę.

— A co ojciec Tomasza? — zapytał proboszcz.

Uśmiech Józefa, raczej gorzki.

— Nie ma co i mówić. Nie wróci. Teraz za to, że służył w ich wojsku, trafiłby u nas do więzienia. I syna pewnie sprowadzi do ich Polski.

Proboszcz westchnął.

— Nie przyznają się do małego kraju. Dla nich kultura, wielkie miasta. Ale Narbutt przyznawał się. Choć wtedy narodowość to było co innego.

— Ja myślę, że na ludzi spada jakiś dur.

Ksiądz Monkiewicz kręcił głową przecząco.

— Nie, to tak pomieszało się. Stara Dilbinowa, ta babka Tomasza, z Niemców. A w Prusach litewskie czy polskie nazwiska i wszystko Niemcy. Żeby z tego pomieszania tylko co złego nie wyszło.

Dzieje Józef zwrócił Tomaszowi po kilku miesiącach i rozmowy, do jakich dostarczyły okazji, niewątpliwie nie zarejestrowały się ani na skórze grzbietu, ani na sztywnych stronicach. Wrzucone w szafę dzieło znów nasiąkało stęchlizną i wędrowały po nim małe owadki, które upodobały sobie życie w wilgoci i w półmroku.

Józef nigdy nie nawiedził Surkonta, proponując mu swoje milczenie w zamian za drzewo dla szkoły, choć stwierdzone jest, że długo nosił się z takim zamiarem. Wcale niełatwo rozstrzygnąć: na jednej szali kładzie się swój cel najbliższy, szkołę, na drugiej zasadę i dobro biedaków z kumietyni, którzy powinni dostać ziemię z parcelacji. Zasada przeważyła. To jeszcze w niczym nie przesądzało środków, jakie wypadało zastosować. Środek pierwszy — wyraźnie oświadczyć Surkontowi, że wie się i że w mieście powie się komu trzeba, że co jest nieprawda, jest nieprawda. Więc otwarta wojna. Środek drugi — nic nie zdradzać, działać w ukryciu, w ukryciu złożyć skargę do władz. Środek trzeci — czekać i uważać, co wyjdzie z tych kombinacji, zanim przystąpi się do działania. Najwięcej przemawiało za tą ostatnią drogą, ponieważ wrogiem rozsądku jest pośpiech i niejedno prostuje się przez cierpliwość.

XXXVII

Tomasz miał swoje państwo. Co prawda na razie tylko na papierze, ale sam w nim mógł wszystko urządzać i co dzień zmieniać według upodobania. Pomysł dały długie rulony woskowego papieru, które dziadek i ciotka Helena (która przyjeżdżała teraz często) rozwijali na stole. Na nich wodnymi farbami wymalowane były różne wieloboki i linie granic — plan gruntów należących do Ginia. Jasne, równo pociągnięte płaszczyzny przeświecały przez papier.

Państwo Tomasza było absolutnie niedostępne, zewsząd otoczone bagnami, takimi jak te, gdzie mieszka wąż z czerwoną głową. Całą jego przestrzeń miały pokrywać lasy, ale namyślił się i umieścił trochę jasnej zieleni łąk. Drogi są niepotrzebne, bo to żaden las dziewiczy przecięty drogą, więc do komunikacji służyły rzeki połączone niebieskimi paskami kanałów i jeziora. Ludzie specjalnie przez niego zaproszeni będą mogli się tam dostać, owszem, bo w bagnach zaznaczył sekretne przejścia. Wszyscy mieszkańcy — niewielu, kraj miał służyć przede wszystkim do wygody zwierzętom, takim jak żubry, łosie, niedźwiedzie — będą żyć wyłącznie z polowania.

Przyszły już jesienne chłody i nie miał stołu, ten z zamkniętej na zimę części domu wzięto do przybudówki, ale ponieważ przy nim odbywały się te różne oglądania planów i rozmowy, w których powtarzało się słowo „reforma", więc obawiał się nagabywań wścibskiej Heleny. I ze swoją mapą i z innymi pracami przenosił się w razie zagrożenia na stoliczek w pokoju babki Dilbinowej. Ta go nie niepokoiła także i dlatego, że najczęściej leżała w łóżku, chora. Za to musiał wysłuchiwać jej żalów i gderania, że wszyscy o niej zapomnieli, że siedzi tutaj u obcych, że zginie w tej dziurze i nie zobaczy synów nigdy, nigdy. Pomstowała też na Litwinów za ich czarną niewdzięczność. Gdyby Konstanty i Teodor, i całe polskie wojsko nie biło się z bolszewikami, zobaczyliby, co by zostało z Litwy. I za to ojca Tomasza i stryja spotykała nagroda: nie mogą nawet przyjechać w rodzinne strony choć na kilka dni, zupełnie kryminaliści. Listy od nich dochodziły okólną drogą, przez Łotwę, ze znacznym opóźnieniem, między Polską i Litwą nawet i to zostało wzbronione. I z listami działy się całe komedie. Tomasz obserwował podstępy, jakich babka używała, żeby zmusić do wysłania koni na pocztę, kiedy długo nie było okazji do miasteczka. Udawała, że umiera, byle ktoś pojechał po doktora Kohna, nawet w najgorsze pluchy. I później jej palce trzęsły się rozdzierając koperty, oczy mrugały, na policzkach pojawiały się ceglaste wypieki.

Tomasz nie mógł jej traktować poważnie, puszczał jej szemrzące skargi mimo uszu, a zarazem czuł jakąś złość, bo ciągle mówiła o tym swoim Konstantym. O nim babcia Misia i ciotka wyrażały się, że to „nic dobrego". Teraz został zawodowym oficerem, porucznikiem ułanów, więc na pewno nie przyznał się, że skończył tylko trzy klasy gimnazjum, bo na to, żeby być oficerem, trzeba mieć skończoną szkołę. W tym jej obnoszeniu się z nim była śmieszność. Także te jej urągania na Ginie, że zdana na łaskę Surkontów, w tym domu, gdzie nikt nawet nie je przyzwoitych obiadów, na to, że nie ma do kogo ust otworzyć, na Antoninę, która tutaj jest panią, nawet na domową tabakę, którą dla niej ciął w drobne paski i potem robił papierosy — te wyglądały ładnie dopiero, kiedy obcięło się nożyczkami kłak sterczący z gilzy; równe, już w pudełku, przekładał z przyjemnością. Babki słuchał uważnie, tylko kiedy przedstawiała, jak to będzie wspaniale, kiedy nareszcie przyjedzie jego mama i zabierze i ją, i jego.

Parę razy na tydzień Tomasz wędrował do wioski na lekcję do Józefa. Kiedy wypisywał cyfry, bardzo się starał, bo zależało mu na pochwale nauczyciela, to nic, że obie babki i ciotki wcale dla Józefa nie chowały respektu. Józef podnosił ramiona, kiedy jego łokcie leżały na stole, grdyka w żylastej szyi jeździła mu w górę i w dół i jego ociężałość była poważna, taka że można na niej polegać. Może właśnie Tomaszowi brakowało kogoś, kto jak powie: to dobrze, a to źle, to wiadomo, że tak jest.

Od czasu do czasu zjawiali się litewscy urzędnicy, wtedy babcia Misia i ciotka chowały się, bo przyjmować ich za grzecznie nie wypadało, nie chciały się skalać niewłaściwym towarzystwem „świnopasów", jak ich nazywały — niby to urzędnicy, a właściwie chłopi. Tomasz zaglądając przez uchylone drzwi widział ich siedzących z dziadkiem, który udawał nawet z dyplomacji, że pije, żeby ich do wódki zachęcać. Potem dziadek podjeżdżał z nimi do świrna i tam Pakienas ładował im na bryczkę jeden, drugi worek owsa dla ich koni.

Te wizyty zwiększały porcję rozmów o „interesach", a brała w nich udział nawet babcia Misia, która kiwała się na boki stojąc przy piecu. W interesach także dziadek wyprawiał się w podróże do miasta. Umieszczał pieniądze i dokumenty w płóciennej torebce, zawieszał ją na szyi, a dla pewności przypinał jeszcze do ciepłej podkoszulki agrafkami. Na to dopiero kładł koszulę, wełniany kaftanik i kamizelkę. Między rogi sztywnego kołnierzyka wciskał węzeł krawata trzymającego się na gumce. Z jednej kieszeni kamizelki do drugiej wisiała mu dewizka od zegarka.

Skutkiem wizyty w Borkunach Tomasz albo w pokoju babki Dilbinowej, albo, jeżeli tam już nie mógł wytrzymać, to przy lampie w jadalni pracował nad specjalnym zeszytem, który wyglądał jak książka. Przycinał równo ćwiartki papieru i brzegi sklejał, dodał także okładkę z tektury, a na niej wypisał: „Ptaki". Zajrzawszy do środka (co nikomu się nie zdarzało, wartość dzieła polegała na jego sekretności i znienawidziłby każdego, kto by się ośmielił) znalazłoby się tam tytuły, większe i podkreślone, a pod nimi, mniejszymi literami, opis. Przezwyciężyć skłonność do brzydkich kulfonów przychodziło mu z trudnością, prowadził piórem powoli i pomagał sobie wystawiając język. Postawił na swoim, bo całość przedstawiała się jednak czysto.

Weźmy na przykład dzięcioły. Oczywiście ten, który go najbardziej zachwycał i który zjawiał się w parku zimą — duży, pstry. Tylko jeden gatunek, duży, ma czerwoną głowę, więc:

Dzięcioł nakrapiany — *Picus leucotos L.* A pod spodem: zamieszkuje liściaste lasy, jeżeli znajdzie w nich obfitość starych, próchniejących drzew, jak również obszary iglastego starodrzewia. Zbliża się zimą do siedzib ludzkich.

Albo:

Żołna — *Picus martius L.* — największy z rodziny dzięciołów. Jest czarny, a na głowie ma czerwoną plamę. Gnieździ się w iglastych albo brzozowych lasach.

Żołnę Tomasz widział w Borkunach — nie z bliska, bo blisko podejść nie da, miga tylko, właśnie jak powiedziane, między pniami brzóz i echo niesie jej przenikliwe kri-kri-kri.

Co prawda nie wiedział, że pisze się po łacińskiej nazwie *L.* albo „*Linni*" na cześć szwedzkiego naturalisty, Linneusza, który pierwszy poklasyfikował gatunki, skrupulatnie jednak to stawiał, żeby jego książka o ptakach nie różniła się od innych systematycznych spisów. Nazwy łacińskie podobały mu się ze względu na ich dźwięczność — np. trznadel — *Emberiza citrinella*, albo kwiczoł — *Turdus pilaris,* albo sójka — *Garrulus glandarius.* Niektóre takie nazwy odznaczały się niebywałą ilością liter i przeskakiwał ciągle oczami ze swego zeszytu na stronicę starej ornitologii, żeby którejś nie opuścić. Jednak jeżeli się powtórzyło kilka razy, też brzmiały dobrze — a orzechówka zupełnie już magicznie: *Nucifraga caryocatactes.*

Ów zeszyt dowodził zdolności Tomasza do skupienia uwagi na tym, co go pasjonowało. Trud się opłacał, bo nazwać i zamknąć ptaka w piśmie to prawie to samo, co mieć go na zawsze. Nieskończona ilość barw, odcieni, świstów, gwizdów, trzepotów — przewracając karty miał je tutaj przed sobą, działał i porządkował jakoś nadmiar tego, co jest. W ptakach wszystko właściwie skłania do niepokoju: dobrze, one są, ale czy można tylko to stwierdzić i dalej nic? Światło mieni się na ich piórach, kiedy lecą, od żółtego, ciepłego wnętrza dziobów, które młode otwierają w gnieździe utajonym w gąszczu, przenika nas prąd miłosnej wspólnoty. I ludzie uważają ptaki za drobny szczegół, taką sobie ruchomą ozdobę, ledwo raczą ją zauważyć —

kiedy powinni by byli całe życie poświęcić temu jednemu celowi, jeżeli znaleźli się razem z podobnymi dziwami na ziemi: rozpamiętywaniu szczęścia.

Tak (mniej więcej) myślał Tomasz i ani „reforma", ani „interesy" nie dotykały go bliżej, choć przejęcie, z jakim o tym rozprawiano, przecież zmuszało do zastanowienia. Bez ustanku: „Pogiry", „Baltazar", „łąka" i, dostatecznie rozgarnięty, pojmował trochę, o co chodziło, ale bez sympatii. Życzył z pewnością dziadkowi, żeby mu się udało, jednak wolałby, żeby ten nie odbywał swoich narad z ciotką Heleną.

XXXVIII

Baltazarowi przybywało tłuszczu, niektóre duszne cierpienia temu sprzyjają, bardziej chyba dotkliwe niż te, od których się chudnie. Kiedy dowiedział się o sławnym rabinie w Szyłelach, z początku śmiał się, ale ten śmiech skrzepł w obawę, czy należy odrzucać pomoc, może akurat zesłaną. Poczekał więc tylko do ustalenia się sanny. Z pierwszym śniegiem chwyciły mrozy, zmarzł na sankach i wstąpił do karczmy, żeby się ogrzać, upił się i spędził tam na ławce noc. Rano zgaga, droga i słupy, w których podwywa wiatr obracający wiry śnieżnego pyłu, sztywne, ich widok aż ranił, i tak dojechał do Szyłel. Dom rabina duży, z wpadniętym ze starości drewnianym dachem, stał w dół od ulicy, schodziło się do drzwi pochyłym podwórzem. Od razu w sieni obskoczyło go trzech czy czterech i w ogóle kręciło się ich tam wielu, młodszych i starszych, wypytywali, a skąd, a w jakiej sprawie. Postawił w kącie bat, rozpiął kożuch, wygrzebał pieniądze i obliczył na ofiarę taką sumę, jak słyszał, że trzeba. Wprowadzili go wreszcie do izby, w której za stołem siedział brodaty w czapce wciśniętej na czoło i pisał w wielkiej książce. Powiedział

Baltazarowi, że nie on jest rabin, ale ma mu wszystko wyłożyć, co go sprowadza, bo taki przepis, a on wytłumaczy rabinowi. Tutaj ociąganie się Baltazara i drapanie się w rozczochrany czub, i bezradność. Wierzył pomimo wszystko w jakiś promień, który przebije go na wylot i odsłoni całą prawdę, także jemu samemu. Mówić? Ledwo z ust wydobędą się dźwięki, już wie się, że fałsz i brak sposobu, żeby coś wyrazić. Trzeba by było wyłuskiwać wyznania zupełnie ze sobą sprzeczne, i to gdzie — tutaj, przed obcym Żydem, który nie przestawał wodzić piórem i nawet nie poprosił go od razu siadać, dopiero po chwili wskazał mu krzesło. Z tego, co Baltazar wymamrotał, wynikało, że nie może sobie znaleźć miejsca, że żyje, a nie żyje, i że zginie bez rady świątobliwego człowieka. Żyd odłożył pióro i ręką grzebał pod brodą. — Gospodarkę ma? — zapytał. — Żona, dzieci? — I dalej: — Grzechy żyć nie pozwalają? Wielkie grzechy? — Baltazar potwierdził, choć niepewny, czy to grzechy, czy strach, czy co innego odbierało mu spokój. — Czy modli się do Pana Boga? — indagował Żyd. Tego pytania nie rozumiał. Pewnie, że jeżeli komuś jest źle, to chce, żeby było lepiej, i do Boga należy to poprawić, ale jeżeli On do tego nieskłonny? Przecie nie ma się do Niego dostępu. Chodził jak należy do kościoła, więc kiwnął głową, że modli się.

Potem długo czekał, znów w tej sieni, stojąc pod ścianą, gdzie wchodzili, wychodzili, otrząsali śnieg z butów. Rósł harmider, gęsto robiło się od nich, szwargoczących i wymachujących sobie przed nosem palcami. Aż z głębi wzniósł się krzyk i cały tłum razem z Baltazarem wwalił się do tej izby, gdzie przyjmował go pisarz, otworzyły się dalsze drzwi i ze ścisku w nich wynurzył się w czarną długą izbę, cały prawie koniec której zajmował czarny stół. We wrzawę, w szuranie, w podniecenie wpadł czyjś rozkaz: „Sza!", i „Sza! sza!" powtórzyły głosy wszystkich.

Z drzwi z boku wyszedł rabin, za nim ten brodaty sekretarz. Rabin: malutki, z twarzą panienki — świętej

Katarzyny, tak jak na obrazie w kościele w Giniu. Koło policzków zwijały mu się puszyste blond włoski. Ubrany był ciemno, pod podbródkiem w białej koszuli sterczał błyszczący guzik spinki, głowę miał zakrytą jedwabną czapeczką. Mina jakby zawstydzona, oczy spuszczone, ale kiedy jego pomocnik dał znak Baltazarowi, żeby się przybliżył, i uniosły się powieki, wzrok świdrujący; wpatrywał się długo zadzierając trochę głowę i gładził dłonią klapę surduta. Przed nim Baltazar czuł swój bezwładny ogrom.

Powiedział, tak patrząc, kilka słów w ich mowie. Zerwały się szepty, zebrani za Baltazarem zakołysali się i znów: „Sza! sza!" Sekretarz przetłumaczył po litewsku:

— On mówi: Żaden-człowiek-nie-jest-dobry.

I znów zza stołu cicho odezwał się rabin, a brodacz obwieścił:

— On mówi: Co-zrobiłeś-złego-człowieku-tylko-to-jest-twój-własny-los.

Baltazara z tyłu napierali, w ciszy pełnej syknięć i oczekiwania słyszał brodacza:

— On mówi: Nie-przeklinaj-człowieku-własnego-losu-bo-kto-myśli-że-ma-cudzy-a-nie-własny-los-zginie-i-będzie-potępiony-nie myśl-człowieku-jakie-mogłoby być-twoje-życie-bo inne-byłoby-nie twoje. On skończył mówić.

Baltazar zrozumiał, że to już wszystko, jeden z nich teraz znalazł się na wprost rabina i ten do niego się zwracał. Przecisnąwszy się przez ich masę, wypadł z domu, wściekły. To po to jechał w mróz dwadzieścia wiorst? Przeklęte Żydy. I przeklęta jego własna głupota. Jednak za miasteczkiem, kiedy jego but zwieszony za żerdkę niskich rozwalni żłobił bruzdę w bieli, gniew minął. Co innego się pojawiło: żal. Czego właściwie się spodziewał? Czy kazanie na całą godzinę, czy kilka słów, żadnej różnicy, najgorsze nie w tym, ale w braku ogólnym, od którego tylko wyć: ani anielskich trąb, ani ognistych języków, ani mieczów, co rozdwajają się na końcu jak żądło węża. Dobrze, jedzie drogą, za nim domy, przed nim sine chrusty i las, nad nim chmury i co można powiedzieć? Że urodził się, że umrze, że powinien znosić, co jemu wypadło? To samo, zawsze to samo, ksiądz czy rabin, i nigdy do samego środka, żeby teraz na skraju nieba wylazła głowa olbrzyma, żeby zaczął wciągać oddech i wszystko by w jego gębę leciało, i on razem, Baltazar, to byłoby szczęście. Ale gdzieżby tam. Dlaczego złościć się na Żyda? Człowiek taki sam jak inni, słomę młóci, a czy jakikolwiek człowiek na świecie potrafi coś innego? Choćby kto sam siebie rozdzierał z bólu, przyjdą, pocieszą swoją słomą, maszyny wynaleźli, ale prócz tego „urodził się i umarł" nic a nic.

Powoli, a gotów był zgodzić się, że coś mądrego zyskał w Szyłelach. Pierwsze odezwanie się rabina napełniło go, to prawda, nadzieją. A może każdy męczy się i żałuje, tylko nie przyznaje się? A gdyby zebrali się i jeden drugiemu wyznał swoje grzechy, czy nie lżej? Na pewno tacy tam by się też przywlekli, których grzechy lekkie. Choć czy na pewno, jeżeli kto bez grzechu, to wystarcza? Uu, tutaj spostrzegł, że Żyd sprytny, na długo wystarczy do obracania w głowie.

Zdjął rękawice i skręcił papierosa. Koń biegł raźno, brzękadła na chomącie chrzęściły w pustce, zza witek łozy wyskoczył zając i pyrgał wzdłuż zamarzniętego ruczaju. Zmierzchało, w lesie dopadł go zmrok, ale nie tak jeszcze nagły, żeby nie zauważył klejmów na sosnach. Będą ciąć. Baltazar czytał w gazecie, że rząd sprzedał dużo roczników drewna do Anglii. Na przykład ta sosna nie zaklejmowana. Dlaczego? Bo krzywa. Pień najpierw prosty zginał się poziomo i dopiero z tego ramienia strzelała w górę masztowa świeca. Może taki los miał na myśli rabin. Sośnie nie wolno zaczynać od początku. Musi na nowo zaczynać od tego, co już jest — choćby od krzywizny. Ale reszta prosta. A człowiekowi wolno? Też nie.

Zaciął konia, niezadowolony. Człowiek to nie drzewo — ono wie, czego potrzeba: światła. A człowiekowi wydaje się, że rośnie prosto, a rośnie krzywo. I tutaj cała trudność. Moje życie takie i takie. Z niego w tę i w tę stronę, żeby to życie zmienić. I tak prosto jak strzelił, a poniewczasie widzi, że wcale nie szedł w górę, tylko w dół. I tu kończy się ich żydowska mądrość.

Z mocnym postanowieniem, żeby nie zatrzymywać się po drodze, ściągnął lejce, kiedy w świetle z okien karczmy iskrzyły się grudki śniegu. Przywiązane przy rogu budynku konie rzucały workami z owsem u pysków i odzywały się za każdym podrzutem brzękadła uprzęży. Nie cudzy, jego własny los. Niech będzie. Położył rękę na klamce. Wszedł? Wszedł.

XXXIX

Jeżeli przyjąć teorię, że fraczki i pończochy diabłów świadczą o ich sympatii do osiemnastego wieku, reforma rolna, polegająca na odbieraniu ziemi jednym i dawaniu drugim, powinna wykraczać poza zakres ich wiedzy. Diabeł, który pilnował Baltazara (tak wrona spaceruje naokoło ranionego zająca), z ciężkiego obowiązku musiał pewnie studiować tę kwestię. Wypada więc zająć się nią, również z obowiązku dokładności, na chwilę.

Podział gruntów Surkonta według rodzajów przedstawia się następująco:

ziemi ornej .... 108,5 ha
pastwisk nad Issą, nieużytków itd. .... 7,9 ha
pastwisk spornych koło wioski Pogiry .... 30,0 ha
lasu, łąk i gruntu, który wykarczował sobie

Baltazar 42,0 ha
_____

Razem: 188,4 ha

Natomiast według świeżo ogłoszonej reformy cokolwiek wykracza poza osiemdziesiąt hektarów, zostaje rozparcelowane pomiędzy bezrolnych za wynagrodzeniem dla właściciela tak niskim, że bez znaczenia w praktyce. Następujący środek obrony wybrał Surkont czy też dbająca o swoje jego córka. Jeżeli własność rolna uległa podziałowi między członków rodziny, którzy pobudowali się i gospodarzą samodzielnie, każdy z nich może mieć do osiemdziesięciu hektarów. Surkont zdecydował oddać na zapchanie gardła rządowi 30 ha spornych pastwisk, a resztę, to jest 158,4 ha podzielić między siebie i Helenę. Tak, ale data! Ustawa wyraźnie określa, że podziały przeprowadzone po tej i tej dacie są nieważne. Żeby przymknięto oczy na drobną nieformalność i wpisano do ksiąg niby przez pomyłkę wcześniejszą datę działu, trzeba uprzejmości urzędników, którzy nie pozostają niewrażliwi na grzeczności, jakie im się świadczy. O to właśnie zabiegał.

I dalszy szkopuł: las. Wszystkie lasy przechodzą według ustawy w ręce państwa. Więc podał las jako łąki. Tu już zależy, gdzie zechcą patrzeć taksatorzy — czy w dół, czy podnieść oczy na dziwną trawę, której źdźbła nie może objąć rękami mężczyzna. Zresztą naprawdę starej dębiny nie zachowało się wiele — przeważnie cieniste gaje młodych grabów, trochę jedlaków i dużo podmokłych pasiek. Jednak cały ten skrawek graniczył z lasem rządowym, który ciągnął się dziesiątki kilometrów, to zwiększało niebezpieczeństwo.

Dwa gospodarstwa — jego i Heleny. Trzeba znaleźć, gdzie mieści się to drugie. Zupełnie niespodziewanie Baltazar przychodził z pomocą. Żadne wyrachowanie nie kierowało Surkontem, kiedy pozwalał Baltazarowi robić, co ten tylko sobie zamarzył. Nie wyrachowanie, ale słabość do tego chłopca (bo spójrzcie na niego, a przekonacie się, że czy trzydziestoletni, czy czterdziestoletni, nie przestaje być chłopcem). I teraz leśniczówka i jej zabudowania przydawały się doskonale: w dokumentach stwierdzi się, że Helena gospodarzy samodzielnie.

Taki więc jest ogólny zarys sytuacji i starań. Najlepszy gatunek piwa i aromatyczna nalewka z samogonu na dziewięciu gatunkach leśnych traw wyjeżdżały na stół, kiedy do jego chaty wpadała na krótko Helena Juchniewicz, ale Baltazar śledził ją uważnie, szczerząc jak zawsze zęby w dobrodusznym uśmiechu. Czyż jej nie znał? Słodziutko, niby przypadkiem zapuszczała żurawia to do obory, to do świrna. Z taką mieć do czynienia przykro.

Według niektórych diabeł jest niczym więcej niż rodzajem halucynacji, tworem wewnętrznych cierpień. Jeżeli tak wolą, tym bardziej świat musi wydawać się im trudny do pojęcia, bo żadnej innej żywej istocie poza człowiekiem nie zdarzają się takie halucynacje. Powiedzmy, że malutkie stworzonko, które niekiedy spacerowało, podskakując, koło linii rozlanego trunku, rozprowadzanych palcem Baltazara po stole, zawdzięczało swój byt pijaństwu. Nic z tego jednak nie wynika. Bywały dnie, kiedy Baltazarowi wracała radość, pogwizdywał sobie za pługiem — i nagle wewnątrz drgnięcie, które zapowiadało zbliżanie się grozy. Zaledwie kilka kroków poza krąg jemu wyznaczony, a już obca siła zapędzała go z powrotem. Właśnie: obca. Bo swoje cierpienie odczuwał wcale nie jako część samego siebie, sam na pewno, tam w głębi, ciągle pozostawał czystą radością, co go napadało, osaczało go z zewnątrz. Groza dlatego, że takiej subtelności i przenikliwości rozumowań, jakie rozwijał w stanach rozpaczy, nie czerpał przecie z tego, co sam mógł, porażała go nadludzka jasność widzenia. Własna śmieszność — ta też wchodziła w skład tych rozrachunków, na niej grał prześladowca.

— Więc tak, Baltazarze — mówił. — Jedno życie. Miliony ludzi zajmują się milionem przeróżnych spraw, a ty: Surkont, Helena Juchniewicz, grunt, tamten, hm, przypadek z karabinem, malutkie to wszystko. I dlaczego właśnie tobie to dane? Jak gwiazda, mógłbyś spaść tu albo tam. Musiałeś tu. I nie narodzisz się nigdy już drugi raz.

— Rabin mówił prawdę.

— Prawdę? Ty jednak i gryziesz sobie pięści, że Juchniewiczowa ciebie wyrzuci, i gryziesz pięści ze złości na siebie za to, że gryziesz pięści. Niby godzisz się na swój los, ale nie godzisz się. Rabin, nie przeczę, odgadł, bo doświadczony. Ale to nie tak trudno odgadnąć. Baltazar brudny żałuje, że to wszystko spadło na Baltazara czystego, którego nie ma. Wspaniały ten czysty Baltazar. Ale nie ma.

Palce wpijały się w stół. Żeby uderzyć, rozbić, żeby zmienić się w ogień czy w kamień.

— No nie, przewrócisz stół i co? Ja wiem, że właściwie nie tego chcesz, tylko o coś zapytać. Pytaj, będzie lżej. Wlewasz to w gardło, ale przestajesz myśleć tylko na chwilkę, dopóki w gardle pali. Chcesz wiedzieć?

Baltazar opadał z łokciami szeroko rozłożonymi na deskach stołu, we władzy łasicy, słabej i drapieżnej.

— Czy kto coś zrobi, to dlatego, że nie mógł inaczej? To ciebie gnębi, nieprawdaż? Jeżeli jestem tym, czym teraz jestem, to dlatego, że postąpiłem wtedy i wtedy tak i tak. Ale dlaczego wtedy tak postąpiłem? Czy nie dlatego, że jestem, jaki jestem od początku? Tak?

Pod wzrokiem skierowanym na niego z przestrzeni, przybierającym naokoło siebie różne twarze, ale niezmiennym, potwierdzał.

— Żal, że ziarno niedobre? Że z ziarna pokrzywy nie wyrośnie pszenica?

— Pewnie że tak.

— Pokażę tobie na przykładzie. Stoi dąb. Patrzysz i co myślisz? Że powinien stać, gdzie stoi?

— Powinien.

— Ale dzika świnia mogła wyryć i zjeść żołądź. Patrzyłbyś na to miejsce i czy myślałbyś, że tam powinien być dąb?

Baltazar nawijał na palec zwisające strąki włosów.

— Nie. A dlaczego nie? Bo cokolwiek już stało się, wygląda, jakby musiało się stać i jakby nie mogło być inaczej. Tak człowiek jest urządzony. Ty później też będziesz pewny, że nie mogłeś pojechać do miasta, opowiedzieć komu trzeba, że las Surkont podał za łąki i że próbuje oszukaństwa.

144

— Ja nie będę na niego skarżyć.

— Dobry Baltazar, kocha Surkonta. Nie, ty boisz się, że twoja skarga nic nie pomoże, on płaci urzędnikom i dowie się, a wtedy już przed córką nie obroni. I boisz się, jakbyś wygrał, też. Przyłączą do rządowego lasu, może wezmą ciebie na leśnika, ale zapytają, po co tobie tyle gruntu. Nie łżyj. I nie wykręcisz się przeklinając, że przeznaczone.

— Kiedy ja nigdy nie wiem, czemu. Swatów posłałem, czemu, już nie pamiętam. I wtedy ten — Rosjanin — mógłbym tylko przestraszyć. Nie pamiętam.

— A!

— Aaaa! Nigdy nie wie się, co poradzić z tym krzykiem, co odzywa się w nas samych. Najwyższa niesprawiedliwość na tym właśnie polega, że zdziera się kartkę z kalendarza, wciąga się buty, dotyka się muskułów ramienia i żyje się dziś. A razem z tym szarpie nas od środka pamięć własnych czynów bez pamięci przyczyn. Albo te czyny z nas, z naszej istotności, tej samej co dziś, i wtedy obrzydliwie ją nosić, własna skóra nią śmierdzi. Albo kto inny, z zakrytą twarzą, popełnił te czyny i wtedy jeszcze gorzej, bo dlaczego, za jakim przekleństwem, nie można się od nich odczepić?

Baltazar przewidywał, że Surkontowi się uda. Wybierał nieruchomość ze zmęczenia i z nieufności do siebie, do własnej natury, czy do tych wszystkich, którzy pod nas się podszywają. Jeżeli bez ruchu, to najmniej potem powodów do żałowania. Zresztą jak już zaplątał się, niech się wszystko plącze do końca. Przez pewien czas zdarzało mu się bić żonę, ale przestał, zamykał się w sobie, ciężki i milczący. Decyzja, żeby rzucić dom i postarać się w porę o kolonię gdzie indziej, z reformy, byłaby może rozsądna, ale znów zaczynać wszystko, mieszkać w chacie z chrustu i stawiać budynki? I po co? Niech przynajmniej tak trwa. Te działy nie dowodziły, że Juchniewiczowie zechcą w lesie mieszkać, a że od niej wszystko zależałoby, jakby co na Surkonta, i tak wiedział.

Urodziło mu się trzecie dziecko, córka. Kiedy babka z Pogir przyniosła ją jemu pokazać, pomyślał, że nie pamięta, jak i której nocy i czy miał z tego przyjemność. Była podobna do małego kotka i do Baltazara. Wyprawił huczne chrzciny i to, że rzucił się na kogoś wtedy z nożem, obrócono w śmiech, a dowiedział się o tym dopiero obudziwszy się następnego dnia.

XL

Dzwonią dzwonki, koń prycha, płozy suną bez szelestu, a na bieli z obu stron drogi ślady. Skrzywiony kwadrat to zając. Jeżeli kwadrat wydłuża się, to dowód, że zając biegł szybko. Równym sznurkiem, łapa za łapą — ciągnie się trop lisa, przez pagórek, tam gdzie śnieg iskrzy się w słońcu, do sinawofioletowego brzeźniaku. Ptaki odciskają trzy zbiegające się kreski, czasem smugę ogona, albo niewyraźny znak piór w końcach skrzydeł.

Ciotce Helenie od chłodu na nosie pojawiały się drobne żyłki, sterczał ciemniejszy od zaróżowionej twarzy nad kołnierzem kożuszka. Jej kożuszek stracił swoją dawną barwę i zrobił się brązowy, ale Tomasza, zupełnie nowy, przypominał jaskrawością letnie futerko wiewiórki, i dlatego, a także ze względu na jego miękkość, lubił czochrać policzkiem o rękaw. Spadała mu na oczy za duża czapka dziadka z uszami, odsuwał ją cierpliwie. Helena nosiła okrągłą czapkę z szarego baranka.

W Borkunach ścieżki koło domu żółte od wydeptanego śniegu, chropawe rozpryski wody chwycone nagle, kiedy się rozpływały, przez mróz, kupki końskiego nawozu, między którymi skaczą wróble. Barbarka przemykała się w długich wełnianych pończochach i drewnianych kłumpiach. Poczęstunek, we trójkę siedzieli za stołem i wtedy szybko Tomaszowi się nudziło, wstawał i oglądał na ścianie myśliwskie przybory. Jakiś rodzaj porozumienia między Romualdem i Heleną go drażnił, ukazywał się wtedy inny, gorszy Romuald, wspólnik dorosłych, sypiący żarciki, które wywoływały urywane chichoty u ciotki. Co jeszcze skłaniało go do ucieczek od stołu, jak tylko się dało, to snucie się Barbarki, naładowanej czemuś złością, zagryzającej swoje pełne usta. Ale jeżeli już przy stole, zamyślał się tak, że „jedz!" Heleny wyrywało go jak ze snu. Nie mogła jednak zgadnąć jego myśli, nieprzyzwoitych. Uśmiechy i zapraszania do jedzenia czy do kieliszka wydawały mu się nienaturalne. Dlaczego właściwie wszyscy grają komedię, wykrzywiają się, małpują jedni drugich, jeżeli naprawdę są zupełnie inni? I nic jeden drugiemu nie pokazują, co w nich prawdziwe. Zmieniają się, kiedy zbiorą się razem. Na przykład taki Romuald, taki jak naprawdę, mówi „trzeba posrać", kuca sobie pod drzewem i później podciera się liściem, bez żadnego chowania się, a tutaj te uprzejmości i całowanie rączek. Helena też rozkracza się i z między nóg jej ciurka, tymczasem teraz zachowuje się, jakby nic tam nie miała i zostawiła tamtą swoją część w domu: taka szlachetna. Nawet Barbarka. Czemu: nawet? Bo Barbarka, piękna że aż straszno, jak z tym rumieńcem przysiada i jak to jej tam wychodzi z między włochatości? Drżał patrząc na nią, kiedy to sobie wyobrażał, bo od jej gładkiego czoła i tych granatowych błyskawic w spojrzeniu do tamtego chyba nie pięć wiorst? Przecie oni wiedzą jedno o drugim, że to robią, dlaczego zachowują się, jakby nie wiedzieli? Właściwie każdy przymus wizyty, kiedy przestrzegać musiał ich nudnej grzeczności, naprowadzał go na podobną przekorę, ale nigdy w tym stopniu jak w czasie odwiedzin w Borkunach tej zimy. Jak by to było dobrze, gdyby rozebrali się do gołego i siedli w kucki naprzeciwko siebie, każde załatwiając swoją potrzebę. Czy wtedy też tak samo paplaliby głupstwa za głupie dla nich, wziętych pojedyńczo? Nie, dopiero by ich zgniotła ich własna śmieszność. Nieskromna rozkosz, jaką czerpał z przedstawiania sobie takiego towarzystwa, zabarwiała się chęcią triumfu nad ich każdym przebraniem, zdarcia z nich ich pretensji. Przysięgał sobie, że nigdy nie będzie taki jak oni. Jednak obracał swój protest głównie przeciwko Helenie, która zarażała pana Romualda, czy też zmuszała go do małpiarstwa.

Pod wieczór, kiedy niebo podpływa z dołu surową czerwienią i cienkie gałęzie wydają się siec chłodem, na brzozy koło rzeczki przylatywały cietrzewie. Tomasz widział liry ich ogonów w locie i białe podbicia skrzydeł, czarny metal ich piór mienił się, jeżeli udało się podejść dostatecznie blisko, z daleka tylko sylwetki między koroną szczytów. Romuald wydobył raz z szafy „bałwana" z drzewa wyglądającego zupełnie jak cietrzew. Przywiązuje się go do długiej żerdzi, tak żeby naśladował żywego ptaka, i tę żerdź stawia się na brzozie; myślą, że to ich towarzysz, i nadlatują, a wtedy się strzela. Obiecał go kiedyś zabrać ze sobą, ale jakoś się rozpełzło, brały silne mrozy i raz tylko chodzili do lasu na spacer, niestety z Heleną. Romuald pokazał im ślad, który długo badał, wreszcie orzekł, że wilczy. Jak odróżnia się ten ślad od śladów dużego psa? Hm, trzeba, żeby to był wyjątkowo duży pies — objaśniał — a poza tym poduszki palców u wilka odciskają się lepiej, szerzej rozstawione.

Romuald nieczęsto przyjeżdżał do kościoła, wtedy po mszy zachodził do dworu, natomiast Barbarkę Tomasz spotykał każdej niedzieli. Modliła się z grubej książki do nabożeństwa, na jej plecy spadał trójkątny rąbek chustki i wtedy nie onieśmielała go tak jak w Borkunach. Kościół ma to do siebie, że wszystko w nim przestaje być groźne, nawet Domcio, którego zmierzwione włosy zauważał czasem w tłumie mężczyzn. Kościół nie skłaniał go do przekory, przyczyniał jednak niektórych zmartwień. Tomasz uważał, że uczucia w człowieku powinny wzbijać się podczas nabożeństwa ku Bogu, a jeżeli nie, to oszukuje się kogoś przez swoje uczestnictwo. Nie chciał oszukiwać, przymykał oczy i starał się ulatywać myślą wysoko, przez dach w samo niebo, ale nie udawało mu się. Bóg był jak powietrze i każdy jego obraz rozwiewał się natychmiast. Z uporem powracały natomiast przyziemne obserwacje ludzi koło niego, jak kto ubrany, z jaką miną. Albo jeżeli odrywał się i mknął w przestwór, to po to, żeby podstawiać siebie samego na miejsce Boga i samemu patrzeć z góry na kościół i wszystkich w nim zebranych. Dach wtedy przezroczysty i ubrania przezroczyste, klęczą z ich wstydliwymi częściami na widoku, choć te ukrywają jeden przed drugim. Co w ich głowach, także się odsłania, dużymi palcami można wtedy sięgnąć z góry i schwycić tego albo innego, położyłby sobie na dłoni i przyglądałby się, jak się rusza. Przeciwko takim marzeniom bronił się, ale pojawiały się, ile razy ruszał w lot ku niebieskim sferom.

Przeczytana książka o pierwszych chrześcijanach i o Neronie — tym, który urządzał z nich żywe pochodnie z rysunku w pokoju dziadka — przejęła go bardzo. Jej trzeba przypisać sen o czystości. Tomasz stał na arenie rzymskiego cyrku w grupie chrześcijan. Śpiewali pieśń i łzy leciały mu po twarzy, ale łzy rozkoszy, ponieważ był tak dobry godząc się dobrowolnie na męczeństwo, tak wewnątrz siebie wybielony, że cały zmieniał się w tę rzekę bez tam. Kiedyś dawno (raz tylko to się zdarzyło) z polecenia babki za jakieś większe wykroczenie dostał w skórę. Antonina go trzymała, a jeden z parobków bił rózgą, na goło. Operacja, mimo ryków wtedy, zostawiła mu jak najlepsze wspomnienie. Lekkość w duszy, radość, zmazanie win i takie same łzy szczęścia, pełni, jak w tym śnie o śmierci.

Lwy zbliżały się do nich. Zębate pyski tuż-tuż przed nim i kły zagłębiają się w jego ciało, wycieka z niego krew, ale w nim nic ze strachu, tylko promienność i właśnie zjednoczenie z Dobrem na wieki.

To jednak we śnie. A na jawie zrobił w tym samym tygodniu straszną awanturę Helenie. Zginął mu tom w czarnej oprawie, z którego pożółkłych kartek przepisywał łacińskie nazwy ptaków. Szukał wszędzie, nudził starszych, czy go nie wzięli, ale nikt nic nie wiedział. Co się z nim stało? Odkrył go wreszcie przypadkiem, w pokoju, gdzie wśród nasion rozsypanych na płachtach i stosów wełny sypiała Helena. Ale gdzie odkrył? Jednego krążka toczonej nogi u łóżka brakowało, na to miejsce wsunęła książkę. Krzycząc groził Helenie pięściami, a ona dziwiła się, co na niego napadło i o co mu chodzi. Idiotka! Dla niej naturalnie czy to, czy cegła nie miało znaczenia, żadne zwierzęta ni ptaki jej nie interesowały i nie odróżniała wróbla od trznadla. Puchaczem zajęła się, tak, bo wzięła za niego pieniądze. A jeżeli niby uważnie słuchała tego, co opowiadał o polowaniu Romuald, to kłamała obrzydliwie, udawała tylko, żeby romansować. Zimna pogarda — nie po chrześcijańsku ją żywić. Ale Tomasz o to siebie nie pytał, pogarda dla Heleny nasuwała mu różne pomysły, jak ją ukarać, nie tylko za to jedno przestępstwo, ale w ogóle, za to, że głupia. Na przykład nazbierać wilczych jagód i wsypać jej do zupy. Naokoło jednak śniegi, zima, nie ma skąd wziąć trucizn, i napięcie nienawiści po paru dniach zelżało. A zresztą jeżeli jest, jaka jest, ślepa na wszystko, co powinno się kochać, to szkoda nawet fatygi, żeby ją truć, nie warto się nią zajmować.

Na białym teraz gazonie przed domem turlał kulki ze śniegu, aż obrastały owijając się w pas wyrwany przez siebie z puchu. Następnie ustawiał te walce jeden na drugim, w najmniejszy — głowę, wsadzał węgle oczu i fajkę z gałązki. Ale dłonie mu marzły, a poza tym kiedy już stoi taka postać, nie wiadomo, co z nią dalej robić. Rano pomagał Antoninie palić w piecach. W ciszy domu, jakby włożonego w pudełko z watą, rześko rozlegały się stukania jej butów w sieni, wnosiła na sobie chłód, i polana, które wysypywała z hałasem na podłogę, szkliły się od lodu. Wtedy układał płatki brzozowej kory na palenisku, nad nimi ustawiał namiocik ze szczepek, które na to schły w szczelinie między piecem i ścianą. Płomyk lizał korę, zwijała się w trąbki. Schwyci czy nie schwyci? Do pokoju babki Dilbinowej wkraczała z drzewem i Tomasz za nią, kiedy nic w nim jeszcze się nie rozróżniało, i szła zaraz otworzyć z zewnątrz okiennice, a wtedy mrugał porażony nagłym blaskiem i mrugała babka garbiąca się przed poduszką opartą prostopadle o wezgłowie. Na nocnym stoliczku, obok grubego modlitewnika, stały buteleczki z lekarstwami i w pokoju unosiły się z nich mdlące zapachy. Nie przesiadywał tutaj tak jak w jesieni, używał pierwszej lepszej wymówki, żeby uciekać, bo za dużo tych jęków. Na krześle koło łóżka kiwał się, wiedząc, że z obowiązku powinien tu zostać, ale nie mógł tak długo i wymykał się z poczuciem winy. To nie zwiększało się przez ucieczkę: ponieważ chora i płaczliwa, spadała pomiędzy rzeczy, które bada się obojętnie, a nawet z irytacją, i badając doznaje się satysfakcji, a równocześnie wstydu.

Ważne wydarzenie: Tomasz dostał buty, dokładnie takie, jakich pragnął. Uszyte przez szewca z Pogir, co prawda za duże (na wyrost), przecie wygodne. Miękka cholewa, jeżeli potrzeba, ściągała się rzemykiem w podbiciu, żeby stopa nie jeździła. Drugi rzemyk przewleczony przez uszka ściągał ją pod kolanem.

XLI

Nastąpiła wreszcie wiosna niepodobna do żadnej innej w życiu Tomasza. Nie tylko przez wyjątkową nagłość topnienia śniegów i gwałtowną siłę słońca. Również przez to, że nie czekał biernie, aż rozwiną się liście, na trawniku ukażą się żółte kluczyki świętego Piotra, a w krzakach odezwą się wieczorami kląskania słowików. Wychodził wiośnie naprzeciw, ledwo naga ziemia zaczęła dymić pod światłem bez chmur, i na drodze do Borkun śpiewał i gwizdał wymachując kijem. Las za Borkunami, w który zaszył się zaraz po południu, wywoływał chęć, żeby wyskoczyć z własnej skóry i zamienić się w to wszystko naokoło, coś od wewnątrz rozsadzało aż do bólu i wrzasku zachwytu. Jednak zamiast wrzeszczeć, skradał się cicho, tak żeby żadna gałązka nie trzasnęła pod nogą, i na najmniejszy odgłos czy szmer kamieniał. Tylko w ten sposób przenika się w świat ptaków, te boją się nie kształtu człowieka, ale ruchu. Koło niego spacerowały nakrapiane drozdy, które umiał odróżnić od kwiczołów (te pióra na głowie mają niebieskawe, a nie szarobrązowe), odkrył, obchodząc wysoki świerk, że grubodzioby tam uwiły już gniazdo, co do gniazda sójek, to byłby je przegapił, gdyby nie ich niespokojne skrzeczenie. Tak, to tu, ale tak schowane, że z dołu nikt by się nie domyślił. Na tym młodym świerku gałęzie zaczynały się tuż przy ziemi, wspinał się najpierw z łatwością, ale im wyżej, tym trudniej, bo gęsto, kolce igieł siekły go po twarzy i spocony, podrapany wynurzył głowę na szczycie tuż przy gnieździe. Chwiał się uczepiony cieniutkiego tu pnia, a one atakowały go z góry desperacko, z wyraźnym zamiarem, żeby uderzyć dziobem, i w ostatniej dopiero chwili zwyciężał strach, zwijały się w miejscu, zawracały, żeby za chwilę ponowić napaść. Znalazł cztery jajeczka bladosine w rdzawe plamki, ale ich nie ruszył. Dlaczego większość leśnych ptaków składa kropkowane jajeczka? Nikt nie potrafił tego mu wyjaśnić. Tak już jest. Ale dlaczego? Zsunął się zadowolony z osiągnięcia celu.

Wracał upojony spostrzeżeniami, przede wszystkim leśną wiosną, której piękność nie polega na niczym z osobna, na chórze nadziei złożonym z tysiąca głosów. Na ostrych szczytach, czarnych na tle nieba zachodu, wyciągały swoje melodie drozdy (*Turdus musicus*, a nie *Turdus pilaris* i nie *Turdus viscivorus*! Tylko głupcy mieszają te gatunki). W górze pobekiwały bekasy, jak baranki biegnące gdzieś bardzo daleko za barwą różowozielonego jedwabiu. Antonina utrzymywała oczywiście, słysząc takie odgłosy, że to czarownica Ragana jeździ na diable zamienionym w latającego kozła i męczy go ostrogami. Ale Tomasz wiedział, że ten bek to nic innego niż specjalny świst ich piór.

Barbarce ofiarował bukiet z różowych kwiatów wilczego łyka pachnących jak hiacynty. Przyjęła z łaskawą miną. Pan Romuald w zmierzchu oglądał pod światło lampy wnętrze luf dubeltówki. Powiedział coś, wskutek czego Tomasz zaniemówił i pewnie zbladł z radości. Może litość, a może pochlebna opinia o zdolnościach Tomasza do wcielania się w leśne duchy sprawiła, że zapytał: „Pojedziesz?"

Szczęście zamącała odpowiedzialność. Podkradanie się do głuszca na tokach uchodzi za trudną umiejętność. Jedno nieostrożne stąpnięcie i już przegrana myśliwego, a Romuald zabierał go ze sobą, zgadzając się, żeby z nim razem do głuszca podchodził. Honor Tomasza zależał teraz od tego, czy nie zawiedzie zaufania.

Obyczaje tego ptaka znał, ale nie widział go nigdy, nie trzymały się koło Borkun, tylko w głębi, daleko od ludzi: ptak-symbol prawdziwej puszczy. Tylko dwa albo trzy kroki można zrobić przy końcu każdej jego pieśni, kiedy głuchnie i obojętnieje na to, co się odbywa w ciemności pod nim — bo tokuje jedynie o świcie, w porze między topnieniem śniegów i pierwszą zielenią.

Powstaje podejrzenie co do rodzaju egzaltacji, w jaką Tomasz wpadał na każdą wiadomość o głuszcach i w ogóle pod wpływem wszystkiego, co odnosiło się do przyrody. Czy wyobrażenie ptaka dużego jak indyk, z wyciągniętą szyją i rozstawionym wachlarzem ogona go podniecało, czy raczej wyobrażenie siebie samego, skradającego się w półmroku? Czy zanurzając się w gąszczu, niemy i ostrożny, albo słuchając grania gończych, nie doznawał zdziwienia, że jemu samemu przypadło uczestniczyć w niezwykłych przygodach, jak prawdziwemu myśliwemu? A więc widział nie tylko szczegóły naokoło, ale także siebie widzącego te szczegóły, czyli zachwycał się rolą, w jakiej występował. Na przykład to wygięcie jego stopy przy podchodzeniu zwierzyny — w tym wygięciu wyrażała się świadomość własnej zręczności, trochę za mocna. Ale przecież dorośli nie mają racji, jeśli wierzą, że nie bawią się tak samo. Niech się przyznają, że ciekawość, jak ktoś się czuje w roli kochanka, ważniejsza dla nich bywa niż obiekt miłości. Chcą (nieprawdaż?) smakować swoją sytuację i zyskać w ten sposób tytuł do dumy. Ich gesty i słowa muszą wtedy być trochę fałszywe, bo odgrywane przed sobą, pod kontrolą, w imię zbliżenia się do ideału, jaki sobie wyznaczyli. Żądają, żeby ich uczucia do bliskich im osób odpowiadały ich własnemu obrazowi miłości, jeżeli brak im uczuć takich, jakich potrzeba, fabrykują i zręcznie siebie przekonują, że są prawdziwe. Aktorstwo polegające na tym, że jest się kimś, a równocześnie, drugą częścią siebie, stwierdza się, że jest się tym kimś niezupełnie, jest ich specjalnością i Tomasz tutaj powinien być wzięty w obronę.

Zresztą fanatyzm, z jakim dzielił ludzi na godnych i niegodnych, zależnie od tego, czy odgadywał w nich pasję czy nie, świadczył o wygórowanych wymaganiach jego serca. Ponieważ ptaki uznał za najwyższe piękno, ślubował pozostać im wierny i swoje powołanie realizował z uporem. W jego ruchach, zanadto przepisowych, ujście znajdowała wola, to zacięcie zębów: chcę być właśnie taki, jak zamierzyłem.

Bryczką Romualda zaprzężoną w jednego konia wyjechali nazajutrz zaraz po południu. Piaszczysta droga z głębokimi koleinami przecinała las i dalej wiła się szeroką przestrzenią wrzosowisk, na których z rzadka stały sosny nasienniki albo kępki młodych przezroczystych sosenek, których sporo połamały jak trawę śniegi i wiatry zimy. Wrzosowiska nie wzbudziły sympatii w Tomaszu z powodu ich jałowego wyglądu tak różnego od roślinności nad Issą, a także koło Borkun. Za nimi las mieszany i tam Romuald szukał dróżki-skrótu, używanej do wożenia drzewa. Było tu już dostatecznie sucho, żeby nie obawiać się ugrzęznąć. W cieniu kopyta stukały czasem o płaszczyznę stwardniałego śniegu. Wynurzyli się na gościniec okopany rowami, po półgodzinie otworzył się widok na rozległą polanę, na której dymiły kominy wioski. — To Jaugiele — powiedział Romuald. — Tutaj wszyscy oni to sami kłusownicy.

Na tle czarnego lasu nagie gaje i chrusty błękitniały w wieczornym świetle, układały się na nich warstwami pasma mgły. Między bukietami olch natrafili na mostek i groblę do leśniczówki. Z gniazda na dachu bociany, które chyba właśnie wróciły ze swojej podróży, pokazywały kłębienie się dziobów i skrzydeł. Pies ujadał naprężając łańcuch, a Romuald złaził z siedzenia przed drzwiami z ulgą, prostując kości. Wysoka kobieta w ciemnozielonej spódnicy, która stanęła w drzwiach, objaśniła, że męża nie ma, że poszedł na toki i nocuje w lesie. Zapraszała do środka, ale musieli jechać dalej, jeżeli chcieli odnaleźć go przed nocą. Napili się więc tylko mleka, które im wyniosła w glinianym dzbanku. Kierując się tak, jak im pokazała — na prawo, za sosną z barcią na lewo, koło rojstu znowu na prawo — dostali się wreszcie na szlak pokryty białymi trzaskami i ściółką z obciętych gałęzi. Ciemno już było zupełnie, okorowane kloce połyskiwały z boku tu i ówdzie. Aż z daleka zobaczyli ognisko.

Daszek z sosnowych bierwion ustawiony ukośnie wspierał się na słupkach, odblask płomieni zabarwiał go na ciemną miedź. Na rozłożonych kożuchach siedziało dwóch chłopów i oczywiście Tomasz zaraz zauważył lufy dwóch strzelb opartych o pochyłość. Gajowy i ten drugi zapewniali, że toki są akurat w pełni, chyba że deszcz, ale nie powinno być, słońce zachodziło na pogodę. — A on — zapytał gajowy pokazując na Tomasza — co, też na głuszca? — I gładził wąsy, chowając pod nimi obrażający uśmieszek. Kręcił głową i oglądał uważnie, a Tomasz zmieszał się pod tym spojrzeniem.

Pęki iskier wybuchały, wirowały w górę, rozpływając się w miękkiej czerni. Wyciągnął nogi do ogniska i to grzało mocno przez podeszwy butów. Leżąc na posłaniu z jedlinowych łapek przykrywał się swoim kożuszkiem, szum przebiegał niewidocznymi wierzchołkami sosen, sowa krzyczała gdzieś daleko. Mężczyźni gadali ciągnąc rozwlekle słowa o czyimś ślubie, o jakimś procesie, że ktoś komuś zaorał granicę. Co pewien czas jeden z nich wstawał i wynurzał się z ciemności ciągnąc pień suszu, który ciskał na ogień. Usypiany szmerem rozmowy, przewrócił się na bok i drzemał, ni to we śnie, ni to na jawie docierały do niego głosy i syczenie płomieni.

Szarpnięty za ramię, zerwał się. Ognisko dogasało w wielkim kręgu popiołu. W górze iskrzyły się gwiazdy, bledsze po jednej stronie nieba. Trząsł się z chłodu i oczekiwania.

XLII

Szli w zupełnej ciemności. Cicho, tylko czasem stuk buta o korzeń, szurnięcie lufy o nawisłe gałęzie. We trójkę: przyjaciel gajowego próbował szczęścia na innych stanowiskach. Ścieżka zwężała się, zamiast zapachu igliwia zaczęło zanosić moczarem. Kałuże błyszczały w szarym poblasku przedświtu. Brnęli w wodę albo omijali ją czepiając się olch. Potem balansowali na oślizgłych kłodach rzuconych tu jako kładki, między widmami suchych trzcin.

Ni to grobla, ni to dukt. Z lewej strony rów, z niego w ciszy rozlegało się kumkanie żaby. Za rowem majaczyły karłowate sosenki rojstu. Z prawej strony ciemna masa lasu, jaki rośnie na podmokłych gruntach. Tomasz rozróżniał w jego wnętrzu jaśniejsze pnie i wijące się korzenie zwalonych drzew, plątawisko nagiej łozy, łomu i wykrotów. Na wprost nich niebo podpływało różowością i kiedy zatrzymać na nim wzrok, wszystko naokoło wydawało się bardziej czarne.

156

Przystawali, nasłuchując. W pewnej chwili Romuald ścisnął go za ramię: „To on", powiedział szeptem. Ale Tomasz nie zaraz chwycił ten dźwięk. Nie więcej niż westchnienie przytłumione przez odległość, tajemniczy sygnał, nie przypominający niczego na świecie. Jakby ktoś kuł — ale nie, jakby odkorkowywał butelki, i też nie to. Uścisnęli sobie ręce z gajowym, który zaraz zniknął.

— Tymczasem można podchodzić tak, tylko ostrożnie. On daleko, nie słyszy — zamruczał mu Romuald. — Potem to uważaj.

Niosąc strzelbę w jednej ręce, utrzymując równowagę drugą, zagłębił się między chaszcze. Tomasz za nim, z całą uwagą napiętą, żeby unikać łomotania. Tylko jak unikać? Noga, zanim dosięgła gruntu, napotykała na pokłady suchych badyli, te pękały z hałasem. Wyświdrowywał dziurę butem w ich siatce, nim stąpnął, albo wybierał kępy mchu. Tak, głuszec potrzebował prawdziwej puszczy, żeby go chroniła. Barykady pni leżących jeden na drugim zagradzały im drogę i Romuald wahał się — przełazić pod spodem czy górą. Dźwięk odzywał się teraz już wyraźniej. Jakby wydzierane z wysiłkiem brzmiało tek-ap, tek-ap, coraz prędsze.

Taka scena trwa w pamięci na zawsze. Przede wszystkim olbrzymiość osin, jeszcze większych przez oświetlenie perłowe, ni to nocy, ni to dnia, a między ich konarami już jaskrawość zapowiadająca wschód słońca. Korzenie, jak gigantyczne palce wczepione w wilgotny mrok, pęd walców w górę, w światło. Romuald, zaledwie mrówka przy nich, przedzierający się z podniesioną strzelbą. I ten dźwięk. Tomasz zrozumiał, dlaczego tak ceni się to polowanie. Żadnej innej pieśni równie ściśle wyrażającej dzikość wiosny nie umiałaby wynaleźć natura. Nie melodia, nie wdzięczny trel — nic więcej niż stukanie bębna, który przyspiesza rytm, tętna walą w skroniach, aż pieśń głuszca i bęben tłukący się w pieśni zlewają się w jedno. Bez podobieństwa do głosu żadnego innego ptaka, nie poddający się opisowi dźwięk.

Tomasz naśladował we wszystkim Romualda. Kiedy ten odwrócił się i dał znak, zatrzymał się. Więc już. Teraz będą tylko skakać. Głuszec przerwał. Cisza. Wysoko przeleciały drobne ptaszki z ostrym świergotem. Znów zaczynał. Tek-ap, i coraz prędzej, coraz prędzej, aż nowy odgłos się dołączył — jakby ktoś ostrzył nóż — i wtedy Romuald dał skok, drugi i stał nieruchomo. Tomasz nie ruszył się wcale, bo bał się, zanim nie podchwyci tempa. Ale w momencie kiedy głuszec zaczynał nową serię, był już przygotowany i słysząc szlifowanie skoczył równocześnie z Romualdem. Raz, dwa, trzy — pojął, że tyle czasu ma się do rozporządzenia, bo ptak głuchnie i można nawet hałasować, byle zaraz zamienić się w martwą rzecz.

Raz, dwa, trzy. Koncentrował się cały na tej czynności i modlił się: „Panie Boże spraw. Panie Boże spraw". Nie wolno, żeby nie wiedzieć co, poprawiać się. Gdzie stanąłeś, tam czekaj. Ale jedna noga Tomasza wysunęła się szukając oparcia w kępie mchu i już po „trzy" ześlizgiwała się w wodę, błoto bulgotało głośno. Mógłby cofnąć ją przyciągając się do drzewka za nim, ale to by chyba zaskrzypiało. Więc grzązł z rozpaczą, a Romuald mu pogroził.

Stracił jedną pieśń na wydobywanie nogi z bagna. Znów skakał w pewnej odległości za Romualdem i niepokoił się, że wpadną na głuszca, bo ten tokował teraz, zdawało się, bardzo blisko. Obliczając, gdzie postawi nogę, przygotowywał się, kiedy nic nie nastąpiło. Minuty biegły i nagle w gęstwinie przed nimi trzepot skrzydeł. Koniec. Odleciał. Przerażony, wzywał wzrokiem Romualda, żeby się odwrócił.

Nie, głuszec zagrał, tak samo, jakby trochę wyżej. Zmienił tylko gałąź? Tomasz z przysiadów Romualda i jego wypatrywań odgadł, że układa plan, bada, którędy najbezpieczniej zbliżyć się nie będąc spostrzeżonym. Nad dachem lasu niebo już jasne, promienie zabarwiły czerwono grupę osin przed nimi. Tam skierował się wielkimi susami Romuald i wezwał go gestem ręki.

Głuszec, wysoko, w luce między świerkami. Zadzierając głowę, przyklękając na mchu, Tomasz oglądał go zza pnia. Wydał mu się mały, prawie jak kos. Opuszczone skrzydła, ukośnie sterczący wachlarz ogona, szare na tle zupełnie czarnego świerku, na którym siedział. Plecy Romualda, zgiętego wpół, zanurzały się w iglaste zasłony, zachodził z boku.

Strzał. Tomasz widzi odrywanie się głuszca od gałęzi, bez żadnego ruchu skrzydłami, długą smugę spadania, słyszy łoskot uderzenia o ziemię, drugie echo za echem strzału. Przeciąga językiem po spieczonych wargach. Jest w nim szczęśliwość i dziękczynienie Bogu.

Z metalicznym połyskiem, czerwoną brwią, dziobem jak z białawej kości, kiedy wzięty za głowę przez Tomasza i podniesiony na wysokość ramienia, zwieszał mu się aż do stóp. Pod dziobem jakby broda z piór. Nie znał ludzi, może raz czy dwa słyszał z daleka ich głosy. Ani ciotka Helena, ani książki, ani buty, ani budowa strzelby nic go nie obchodziły i nie wiedział, że żyją Romuald i Tomasz, nie wiedział i nigdy się nie dowie. Uderzył piorun i zabił. A on, Tomasz, przebywał za piorunem, z drugiej strony, spotkali się tak, jak mogli się spotkać, i trochę żal, że nigdy inaczej, tylko tak. Właściwie tęsknił do porozumienia z różnymi żyjącymi istotami, takiego jakiego nie ma. Czemu ta przegroda i czemu, jeśli się kocha naturę, trzeba zostać myśliwym? Nawet jego puchacz: nie spełniło się tajne marzenie, że któregoś dnia przemówi albo zrobi coś na dowód, że na chwilę przestaje być puchaczem. A ponieważ nie spełniło się, pytanie, co dalej, kiedy już trzyma się go w klatce. Móc samemu przybrać inną postać, głuszca chociażby, też niemożliwe, i co pozostaje, to nieść zabitego ptaka i wchłaniać jego zapach, zapach dzikiego wnętrza gęstwiny.

Słońce wschodzi. Te same wykroty i plamy mazi pod skłębionymi pękami łóz już były mniej niezwykłe, szybko znaleźli się przy rowie, od którego nie oddalili się tak bardzo, jak sądził. Smakował ich marsz wzdłuż rowu: drapieżna jutrzenka w chaosie pogiętych, opartych jedne o drugie sosen, mężczyzna z pręgą dubeltówki, z sinym dymkiem papierosa, i on, dźwigający zdobycz.

XLIII

Życie ludzi, którzy nigdy, wychodząc rano przed dom, nie słyszeli bulgotu cietrzewi, musi być smutne, bo nie poznali prawdziwej wiosny. Nie nawiedza ich w chwilach zwątpienia pamięć godów weselnych, które gdzieś odprawiają się niezależnie od tego, co ich samych gnębi. A jeżeli ekstaza istnieje, to czy ważne jest, że to nie oni jej doznają, ale kto inny? Liliowe kwiaty z żółtym pyłkiem wewnątrz wyłażą spomiędzy igliwia, na łodyżkach obrośniętych aksamitnym puchem, kiedy cietrzewie koguty tańczą na polanach, wlokąc po ziemi skrzydła i ustawiając prostopadle ogon-lirę, atramentową z białym podbiciem. Ich gardła nie mogą pomieścić nadmiaru pieśni, wydymają się tocząc kulę dźwięku.

Romuald nie strzelał ich w samych Borkunach, dbając o zwierzostan w najbliższym sąsiedztwie. Brzezinka, w której rezydowały żmije, graniczyła z młodym sośniakiem i upodobały sobie to miejsce na toki. Drzewka rosły tam rzadko, ale bujne, z gałęziami kładącymi się na ziemię. Między nimi, jak parkiet, niziutkie mchy, liszaje siwego koloru, gdzieniegdzie kępki brusznic. Do polowania buduje się zwykle w takich okolicach szałasy z zewnątrz podobne do krzaków, myśliwy chowa się tam przed świtem i czeka, mając przed sobą salę balową cietrzewi. Tomasz stawiał za punkt ambicji, żeby używać tylko własnej zręczności. Polował bez strzelby, jako zadanie wyznaczał sobie podkraść się tak blisko, że gdyby miał broń, na pewno by nie chybił.

Mleczne mgły i dziecinna różowość nieba. Takie mgły mogą zdarzyć się o każdej porze roku, czym różnią się od innych, że zapierają oddech swoją pogodą? Wśród nich, na bieli rosy albo szronu, lśniąco czarne koguty, wielkie żuki z metalu. To, co wybrały sobie za teren miłosnych harców, jest czarodziejskim ogrodem. Tomasz pełzał na czworakach i podglądał, ale zbliżyć udało mu się tylko raz, drugi raz był to cietrzew, który czuszikał siedząc na sosence: przezroczyste krople na końcach igieł błyszczały i mieniły się, a ptak był centrum przestrzeni, równy dla Tomasza planecie. I co najważniejsze, poleciał sam, nie przestraszony jakimś nieostrożnym stąpnięciem. Czapka-niewidka — tej pragnął Tomasz, ale i bez niej umiał czasami zostawać niewidzialnym.

Wiosna nabiera mocy i kwitną czeremchy, aż na brzegu Issy mroczy od ich gorzkiego zapachu, dziewczęta unoszą się na palcach i zrywają kiście kruchych, łatwo osypujących się kwiatów, wieczorem na łące za wioską bębenek i trąbka krążą w kółko w monotonnym tańcu suktinis. A zaraz już dom w Giniu zanurza się w obłokach liliowego bzu.

Czterozębna ość na długim kiju, którą Tomasz niósł, kiedy Pakienas albo Akulonis szli na narestujące szczupaki, nie znalazła się w tym roku w jego ręku, a sznurek na jego wędkach zaraził się rdzą od haczyków. To nawet powodowało wyrzuty sumienia. Ale zbyt wiele miał pilnych zajęć. Zarówno u pana Romualda, jak w Borkunach starej Bukowskiej, dokąd nie pociągała go co prawda ani ona, ani Dyonizy, ani Wiktor, tylko jezioro.

Jezioro było małe, ale nigdzie do niego nie przylegało pole, nie wiodła do niego żadna droga i to stanowiło o jego wartości. Naokoło moczar, jedną tylko ścieżką, i też chlapiąc się do kostek, można było dostać się na jego brzeg. Obrastały je wysokie trzciny, ale Tomasz odkrył zatoczkę z otwartym widokiem i tam przesiadywał nieruchomo na olchowym pniu. Gładkość zupełna, tafla drugiego nieba, a wodny ptak przepływając wlókł za sobą długie fałdy. Bo jezioro miało mieszkańców i na ich pojawienie się zawsze wyczekiwał. Kaczki obniżały się ze świstem i długo szły nad samą powierzchnią, dotykając jej trójkątami skrzydeł, aż mąciły ją i falki od nich biegły ku niemu. Na te kaczki czatowały jastrzębie kwilące wysoko i raz był świadkiem napaści jastrzębia w powietrzu na kolorowego kaczora, któremu udało się uciec w trzciny. Jednak najbardziej chciał wyśledzić obyczaje perkozów. Czasem wynurzały się tak blisko przy nim, że mógłby rzucić kamieniem: różowy dziób, czubek i na białej szyi rdzawe bokobrody. Co znaczyły ich dziwaczne ceremonie na środku jeziora? Szyje zamieniały w węże, smużyły po wodzie z ogromną szybkością, a te węże wyginały w łuk, głowę trzymając nisko. Ich pęd dziwił, bo skąd się brał, jeżeli nie leciały i ledwo tykały wody? Jak motorowe łódki na ilustracjach babki Dilbinowej. I po co? „Gogo się go gugne", czyli: „Gonią się, bo durne", co oczywiście nie wystarczało jako przyrodnicze wyjaśnienie.

W ogóle Wiktor nie bardzo nadawał się jako towarzystwo z powodu swego jąkania się i drewnianości. Orał, bronował, podrzucał w drabinki karm dla koni i krów, a nawet doił krowy z dziewczyną, co u nich służyła, zawsze zapracowany i trochę popychadło. Może nauczył się jąkać ze strachu przed matką. Stara Bukowska siedząc rozstawiała szeroko kolana, między nimi wielki brzuch, na kolanach opierała ręce ściśnięte w kułak. Między tą zwykłą jej postawą a graniem na gitarze z przewracaniem oczami, kiedy wpadła w dobry humor, istniała duża różnica i Tomasza jej śpiewy raziły, jakby wół udawał słowika.

Bukowska hodowała dużo kaczek i jeden szczegół ich dotyczący dał Tomaszowi do myślenia. Kaczki łaziły koło domu i szczypały trawę albo próbowały taplać się w dołku, na dnie którego woda zbierała się tylko po deszczu, poza tym nic prócz wilgotnego mułu, w suszę pękającego w zygzakowate rysy. „Czemu one nie idą do jeziora?" — zapytał. Wiktor skrzywił się jakby pogardliwie i jego odpowiedź po wyłuskaniu jej z gdakań sprowadzała się do: „Ba, żeby one wiedziały!" Nie wiedziały, że tuż obok jest raj nurkowania w ciepłej wodzie pełnej wodorostów, szerokich liści na sennej toni, zakamarków w sitowiu. Patrząc na te płaskie dzioby sunące z mlaskaniem, na ich miny (te spuchnięte policzki), Tomasz litował się nad ich śmiesznym ograniczeniem. Cóż łatwiejszego jak wybrać się w wędrówkę do jeziora? Byłyby tam w dziesięć minut. Niejasną filozoficzną myśl miał doprowadzić do końca dopiero w kilka lat później. Ludzie są biedni. Zupełnie jak te kaczki.

Piękno tej wiosny, kiedy miał już skończonych dwanaście lat, nie uchroniło Tomasza od pewnych niepokojów, a może w jakiś sposób do nich się przyczyniło. Po raz pierwszy zauważył, że on sam to niezupełnie on sam. Jeden taki, jak to sam we środku czuł, a drugi zewnętrzny, cielesny, tak jak się urodził i nic tu nie należało do niego. Barbarka, mówiąc o nim „szutas", nie znała jego podziwu dla niej, gdyby znała, tak by go nie skrzywdziła. Oceniała go z zewnątrz, a ta zależność od własnej twarzy („Tomasz ma twarz jak tatarska dupa"), od gestów i ruchów, za które ponosi się odpowiedzialność, ciążyła mu bardzo. A jeżeli on nie jest taki jak inni, tylko gorszy, inaczej urządzony? Romuald na przykład jest żylasty, suchy, kolana ma ostre — i Tomasz macał się po udach, znajdując, że za grube, stawał bokiem przed lustrem i oglądał wystające siedzenie, natychmiast, jeżeli rozległy się czyjeś kroki, udając, że mijał tylko lustro i nie zatrzymywał się przed nim. Włosy układają się innym na dwie strony, od przedziałku, brał szczotkę i próbował je zaczesać, ale równie dobrze mógłby sierść psa zaczesywać w przeciwną stronę, nic z tego nie wychodziło.

Więc mieszka się w sobie jak w więzieniu. Jeżeli inni z nas kpią, to dlatego, że nie przenikają w naszą duszę. Nosi się w sobie obraz siebie z duszą zrośniętego, ale jakieś jedno cudze spojrzenie wystarczy, żeby jedność rozerwać i pokazać, że nie, że nie jesteśmy tacy, jak nam by się podobało. I później chodzi się będąc w sobie, a równocześnie oglądając siebie z udręką. Tym bardziej tęsknił do swego Królestwa Puszczy, którego plan chował w szufladzie zamykanej na kluczyk. Po namyśle doszedł do wniosku, że kobiet tam nie będzie się w ogóle wpuszczać, ani takich jak Helena, ani jak Bukowska, ani jak Barbarka. Mężczyźni też potrafią przymrużać oczy i patrzeć zimno, ale to pozostaje w jakimś związku z kobietami, najczęściej w ich obecności. Mężczyźni, jeżeli ich umysł skierowany jest ku celom szlachetnym, nie troszczą się o takie głupstwa, jak kto wygląda.

Liście lip koło domu w Giniu z drobnych pączków rozwinęły się w wielkie zielone ręce i zakryły dzwonek wiszący w zmurszałym domku wysoko w rozwidleniu pnia. Tego dzwonka nigdy za pamięci Tomasza nie używano, nie zwieszał się z niego żaden sznur i nikt nie zdołałby się tam wdrapać. Po południu na nabożeństwie majowym w kościele światło padające przez okna było żółte, pachniały kwiaty koło niebieskiej Matki Boskiej.

Ciepłe deszcze. Po nich na ścieżkach zostają ławice czekoladowego iłu, w którym ostatnie strumyczki żłobią sobie przejścia. Stawia się stopę i wtedy z między palców wyłazi miękkie ciasto. A potem woda napełnia wgłębienie wyciśnięte piętą.

XLIV

Okno pokoju babki Dilbinowej było otwarte i słowik, choć jeszcze jasno, śpiewał w zaroślach nad sadzawką. Przebudziła się z ciężkiego snu pełnego przywidzeń, zdawało się jej, że ktoś stoi nad łóżkiem. „Artur!" zawołała. Ale nie było nikogo i uświadomiła sobie, że jest tu, że lata minęły i że złote litery na grobowej płycie musiały zmyć deszcze.

Brońcia Ritter, z dwoma jasnymi warkoczami, łapiąca na szybie motyla, żeby go wypuścić, patrzyła w wieczorne cienie na suficie, dwa kosmyki siwych włosów leżały na poduszce. Ściany domu w Rydze chroniły ją od zła i czas nie miał do nich dostępu. Zbyt szczęśliwe dzieciństwo, a później spada się w przepaść, jeszcze nie wierząc, że tylko to jest prawda, że nie rozlegnie się wesoły śmiech, który obróci nieodwołalność w żart. Czym było to wszystko? Łyżeczka, która nakłada konfitury, i mieniący się jedwab sukni matki, siostra zawiązuje jej wstążkę, dzwonią drzwi wejściowe i ojciec kładzie na konsoli torbę w kraty, z którą wraca od pacjentów. Dlaczego stamtąd musiała jej być dana ta, a nie inna droga? Niemożność zgodzenia się, żeby to przytrafiło się właśnie jej, musi się to uznać, ale się nie ogarnia, tylko smutna powieść, którą zaraz się odłoży, nie, nie można jej odłożyć. Dlaczego ja?

Spadanie. To wtedy kiedy wracali z Arturem z kościoła i śnieg tajał jej na rzęsach. Pełgające płomyki świec w kandelabrach i skrzypienie podłóg w domu, który miał odtąd być jej domem. „Nie, nie!" To było jak odkrycie, że śmierć istnieje. Łańcuchy z papieru, którymi przystraja się choinkę, i dźwięk chórem śpiewanej kolędy i kwiaty i toczenie obręczy w ogrodzie — pękają, rozsypują się, a wyłania się spod nich okrucieństwo i tylko ono jest rzeczywiste. „Nie, nie!" *Consummatio* na wieki. Artur był dobry. Ale ona ulegała sile, potwornemu urządzeniu świata, z którym on był oswojony. Zapach tytoniu i rzemienia wprowadzał ją w kraj, gdzie każdy przestaje być czymś innym niż przedmiotem, gdzie przystrojenia miłych obyczajów okazują się fałszem, nieudolnie kryjącym nagość prawa. I zdumione pytanie: więc to tak? Nikt nie buntuje się przeciwko temu, uświęcono i uznano, a przecież żadne słowo nic tu nie łączy, nic tu nie zmienia.

Kim był Artur, nie wiedziała, nawet wtedy kiedy jego wąsy rysowały kresy na jej twarzy jak z wosku, kiedy poprawiała knoty świec przy trumnie i myślała mimo woli:

„rzecz". Nakręcona sprężyna energii, która działała według własnej swojej zasady. Swoją gwałtowność tłumił ssąc cybuch fajki. Nie lubił opowiadać o sobie. Na plecach miał blizny od knuta. „To za bunt, w katordze" — kilka mrukliwych słów za cały opis. Jeździł reniferami tam, gdzie albo ciągła noc, albo ciągły dzień, w tundrach Syberii. W lasach, w czasie powstania, jak zawsze prosty, szczupły, w czamarce, pas z klamrą. I czym się chlubił, to jak spadał z konia zabity przez niego oficer rosyjskich dragonów; strzelił do niego z dubeltówki, kulą, jak do dzika. Bo celność w strzelaniu była jego dumą zawsze. Notatki i rachunki po nim. „Matyldzie Żidonis rubli 50". „T.K. rbs 20". Domyślała się, że ją zdradzał, nigdy tego nie okazała po sobie. W testamencie legaty bez wyraźnego powodu jakimś chłopom z okolicznych wiosek: jego synom.

Daty mieszają się, zimy, wiosny, małe zdarzenia, choroba, goście. Teodor urodził się w roku 1884, tak, nie miała wtedy jeszcze dziewiętnastu lat. Czy płakała tego dnia, kiedy otrzymała wiadomość, że utonął, kąpiąc się, Konstanty, z którym byłaby szczęśliwa? Chyba nie. Nieruchome zapatrzenie w głąb czegoś, tak jak się patrzy na wiry strumienia albo na płomień. W kufrze zeszyt z lekcji rysunku, w nim jeden jego rysunek. Tu, dotychczas w kufrze.

Słowik krzyczał, odpowiadał mu drugi. Z okna ciągnęło wilgocią. Cokolwiek było, słabnie, chwieje się, rozwiewa i człowiek modli się wtedy wołając o pomoc, bo wątpi o tym, że żył. Jeżeli gwiazda, która rozjarza się na zielonkawym niebie, naprawdę jest tak daleko, o miliony mil, jeżeli za nią krążą inne gwiazdy i słońca, a cokolwiek rodzi się, mija bez śladu, tylko Bóg zdoła ocalić przeszłość od nieznaczenia. Choćby przeszłość cierpień. Byle wolno ją było odróżnić od snu.

— Zamknij okno, Tomaszek, bo zimno.

Jej głos skrzypiał: zawiasy drzwi otwieranych powoli. Tomasz uchwycił ten nowy ton. Od dłuższej chwili przyglądał się jej. Palce splecione, koło podbródka pełne policzki obsunięte, oddzielone od niego wklęsłą linią. Szyja chuda, z dwiema fałdami skóry. Obróciła twarz ku niemu. Oczy, jak zawsze, niezupełnie zajęte tym, co przed nią. Wnuk. Dobra krew czy zła krew? Męskość i burzliwość Artura czy jej lęk przed ostrością wszystkiego, co tu na ziemi w nas uderza? Czy krew tych — dzikusów? Że Teodor nie był jak jego ojciec, tylko miękki i właściwie słaby, tylko ona ponosiła winę. I ponosiła winę za Konstantego. A ten chłopiec mógłby okazać się kimś jak Konstanty, jeżeli po niej coś wziął.

— Szatybełko przywiózł list, tu leży, o, zobacz.

Na rogu stolika z lekarstwami kartki, pod nimi koperta. Pismo pochyłe, skaczące, w którym nie rozpoznawał ani jednego wyrazu, to ojca. Pismo, w którym niektóre litery oprowadzono atramentem drugi raz, jakby ze skrupułu, że mogą wydać się nieczytelne, to matki.

— Mamusia pisze, że przyjedzie teraz już na pewno, najdalej za parę miesięcy.

— Którędy? — zapytał.

— Wszystko już przygotowała. Wiesz, że granica zamknięta, więc legalnie nie może. Pisze, że zna miasteczko, gdzie łatwo przejść.

— Czy tamtędy my z nią pojedziemy, czy przez Rygę?

Babka szukała koło siebie różańca. Schylił się i podniósł go z podłogi.

— Ty pojedziesz. Mnie już nic nie potrzeba.

— Dlaczego babcia tak mówi? — I czuł obojętność, a z powodu tej obojętności gniew na siebie.

Nic nie odpowiedziała. Jęknęła i próbowała się unieść. Pochylił się i pomagał, jej kuliste plecy w barchanowym kaftaniku, bruzdy w tyle szyi pod uchem.

— Te poduszki. Tak się zbijają. Może możesz wyprostować.

Litość Tomasza była niepełna, chciałby, żeby była lepsza, ale do lepszej zmuszałby się i to jątrzyło go, że nie znajdował w sobie innej niż sztuczna. Teraz babka wydała mu się mniej irytująca niż zwykle, dlaczego, nie zastanawiał się, jakaś mniej przezroczysta, bez wszystkich jej za łatwych chytrości.

— Słowików dużo w tym roku — stwierdziła.

— Tak, babciu, dużo.

Zaczęła przebierać ziarnka różańca i nie wiedział, czy zostać, czy odejść.

— Tyle kotów — powiedziała wreszcie. — Jak te ptaki nie boją się śpiewać.

XLV

Czy naprawdę bez świadków? Bujna trawa przyciśnięta podeszwą prostuje się powoli, kiedy stopy depczą już inne źdźbła, dalej już szeleszczą szorstkie pałeczki o cholewy butów, spłoszony drozd wraca na dawne miejsce, gdzie szukał gąsienic. Tych dwoje siedzi w małej studni, której ściany są z gęstych liści, nad nimi przesuwają się obłoki. Ciemne ramię opasuje plecy w białej bluzce. Mrówka stara się wydostać spod nagle rzuconego na nią ciężaru.

Jest to pora roku, kiedy kukułka jeszcze kuka, ale już zanosi się często śmiechem, zanim umilknie aż do następnej wiosny. Nikt nie liczy w tej chwili jej ech, zapowiadających lata do przeżycia. Szepty na dnie zieleni i słabe pobrzękiwanie ostrogi.

A oto, idąc cicho, zbliża się czarownik Masiulis. Przez ramię ma przewieszoną płócienną torbę, w którą zbiera zioła. Pochyla się, kładzie kij i nożykiem wydłubuje korzeń, potrzebny mu do jakichś jego celów. Dobiega go głos ludzki. Kilka kroków, rozchyla zasłonę liści i, niewidzialny dla nich, mruży oczy z wyrazem kpiny. Bo gest, z jakim kobieta porządkuje teraz suknię, oznacza: tego nigdy nie było. Oddzielone na zawsze i rozmawiać zacznie o rzeczach obojętnych, tak jakby wróciła z przygód, w jakie wpada się podczas wędrówki po królestwach nocy. Puszcza gałęzie i wycofuje się. Odszedłszy na skraj lasu, przysiada na kamieniu i zapala fajkę.

Masiulis nie jest beznamiętny. Tak jak się go zna, mądrość swoją karmił chichotem i właściwie pogardą. Pogardą dla natury ludzkiej, także swojej własnej. Czyż nie powiedział raz komuś (niewątpliwie trudno zrozumieć, dlaczego to zrobił), że człowiek to jak owca, nad którą Pan Bóg zbudował drugą owcę z powietrza, i owca prawdziwa nie chce w żaden sposób być samą sobą, tylko tą drugą. To zdanie stanowi prawdopodobnie klucz do jego czarów. Jeżeli się ma takie wyobrażenie o człowieku, nic naturalniejszego, niż pomagać owcom, kiedy napotykają na trudności, utrzymując się w powietrzu.

Brak powodów, żeby Masiulis o parze w gąszczu myślał życzliwie. Każdych dwoje, którzy oddzielali się od innych, obrażało go w jakiś sposób, ponieważ zdawało się im, że tylko im się coś podobnego zdarza. Obrażało może nie, ale bawiło, pobudzając do zgryźliwości. Jednak rzuca się kijem w psy, kiedy zachowują się nieprzyzwoicie na oczach wszystkich — bo ich zwieszone języki i słodkie miny nasuwają przypuszczenie, że nie czują wcale własnej śmieszności, tylko rozpamiętują swoją przyjemność, stoją tak, jakby w bezpieczeństwie: że nikt równocześnie z nimi tego samego nie doświadcza. Co do tych w lesie, to Masiulis gniewnie mruczał do samego siebie: „Isz, ty, kobyła!", a to stosowało się do skromnego gestu Heleny Juchniewicz przy poprawianiu sukni.

Zbiegiem okoliczności w kilka dni później Barbarka przyszła do Masiulisa o radę, ponieważ nie ma nikogo innego, żeby szukać rady i lekarstwa. Nie pyta, jak ksiądz w konfesjonale: „A ile razy, moje dziecko", bo wie, że dużo razy. Co prawda ksiądz Monkiewicz, wysłuchując grzechów swoich parafian, oczekiwał od nich tylko mocnego postanowienia poprawy. Mocne postanowienie poprawy jest to westchnienie do Boga, żeby wejrzał na naszą gorącą chęć pozbycia się chęci do grzechu; żeby następnie, kiedy wpadniemy z powrotem w dawne koleiny, nie miał nam za złe. Ponieważ widzi wszystko, widzi także, że naprawdę jesteśmy aniołami i ulegamy wbrew naszej woli potrzebom ciała, nigdy nie udzielając pełnego przyzwolenia, z żalem, że tak, a nie inaczej jesteśmy urządzeni. Już odchodząc od konfesjonału Barbarka, jak inni, wiedziała, że zwaliła jedną porcję, a przystępowała do zbierania drugiej.

Na taki kłopot, jaki przypadł Barbarce, istnieją wypróbowane babskie sposoby. Do jedzenia wystarczy dodać odrobinę krwi z periodu, a mężczyzna, który to zje, zostanie przywiązany niewidzialnymi nićmi. Albo to nie pomogło, albo korciło ją, żeby się przed kimś wyskarżyć. Czarownik przyjął ją dobrze i długo mówił, a łzy jej kapały na palce. Ze wstydu też. Gdyby Romuald dowiedział się, że latała po to do Masiulisa, zbiłby ją i miałby do tego prawo. Bo Masiulis buntował ją przeciwko niemu. Do dawnej jego złości dołączyło się podglądanie tamtych dwojga. I nie dał jej lubczyku, który się gotuje i odwar wlewa się po trochu do potraw, tylko doradzał, żeby przestała sobie zawracać głowę paskudnym dziadem, zdradliwym szlachcicem, którego ciągnie do szlachcianek.

Oczy miała zapuchnięte, kiedy wracała do domu. Jednak na ścieżce w lasku zatrzymała się i bosą nogą zacierała w zamyśleniu ślady końskich kopyt. „Eee, co on tam wie". Czy on znał Romualda? Nie, ona znała. Są tajemnice, których nikomu wyjawić nie można. Stary? Ale kto tak jak on...? Zgięła wielki palec u stopy, nabrała piasku i igliwia. Nie, to trzeba inaczej.

Barbarka ma dwadzieścia dwa lata. Spódnica pofurkuje, ociera się o uda, stopy stąpają coraz pewniej. Podbródek podniesiony i wargi wydymają się w uśmiechu siły. Tam, skąd otwiera się widok na zabudowania, przystaje i ogarnia wzrokiem dachy, żuraw u studni, sad, jakby zobaczyła to pierwszy raz.

Na pewno inaczej. Jak, to już się okaże. Na razie tylko zarys postanowień, ale to już dosyć. Tak wypłakać się, jak ona u Masiulisa, jest zdrowo. Coś w nas nagle obraca się i w jednym błysku ukazuje się błędność pokornego znoszenia losu. Z Borkun iść precz? Nie.

Wizyta u czarownika nie została więc bez skutku, ale przeciwnego temu, do jakiego zmierzał. Uległ zanadto swoim pasjom, te są dobre, dopóki podniecają do mądrości, a nie, kiedy rządzą zamiast niej. Zachował się wyraźnie wbrew swemu powołaniu.

Romuald stukał młotkiem przed stajnią, naprawiając pług. W kuchni Barbarka nabrała z wiadra w dłoń wody, obmyła twarz i przejrzała się w lusterku. Nic nie powinno być znać. Jeżeli już zręcznością, to niespodziewanie. I oblizała wargi, żeby nie wyglądały na spierzchnięte.

XLVI

Luk Juchniewicz popłakiwał siedząc w rogu kanapy. Równie łatwo jak w czułość wpadał w smutek. „Ależ, Luczku — próbowała go pocieszać babcia Misia — nic się jeszcze nie stało, może nie rozparcelują". „Rozparcelują — jęczał. — To już na pewno. Łajdaki, złodzieje, puszczą nas wszystkich z torbami. Gdzie my podziejem się, nieszczęśliwi". I wycierał oczy wierzchem dłoni.

Majątek, który od dawna dzierżawili Juchniewiczowie, rzeczywiście miał zostać podzielony według jakiegoś przepisu reformy rolnej i trudno było Lukowi zaprzeczać. Ciotka Helena siedziała obok niego z mgiełką łagodnej rezygnacji w spojrzeniu. Dziadek, na krześle naprzeciwko nich, chrząkał.

— Ależ przeniesiecie się tutaj, naturalnie. To nawet lepiej, pomożecie nam w gospodarstwie. A także ze względu na reformę lepiej, żeby Helena tu mieszkała.

— Józef złożył przecież donos — westchnęła Helena.

— Ten paskudnik, a co, czy nie mówiłam? Twoi Litwini zawsze tacy, a ty — babcia Misia zwracała się do dziadka przedrzeźniając — dobrzy, kochani, nie, oni nic złego nie zrobią. Och, ja bym ich bizunem, bizunem, tobym ich nauczyła dopiero.

Dziadek poprawiał spinki w mankietach, jak wtedy kiedy czuł się niepewnie.

— Uriadnik obiecał, że załatwi. No cóż, trzeba będzie posmarować i ten Józef tak bardzo nie zaszkodzi.

— Mnie to wydaje się, że najmądrzej, żeby pójść na leśniczówkę. Żeby widzieli, że tatuś na swoim i ja na swoim. Zawsze co u siebie, to u sieeebie — przeciągała Helena.

Tomasz podnosił wzrok znad książki, słuchał ich przez chwilę i zaraz ich głosy zlewały się znowu w szmer bez treści. Wygrzał sobie dołek w chłodnej skórze kanapy pod oknem. Za oknem jadalni wróble świergotały w dzikim winie, które już sięgało wąsami futryn. Liście agawy na trawniku stały złotawe od popołudniowego słońca.

— Biedaczek, cipuchna, on zginie — szydziła babcia Misia. — Fuj, taki byk, siedzi i nic nie robi, samogon pędzi, do Pogir sprzedaje, pijak zatracony. A jaki tłusty, aż obrzydliwie. Won wyrzucić i koniec.

— Przecież, hm, dom sam zbudował — bronił się dziadek. — I lasu pilnuje. Jakżeż tak można z człowiekiem.

— Z człowiekiem! A właśnie że wcale nie z człowiekiem, tylko to najdroższy Baltazarunio, perełka, oczko w głowie, milszy od własnej córki.

— Ależ, broń Boże — i Helena podnosiła dłonie ze zgrozą — żeby kogo krzywdzić. Nawet na sekundę tego nie pomyślałam. Na przykład tu we dworze dostałby mieszkanie, pomagałby. Szatybełko już stary, albo choć jeden dom w kumietyni dla niego zwolnić.

Tutaj Tomasz nadstawił ucha, zaciekawiony, jak dziadek będzie sobie radzić.

172

— Tak, można by — zgodził się dziadek. — To nawet dobry plan. Tylko widzisz, Helciu, hm, takie już są czasy, że, hm, sama rozumiesz, jeżeli zrazić i rozgniewać... Sama chyba uważasz, że teraz najważniejsze... żeby te działy zatwierdzili. Więc, hm, nie będziesz sobie robić wrogów. On zna las i mógłby... Dość już z Józefem kłopotu.

Wizja niebezpieczeństwa podziałała na Helenę i babkę, które nic nie odpowiedziały. Luk trzymał się za głowę.

— Jakich strasznych czasów dożyliśmy! Z każdym chamidłem uważaj, głaskaj jego. Oj, jak mnie na duszy ciężko.

— Biedny Luk. Może jemu waleriany — zaofiarowała się babka, na co Helena nie zwróciła żadnej uwagi.

Dla Tomasza Luk był postacią zagadkową. Żaden z dorosłych tak się nie zachowywał jak on i na sam jego widok chciało się parsknąć śmiechem, ale nikt się nie śmiał, więc pojawiało się niedowierzanie samemu sobie. Przecież ma długie spodnie, jest mężem Heleny, wie, co, kiedy i gdzie siać i zbierać. Więc Tomasz podejrzewał, że za tą twarzą jak z gutaperki, która to rozpływa się w łkaniu z nadmiaru sympatii, to kurczy w zupełnej rozpaczy, przebywa inny, prawdziwy Luk, nie taki głupi, jak wygląda. Nigdy jednak na tego mądrzejszego Luka nie udawało mu się natrafić. Ale przecież chyba niemożliwe, żeby cały był tylko tym. Tomasz przypisywał mu więc szczególną chytrość: że tylko udaje. I ubierał się Luk nie tak jak inni, jakby po to, żeby sobie pomóc w komedii: nosił wąskie majtki w brązowe kraty, ze strzemiączkiem zachodzącym pod podeszwę trzewików, i kapelusz taki jak te, co leżały w wielkim kufrze, przysypane naftaliną, sprzed wojny.

Ciotka Helena odnosiła się do niego serdecznie, ale jak Tomasz zauważył, lekceważyła go zupełnie. Luk o niczym nie wypowiadał własnego zdania.

— Ot, żeby można tam u Baltazara jeden pokój, to nam dosyć. Tylko jeden pokoik. Dla urzędów — niech przyjadą, niech popatrzą — mówiła teraz Helena.

Babka prychnęła, zgorszona.

— Helciu, jak to, i tak w lesie, jak na łasce u tego parobasa? Fe!

— No nie potrzeba na stałe, ale tak, żeby co kilka dni, zawsze już lepiej, jak rozejdzie się, że Juchniewiczowa ma swoją gospodarkę. Tatuś mógłby choć tego zażądać.

— Hm, ja pomówię z nim, owszem, pomówię. Tak, pomówię — wykręcał się dziadek.

Tomasz wrócił do książki, ale zaraz oderwało go znowu od niej ich wymyślanie na Józefa. Że to szowinista, fanatyk, że zamordowałby, gdyby mógł, i że jak pies kąsa ukradkiem. Że dostawał drzewo tylko za uczenie chłopca arytmetyki i tyle dobroci doznał. Tylko dziadek nie odezwał się ani słowem i dopiero po dłuższej chwili nieśmiało bąknął:

— Ze swojego punktu widzenia może on i ma trochę racji.

Babcia Misia złożyła ręce i podniosła wzrok do sufitu, wzywając niebo na świadka.

— Boże!

XLVII

Zbliżał się ów dzień. Ustalono w Borkunach, że nie warto jechać na rozlewiska Issy koło wsi Janiszki, po pierwsze dlatego, że są zanadto zarośnięte ajerem i łódka ledwo się przepcha, po drugie dlatego, że na otwarcie polowania ściąga tam za wielu chłopów z okolicy, którzy pukają ile wlezie. Wybór padł więc na jezioro Ałunta, co prawda daleko, ale „zobaczysz, Tomasz, co tam kaczek, całe chmury!" Ustalono również, że Tomasz weźmie berdankę Wiktora, a ten będzie strzelać z kapiszonówki; do używania jej potrzebna była torba przyborów: w jednej przegródce proch, w drugiej śrut, w trzeciej kapiszony, i jeszcze pakuły.

Proch odmierzało się metalową miarką i sypało się wprost w lufę, potem kłak pakuł przybijało się długim drewnianym stęflem, na to śrut i znowu nieduża zatyczka z pakuł. Podniesiony kurek odsłaniał metalowy słupek na kapiszon. Tomasz umiał spuszczać kurki w dubeltówce łagodnie — jednym palcem ciśnie się cyngiel, a drugim przytrzymuje się kurek, żeby obniżał się powoli, ale co innego w kapiszonówce, widzi się to denko malutkiego rondelka i stąd obawa, że a nuż kurek wymknie się w ostatniej chwili i uderzy.

Jakie zabrać psy, rozważano, i Karo miał zostać w domu, bo wyżły polowanie na kaczki tylko psują, później źle wystawiają. Do wypłaszania kaczek wystarczy Zagraj, systematyczny i poważny. Dunajowi mogłaby przyjść fantazja, żeby uciec do lasu. Lutnia — jakoś nie wypadałoby, takie zajęcie dla niej za łatwe, a poza tym była szczenna.

Więc wóz drabiniasty, wymoszczony sianem, w nim Romuald, Tomasz, Dyonizy, Wiktor i Zagraj. Trzaska bat, wzbija się za kołami pył, Tomasz leży i uciekają w tył kamienie, drzewa, płoty zaścianków. Romuald gwiżdże i Tomasz mu pomaga, podróż, wesoło, nie upływa godzina, a już wyciągają z worka prowianty i każdy dostaje kawał kiełbasy, zagryzają, podskakując na wybojach. Powinni zdążyć przed wieczorem, tam nocleg i o świcie na wodę. Czy dostaną tam czółna? — niepokoi się Tomasz. Naturalnie że tak, każdy w tamtej wiosce ma przynajmniej jedno.

Wody z daleka widoczne, sinoczerwone od zachodniej zorzy. Brzeg, którym podjeżdżali, był wysoki i ukazywał się rysunek jeziora. Owalne, z jednym końcem ostrym. Z tej strony pola na pagórkach, z przeciwnej, od połowy owalu, czarniawa masa, z której gdzieniegdzie wystaje na tło nieba pióro sosny. Tam są wielkie bagna i tam będą polować. Tu, koło drogi, kopica okrągła, jakby usypana sztucznie, na niej ruiny zamku i zjazd w opłotki wioski Ałunta.

W chacie jedli kwaśne mleko z ogromnej misy, a potem Tomasz, w zmierzchu, drapał się na stok zamkowego wzgórza. Pełny księżyc wschodził, cisza rozgrzanych dniem traw, w których cykają świerszcze. Tuż, prawie pod stopami, błyszczy łuska drobnych fal. Dotknął głazów, jakie zostały po murze czy po fundamentach. Stąd ona biegła, żeby skoczyć w wodę i utonąć. Romuald powtarzał mu to, co z dawien dawna opowiadano o zamku: że kiedy zdobywali go Krzyżacy, kapłanka pogańska wolała popełnić samobójstwo, niż poddać się. Nic nie wiadomo poza tym. Tomasz wyobrażał sobie, że podnosiła ręce, krzyczała i że za nią rozwiewał się w pędzie biały płaszcz. Ale mogło przecie być inaczej. Mogła schodzić powoli, przepasana płóciennym pasem, w zielonym wianku na głowie, śpiewając pieśni do swego boga, i chylić się stopniowo, kiedy dosięgła brzegu. A gdzie jest jej dusza? Czy potępiona na wieki za to, że broniła się przed chrztem? Krzyżacy byli wrogami. Palili, mordowali, a przecie wierzyli w Jezusa i chrzest przez nich udzielony chronił od piekła. Może jej dusza błąka się tu naokoło, ani w piekle, ani w niebie? I Tomasz podskoczył, bo zaszeleściło coś za nim. Pewnie mysz, a jednak, choć wybrał się w ruiny trochę wzywając dreszczu, zbiegł prędko z powrotem, między dachy, głosy ludzi, krów i kur.

W odrynie Zagraj koło nich wzdychał przez sen, Wiktor wycisnął w sianie dołek, w który Tomasz obsuwał się, bo lżejszy, w ciemności ktoś obcy włazł po drabinie, stąpał po nich, „kto” pytał Romuald, „swój” odpowiadano, aż wreszcie wszystko ucichło i spojrzawszy na gwiazdę w szczelinie dachu zasnął.

Budząc się na sianie, zawsze spostrzega się, że się leży w innym miejscu, niż się myślało. Tomasz na skraju, niewiele brakowało, aby spadł, Wiktor nie koło jego głowy, a koło nóg — chrapał teraz i świstał nosem. W szarym świcie fałdy skomkanej derki, nie zajętej przez nikogo, Romuald i Dyonizy zaryci głęboko, na nich Zagraj. Tomasz ziewał nerwowo, zastanawiając się, czy już ich budzić, ale w tej chwili zaskrzypiały i otworzyły się wrota, światło i chłód, a ktoś z dołu wołał: „Pan Bukowski! Wstawać pora!"

Na ławie przed chatą przygotowania, Romuald i Dyonizy przypasali sobie ładownice, Tomasz napychał nabojami kieszenie, wypili tylko trochę mleka, żeby nie budzić kobiet, bo niedziela. Gospodarz i jego syn, którzy szli na jezioro z nimi, zakasali sobie spodnie w wałki do pół łydek, z haków pod okapem dachu zdjęli drągi i długie wiosła.

Jezioro było przesłonięte mgłą, która snuła się w pasma. Ze stromej ścieżki widzieli czółna, na wpół wyciągnięte na żwir — koło nich opar kurzył się i przezierała tafla bez jednej zmarszczki, ich żebrowate wnętrza wprawione w gęstość zdawały się nieruchome na zawsze. Na dole, już przy czółnach, odsłaniały się tu i ówdzie płaty wody biorące blask od nieba.

XLVIII

Obowiązki i przyjemności nie są równo podzielone. Ubrany w swoje wspaniałe pióra, kaczor woli samotność niż nudę wylęgania jajek i opiekowania się młodymi. Kaczka przez najlepsze miesiące roku — maj, czerwiec, lipiec, albo rozpłaszcza się na gnieździe, albo później wlecze za sobą wszędzie łańcuch kwaczących istot, a szybkość jej ruchów jest hamowana przez ostatnie ogniwo łańcucha, z wysiłkiem przebierające łapkami. Pierwszą poważniejszą sztuką, jakiej uczą się młode, jest chować się w razie alarmu pod liście rozpostarte na wodzie i wystawiać spod nich tylko koniec dzioba. Następnie wprawiają się w lataniu, ale to nie polega tylko na ruchu skrzydeł, najważniejsze, jak oderwać się od wody. Długo tego nie umieją i wzbijają pył kropel pędząc w powietrzu, a jeszcze niezupełnie w powietrzu. Początek myśliwskiego sezonu zastaje ich większość w tej właśnie fazie.

Czółna pachniały smołą. W jednym na dziobie przy-kucnął Tomasz, za nim siedział Romuald z psem, a dalej przewoźnik przekładał miarowo wiosło z jednej do drugiej ręki. Sunęli tak w dziewiczy obszar, falki chlupały o burtę; drugie czółno z głowami ludzi odcinało się od mgieł i promieni jak zawieszone w pustce. Kierowali się prosto na przeciwny brzeg. Już odróżniało się cyple trzcin, prze-woźnik stanął, położył wiosło, wziął drąg i odpychał się teraz od dna, pochylając się za każdym pchnięciem.

Pływające miasto, skupisko ciemnych punktów w dy-mie wód: stadko kaczek. Łódka nabrała rozpędu, zagra-dzała im drogę ucieczki do trzcin, rozwinęły się w sznur za matką, ale zaraz zgubiły ład, wymieniając pewnie krzyki, które znaczyły: „Co robić?" Romuald wołał śmiejąc się: „Uważaj, bo wykąpiesz się". Tomasz umacniał się na dziobie, gotów do strzału. Zerwały się do lotu, kiedy byli już obok, burza łopotania i wodotrysków, bach, wywalił Tomasz, bach, bach, Romuald, powierzchnia prószyła się od śrutu, zostały koła, trzy nieruchome kreski i czwarta kręcąca się w miejscu.

Jeżeli ktoś nie sięgał po zabitą przez siebie kaczkę, trudno mu to wytłumaczyć. Należy zresztą odróżnić: zmie-rza się ku niej wpław, zostawiwszy na brzegu ubranie, i wtedy rośnie ona na poziomie oczu chwiana falą, którą sami wzniecamy; czy też manewruje się tak, żeby znalazła się tuż przy burcie, i wyciąga się wtedy ramię. W jednym i drugim jednak wypadku wszystko zawiera się pomiędzy zobaczeniem jej z bliska i dotknięciem. Jest najpierw przedmiotem na wodzie, do którego ciągnie nas ciekawość. Dotknięta, zmienia się w martwą kaczkę, nic więcej. Ale moment, kiedy tuż, w zasięgu ręki, kołysze się wypukłość jej dropiatego brzuszka, kusi obietnicą niespodzianki. Bo nie wiemy, kogo zabiliśmy. Może kaczkę-filozofa, kaczkę-odkrywcę, i spodziewamy się trochę (niezupełnie w to wierząc), że przy niej znajdziemy jej pamiętnik. I ostatecz-nie oczekiwanie, jeżeli chodzi o wodne ptactwo, czasem, choć rzadko, bywa nagrodzone: na łapie obrączka, na niej cyfry i znaki jakiejś stacji naukowej w odległym kraju.

Podnieśli cztery krakwy i wzdłuż szuwarów badali zatoki. Tomasz zobaczył kaczkę pod splątanymi łodygami, strzelił, załopotała i przewróciła się. „Ależ wypatrzył!" pochwalił Romuald, a w tej samej chwili zakotłowało, buchnął w górę słup już dobrze latających i Romuald spuścił dwie, dubletem. Obok odezwała się kanonada Dyonizego i Wiktora.

Granica między lądem i wodą była tutaj niewyraźna, nie brzeg, a kożuch uginających się traw. Puścili Zagraja. Zapadając się, ni to idąc, ni to płynąc, chlapał się pracowicie i szczekał. Młode kaczki śmigały na wszystkie strony jak szczury, ledwo nadążyli strzelać. Syczało gniecione sitowie, przewoźnik przepychał ich w płytkie zalewy pełne zapachów korzeni. Zdarzyło się w jednej z takich sadzawek, co następuje. Tomasz, rozglądając się za nowym celem, odkrył (a trzeba na to mieć niezłe oko), że lekkie wygięcie liścia kryje głowę ptaka. Zdradziło ją to, że nie siedziała nieruchomo, ale poprawiła się. Już podniósł lufę, ale rozmyślił się i ułaskawił. Bo tak umierająca ze strachu, a przy tym tak pewna, że już się dobrze schowała. Nie zabić jej stanowiło dowód większej władzy nad nią, niż zabić. Kiedy wydostawali się z powrotem z gąszczu na jezioro, ciągnąc za sitowie, żeby wioślarzowi pomóc, cieszył się, że tam ona jest i nigdy się nie dowie o podarunku, jaki zrobił jej człowiek. Ani że na nią patrzył i zastanawiał się, że mógł, ale wolał inaczej. Odtąd już na zawsze byli ze sobą jakoś złączeni.

Tomasz nie strzelał do kaczek przelatujących nad głowami, raz spróbował i spudłował haniebnie. Podziwiał Romualda, któremu nawet nie przeszkadzało chwianie się łódki. Najbardziej podziwiał za cyranki. Te idą ostro, aż powietrze gwiżdże, są przy tym mniejsze od krakw, a Romuald ani razu nie chybił i pod ławką położyli już trzy.

— Jak wam poszancowało? — pytał Romuald braci. Wiktor gulgotał. Dyonizy z niego śmiał się:

— Tak coż, póki on ta swoja flinta nabije, kaczki choć na głowa jemu siadać mogo. — I Tomaszowi uwaga ta zatruła na chwilę spokój, bo pozbawił Wiktora jego berdany. Lekki wiatr smużył jezioro, teraz całe w błękicie dnia. Dzwonił w Ałuncie dzwon na mszę. Rybitwy skwirzyły, krążąc nad sterczącymi z wody ukośnie żerdziami. Myszołów trzepał się ociężale pod obłokiem w stronę lasu.

Przewoźnicy doradzali, żeby wracając zahaczyć o rzekę. Wypływa ona za zamkiem z jeziora, tak że wioska przy ostrym jego końcu wciśnięta jest między pagórek dawnej twierdzy i rzekę. Tam gdzie zaczynał się tunel trzcin, wypłoszyli kilka ptaków o wichrowatym locie. Romuald zabił jednego — najmniejszy gatunek kaczek, cyraneczka.

Gładka woda, ochroniona od wichrów i burz, miejsce jak te w głębi Afryki, w których Tomasz budował swoje niedostępne oczom ludzkim osiedla. Czarne pale z brodami wodorostów chwianych przez prąd; kiedyś, dawno, był tu most. Dalej chaty tuż przy pasie ajerów, wygniecenia i luki tam, gdzie wciągano czółna. Przed jabłoniami sadów suszyły się na tykach sieci, leżały bucze. Białe kaczki i gęsi pluskały się przy kładkach do prania bielizny. Wioska zobaczona z takiej zacisznej rzeki wyrasta do rozmiarów kraju czy państwa, dopiero wtedy widzi się w niej wiele szczegółów, których idąc jej ulicą albo się nie zauważa, albo które się uznaje za zupełnie zwykłe.

Wiktor i Dyonizy teraz płynęli na przedzie, wypłoszyli krakwy, bali się strzelać, nie wiedząc, czy to nie domowe, ale puściły się niedołężnym lotem kłapaków i zabili jedną, wypaliwszy z trzech luf. To był koniec polowania, zawrócili i podliczyli łupy. Romuald i Tomasz mieli dwadzieścia trzy, w tym siedem przypadało na Tomasza. Tamci piętnaście, nie tylko krakwy, również jedną podgorzałkę i jednego tracza, szarego z rudą głową i z haczykiem na końcu dzioba.

Obróceni ku górze zamku mrużyli oczy od połysku. Ruiny zbliżały się drgające w mgiełce i świetlistości. Kapłanka pogańska, która tam kiedyś mieszkała, tak przychodząca na myśl w nocy, ginęła na zawsze wśród strachów i bajek. Tomasz odwracał się i przytrzymywał za obrożę Zagraja, który wiercił się i łapami stawał na burtę. Kolba strzelby oparta o ławkę, lufa przy piersi. Był już prawdziwym myśliwym. Ale tam, przy drugim brzegu, została jego kaczka. Co teraz robi? Czyści dziobem pióra, bije skrzydłami z kwakaniem i dziękuje za radość po przebytym niebezpieczeństwie. Komu dziękuje? Czy Bóg tak postanowił, że nie musiała zginąć? Jeżeli postanowił, to podszepnął mu, żeby nie strzelał. Ale dlaczego w takim razie jemu zdawało się, że to zależy tylko od jego woli?

XLIX

Po niebie nad ziemią, na której wszystko, co żywe, umiera, wędruje Saulè-Słońce, w swojej promiennej sukni. Ludy dopatrujące się w nim cech męskich mogą budzić tylko zdziwienie. Ta szeroka twarz jest twarzą matki świata. Jej czas nie jest naszym czasem, z jej spraw znamy tylko to, co przeniknąć zdoła umysł poddany trwogom własnej samotności. Niezmienność pojawiania się i znikania — a przecież Słońce ma również swoje dzieje. Jak powiada stara pieśń, dawno, bardzo dawno, pierwszej wiosny (a przed nią nie istniało chyba nic prócz chaosu) pojęło za męża Księżyc. Kiedy wstało wcześnie rano, małżonka już nie było. Chodził samotnie i wtedy to zakochał się w Jutrzence. Widząc to rozgniewał się bóg piorunów, Perkunas, i rozciął Księżyc mieczem na dwoje.

Możliwe że kara była słuszna, bo Jutrzenka jest rodzoną córką Słońca. Gniew Perkuna obrócony przeciwko niej później da się chyba wytłumaczyć pamięcią o niezbyt stanowczym odpychaniu względów ojczyma. Pieśni, układane przez tych, co przechowali pamięć owych odległych zdarzeń, o powodach milczą. Da się tylko stwierdzić, że kiedy Jutrzenka obchodziła swoje wesele, Perkun wjechał przez bramę i roztrzaskał zielony dąb. Krew trysnęła z dębu, obryzgała jej suknię i panieński wianek. Płakała córka Słońca i pytała matki: „Gdzież ja, kochana mamo, mam wyprać sukienkę, gdzie zmyć tę krew?" „Idź, kochana córko, idź do jeziora, do którego wpada dziewięć rzek". „Gdzie mam suszyć suknię?" — pytała Jutrzenka. „O, córko, w ogrodzie, gdzie kwitnie dziewięć róż". I ostatnie trwożliwe pytanie: „Kiedyż będą zaślubiny, żeby tę białą suknię włożyć?" „O, córko, w tym dniu, kiedy dziewięć słońc zaświeci".

Tak mało wiemy o obyczajach i troskach istot poruszających się nad nami. Dzień zaślubin dotychczas nie nastąpił, choć każdy tysiąc lat, jaki upływa, niekoniecznie musi być czymś więcej niż mgnieniem. Niejakie wiadomości przekazała nam dziewczyna, której zginęła owca. Działo się to w epoce, kiedy śmiertelni łatwiej znajdowali z bóstwami nieba porozumienie. „Poszłam do Jutrzenki — śpiewa dziewczyna — a ta odpowiedziała: Ja muszę Słońcu z rana ogień rozżarzać (stąd wniosek, że Jutrzenka, niezamężna, mieszka w domu matki). Poszłam do Gwiazdy Wieczornej — opowiada o swoich daremnych próbach dziewczyna — a ta mi mówi: Ja muszę Słońcu wieczorem słać łoże". I Księżyc odmówił pomocy: „Ja jestem przecięty mieczem, patrz, mam smutną twarz". (Dopiero Słońce udzieliło wskazówki, z której wynikało, że owieczka zabłąkała się gdzieś daleko, w strefy polarne, może aż na północ Finlandii).

Czy ksiądz Monkiewicz jest planetą? Na pewno tak dla motyla, który trzepie się nad grządkami nasturcji i rezedy. Łysina świeci i kto wie jakich upojeń wzroku dostarcza motylowi jej góra, załamana w mnóstwie jego oczu. Zaledwie parę dni życia, ale z całą pewnością nie można stwierdzić, czy za tę krótkotrwałość nie dostaje zapłaty przez ekstazę kształtu i barw nam niedostępną.

Ksiądz Monkiewicz, powierzchnia i pod nią praca planetarnych maszyn, krążenie krwi, drganie miliarda nerwów. Istnieją oczywiście ludzie, dla których nie ma on więcej znaczenia niż mrówka i którzy śmieliby się widząc jego kalesony i coś, co kiedyś przypominało szlafrok (oszczędza w domu sutanny). Kiwa się chodząc z brewiarzem, ale mógłby teraz machać kosą, gdyby jego matka nie postanowiła, że jeden przynajmniej z synów uchroni się od losu chłopa. Warunki silniejsze niż jego chcenie czy niechcenie sprawiły, że stał się wiernym sługą Kościoła. A przecie on to spełnia co dzień obowiązki, które polegają na zachęcaniu każdego człowieka, żeby siebie cenił bardziej niż górę, planetę i wszechświat. Poczęte przez żądzę noworodki ślinią się i miauczą, kiedy daje im szczyptę soli na znak, że czeka je życie pełne goryczy; z płodów Natury czyni domy Ducha Świętego, wodą chrztu nadaje im piętno Słowa. Od tej chwili, wydarte porządkowi niezmienności, mają prawo dostrzec między sobą i Naturą przeciwieństwo. A później, kiedy dom ciała rozpada się, ustają ruchy serca, ksiądz Monkiewicz, czy kto inny, obdarzony tą samą co on władzą, oczyszcza z grzechów, kreśląc olejem krzyże na członkach, które zaraz zamienią się w proch: rozwiązany jest kontrakt materii i tchnienia.

Nie cały czas przecie zużywa na rozpamiętywanie tych obowiązków. Bynajmniej, teraz na przykład spędził motyla z trawy, żeby zobaczyć, jak poleci, obserwuje pszczołę, która drga nad kielichem białej lilii, i przytrzymując palcem kartkę powiada: „Łajdaki". Odnosi się to do ostatniego chrztu. Zapłacili za mało. Wykręcali się, że nie mają, ale mogli więcej. Ogarnia go gniew, że zmiękł i ustąpił ze zwykłej ceny.

Tomasz zdjął czapkę naciskając klamkę furtki. Stał przed księdzem świadomy powagi swojej misji. Słowa, które wymawiał, brzmiały głęboko i tragicznie tak jak należy.

— Babka Dilbinowa, proszę księdza, bardzo słaba. Przyjeżdżał doktór i powiedział, że nie przeżyje.

— A! — wyraził przyjęcie do wiadomości proboszcz. — Tak cóż, ja ot zaraz, zaraz.

I już dreptał ku schodkom.

— Ja bryczkę mam. Tam na dole koń przywiązany.

— No to dobrze. Ty poczekaj tu na mnie.

Przysłać bryczkę wypadało, choć to dwa kroki. Mina babci Misi, która mówiła szeptem, jej narady z dziadkiem i Heleną, zupełna zmiana w ich zachowaniu się wobec bliskości Tego dostarczały Tomaszowi dumy uczestnictwa w najbardziej dorosłej rzeczy, jaka może być. Ponieważ wszyscy byli zajęci — akurat żytożniwa — jemu polecono sprowadzić księdza. Zaprzęgać konia niby umiał, ale zawsze mu się poplątały rzemienie, więc pomagał mu dziadek. Do plebanii przez Szwedzkie Wały nie wiedzie żadna droga, trzeba zjechać w dół, koło krzyża, lejce ściąga się z całej siły, wpierając się nogami w przód bryczki, i tak powolutku, tym bardziej że zaraz na dole jest zakręt. Dopiero za krzyżem popuszcza się lejc, trochę ze względu na to, że już nie można konia utrzymać, trochę ze względu na przepis, który dozwala.

Babka Dilbinowa, leżąca nieruchomo w półmroku, jakaś zmniejszona, skłaniała go do chodzenia na palcach, a co do uczuć, to odgrywanie roli w dramacie — i to pierwszorzędnej, wnuka i domownika, już bez tego „co ty tam rozumiesz" — pochłaniało go całego. Wyobrażał sobie dźwięk dzwonka, twarze wyglądające zza płotów, pobożne pochylenie głów i siebie na koźle.

I teraz odbywało się to tak, jak sobie przedstawiał. Proboszcz zawołał małego chłopca z najbliższej chaty, ten wdrapał się na przednią ławeczkę obok Tomasza i potrząsał dzwonkiem. Powożąc z uwagą (ta odpowiedzialność) zerkał ukradkiem na boki, czy widzą. Niestety, domy były prawie puste, wszyscy w polu, gdzieniegdzie tylko staruszka albo dziad pojawiali się z podwórza, żegnali się i opierając łokcie o wrota odprowadzali wzrokiem najważniejszego dla nich — za miesiąc czy za rok — podróżnego. Słońce popołudnia grzało mocno, na łysinie proboszcza osiadały kropelki potu. Zaiste, ni słońce, ni księżyc, ni jutrzenka nie mogą równać się z księdzem Monkiewiczem. Jest on Człowiekiem, a gdyby to komuś nie wystarczało, co trzyma w rękach, przechyli szalę, gwiazdy i planety nie zaważą więcej niż piasek drogi. Jego zgrzebna koszula z mokrymi plamami pod pachą śmierdzi zwierzęcym odorem, ale dzięki niemu dopełni się obietnica: „Zasiane w skazitelności, wskrześnie ciało nieskazitelne. Zasiane w niesławie, wskrześnie ciało w chwale. Zasiane w słabości, wskrześnie ciało w mocy. Zasiane ciało zwierzęce, wskrześnie ciało duchowe".

L

— List!

Ledwo dosłyszalne skrzypienie z mroku, w którym jarzy się szpara okiennicy.

— Nie, babciu, nie było żadnego listu.

Kłamie, bo list leży na stoliku w pokoju babki Surkontowej. Od pewnego czasu zaprowadzono cenzurę i jak się okazało, nie bez powodu. Tomasz przysłuchiwał się rozmowom, jakie spowodował ten ostatni, z niemiecką marką, który przyszedł nie przez Łotwę, a przez Królewiec. Niech Pan Bóg broni, żeby pokazywać! W najbardziej złagodzony sposób donoszono w nim to, o czym matka Tomasza napisała już osobno do rodziców. Konstanty nie mógł wyliczyć się z wojskowych pieniędzy, jakiś czas siedział w więzieniu i wyrzucono go z wojska, starał się teraz o posadę w policji. Teodor nie brał widać dostatecznie na serio wiadomości o chorobie babki Dilbinowej, jeżeli nie ukrywał wypadku brata.

Więc to pozostanie nie ujawnione na zawsze. Stało się, a zarazem nie stało się, bo dosięgło tylko obojętnych, którzy zbędą jeszcze jedno takie sobie przestępstwo wzruszeniem ramion. Jakby kula zdolna przebić serce utkwiła w drzewie.

— Umieram. Księdza.

Tak często w chorobie powtarzała, że umiera, wyolbrzymiając każdą dolegliwość, księżniczka z bajki narzekająca, że ziarnko grochu kłuje ją przez siedem pierzyn. I znane westchnienie hipochondrii przynosiło jej być może ulgę, bo już oswojone, włączone w bieg normalności. Dopóki składamy dowód, że panujemy nad faktem własnej zagłady mówiąc o nim, zdaje się nam, że nigdy nie nastąpi.

— Droga pani nas wszystkich jeszcze przetrzyma — pośpieszyła zapewnić babcia Misia. — Ale że ksiądz nie zaszkodzi, to nie zaszkodzi. Tylu ludzi to uleczyło. Dawno już warto było sprowadzić, toby już pewnie pani sobie spacerowała po ogrodzie.

Uspokoić. Bo chorzy wiedząc, jeszcze nie wierzą i wdzięczni są za dźwięk mowy, za ton, który wyklucza możliwość przekroczenia granicy, za którą mowy nie ma. Tomasza niemile dotknęła słodycz głosu babci Misi. Po co aż tak przesadza.

Tego samego dnia proboszcz wstępował na stopnie między dzikim winem, które zakrywało kolumienki. Nie należy zapominać, że czterdzieści czy pięćdziesiąt lat, jakie upłynęły od jego dzieciństwa, nie dokonały w nim aż tak wielkich zmian, żeby całkowicie przestał być wiejskim chłopcem pasącym bydło. Stopy w bucikach były kiedyś czerwone i sine od szronów jesieni. Opierał się o biczysko i z zaciekawieniem, jakie budzi widok rzadkich zwierząt, obserwował panów przejeżdżających drogą, konno albo w błyszczących powozach z furmanami w liberii. Nie przenikał teraz w te pokoje o niskich pułapach tylko jako przedstawiciel Chrystusa, włókł również za rękę siebie dawnego, zawsze z nieśmiałością przestępującego progi dworu. Szacunek, jaki mu okazywano, nie uwalniał od obawy poniżeń. Chronił się więc za komżę i stułę, te go wspierały i nadawały dostojeństwo jego ruchom — jeżeli okrągłej figurce na krótkich nogach wolno jest czuć się dostojną.

Potem drzwi za nim się zamknęły i babka Dilbinowa została z nim sam na sam. Pomimo fałszywych uspakajań babci Misi niewiele zachowuje się złudzeń, kiedy z wysoka, stamtąd gdzie poruszają się plamy twarzy, dobiega szelest, miga biel i błysk fioletu. To, co zapowiadało koniec tylu innym, co trwało wśród rzeczy zewnętrznych, zagarnia i nas, choć na pewno niełatwo, prawie niemożliwe uznać, że będąc sobą, nie ma się własnej, sobie tylko zostawionej sfery i że poddać się trzeba nieuniknionemu: cyfrze, z której ześlizguje się wyobraźnia. „Czy masz siłę wyspowiadać się, moja córko?" Moja córko — mówił do Brońci Ritter z hanzeatyckiego miasta Riga mały pastuch litewski.

— W imię Ojca i Syna i Ducha Świętego. Amen. Nie męcz się, moja córko, żałuj za grzechy, to wystarczy Panu Bogu.

Ale Brońcia Ritter szła przez mgłę, rozdzierając ją rękami z wysiłkiem, zmierzając ku jakiemuś nieosiągalnemu punktowi jasności.

— Grzech — wyszeptała.

— Jaki grzech? — pochylał ucho nad nią.

— Wątpiłam — że Bóg jest-i-że-mnie słyszy.

Palce jej zamknęły się na jego rękawie.

— Grzech.

— Ja słucham.

— Męża nie kochałam-niech-mnie-przebaczy.

Przez mgłę iść bardzo trudno. Jeszcze, ledwo szmer liści:

— Mój syn... ja powiem...

Podniósł rękę: „*Ego te absolvo*", mówił głośno. Biały krążek opłatka zniżał się w słabym świetle uchylonej okiennicy.

Piłka uderza o żwir ścieżki, odbija się, napotyka czekającą na nią dłoń, trawa błyszczy od rannej rosy, ptaki śpiewają, pokolenia ptaków przeminęły od tamtej chwili, babka Mohlowa pochowana w rodzinnym grobowcu w Imbrodach rozwija wełnę, woła: „Brońciu, rozstaw ręce, o tak", i snuje powoli miękkie pasmo dokoła jej napięstków. Od niej dostała w podarunku krzyżyk z koralu z maleńkim okienkiem pośrodku. Przykładając oko zagląda się tamtędy w pokój, w którym odbywa się właśnie Ostatnia Wieczerza. Jezus przełamuje chleb i promienie niematerialne wichrzą się z jego czoła na tle pęknięć ściany. Wielkie i małe zrównuje się, to spojrzenie do wnętrza koralu z jaśniejszymi żyłkami, głos kobiecy o znużonym świcie porodu: „Syn!", skrzypią płozy sanek, lęk przestrzeni, ruchy Chrystusa nie były, a są, skrót czasu, niczego nie odmierza ni zegar, ni piasek w klepsydrze. Usta nie mają siły otworzyć się, stamtąd, z zewnątrz przychodzi pomoc, opłatek przylega do języka, otwiera się koral i, zmniejszona, wchodzi tam, przed stół, a On sam jej podaje jedną połowę przełamanej przez siebie kromki. Daleko, daleko w innym kraju leżą jej nogi, których dotyka ksiądz Monkiewicz, łopaciasty, duży palec syna i wnuka oraczy, żniwiarzy zwilża skórę olejem.

Proboszcz, ile razy znalazł się przy umierających, zawsze odgadywał, że nie jest sam przy łóżku, że Niewidzialni siedzą rzędem, w kucki, na podłodze, albo miotają się w powietrzu — wrzenie, ciosy mieczów. Ci, których przywabia zgryzota, lubują się w wyziewach rozpaczy unoszących się tam, gdzie znika przyszłość. Ich wysiłek w podszeptach, jakich udzielali, zmierzał do wzmożenia zajęcia się człowieka własną osobą, do złapania go we własne jego sidła; równocześnie, roztaczając przed nim obrazy szczęścia, pokazywali Konieczność, której nie mógł przełamać. Nic dziwnego, że czekają, aż z jego ust wyrwie się przekleństwo na oszustwo przeżytego życia, na zwodniczą obietnicę wolności.

Robiąc znak krzyża odganiał ich, tych, którzy nakazują żądać dowodów, ciągle dowodów, aby zwyciężać, kiedy zostaje wystawiony na próbę Bóg Zakryty. Pokaż ślad swojej potęgi, a uwierzę, że nie idę w nicość, w zgniliznę ziemi — czołgają się i starają się, aby ta myśl przetrwała rozprzęganie się wszystkich myśli.

Ale na stoliku Michaliny Surkont zatrzymał się list, donoszący, że modlitwy nie są wysłuchane. Jeżeli w tym, że wydała skażony owoc, Brońcia Ritter czerpała potwierdzenie swojej gorszości od innych, to list przeznaczony był, aby ją jeszcze mocniej w żalu upewnić. Czy słuszne, że do niej nie dotarł? Może żądano od niej przebrnięcia przez najwyższą trudność, żeby ufała wtedy, kiedy odmawia się wyraźnie jakichkolwiek racji do ufności. Litując się nad nią i powstrzymując cios, ludzie pomogli jej tak, jak ludzie wspomagać się mogą, czyli udzielając sobie nawzajem złudzeń. Bo jednak okrucieństwo wyroków z wysoka uważają za nadmierne.

— Śpi?

— Teraz zasnęła.

Doktór Kohn zostawił morfinę i objaśnił, jak należy używać strzykawki, w wypadku gdyby bóle nie ustały. Na pytanie o rodzaj choroby odpowiadał w swoich kilkakrotnych wizytach najpierw „chyba rak", później „rak". Niewiele tutaj już jego obecność mogłaby przynieść korzyści. Więcej obecność księdza Monkiewicza, bo teraz, kiedy wychodził, jej pierś poruszała się w miarowym oddechu. Podgarniał poły sutanny i siadał w jadalni, pewniejszy siebie za stołem. Po kilku stosownych uwagach wyraził zdanie, że żyto pięknie obrodziło w tym roku.

— Barometr idzie na deszcz — westchnął dziadek — żeby tylko zdążyć zwieźć.

I podsuwał mu konfitury.

Proboszcza korciło, żeby dowiedzieć się czegoś o rodzinno-politycznych powikłaniach.

— Ech, biedna pani Dilbinowa. Tak bez synów. Ale co robić, oni daleeeko.

Na nic więcej się nie zdobył.

— Daleko — zgodził się dziadek. — Cóż, tam człowieka rzuci, gdzie dostanie pracę.

— A pewnie że świat nie wszędzie taki jak w naszym kącie — babka nie przepuściła okazji do uszczypliwości pod adresem kraju.

— Wiadomo, służba nie drużba.

Worek z mąką w bryczce — praktyczny podarunek na przednówku — proboszcz przypisał oczywiście panu Surkontowi, bo ona, złośliwe skąpiradło, skorzystałaby z tego, że wobec nich upominać się o dobra doczesne było mu jakoś niezręcznie. Tomasz nakładał koniowi uździenicę i wpychał mu wędzidło między wargi zielone od żutego siana. Miodowym zapachem zanosiło od lip, pszczoły w nich pracowały, czepiając się brzęczących kwiatów. Brońcia Ritter powoli wędrowała samym skrajem czasu.

LI

Nakładanie snopów na długi drabiniasty wóz wymaga umiejętności, jest to niemal jak budować dom. Kiedy budynek jest już gotów, pętlę sznura z przodu zarzuca się na koniec belki, okrągłej i śliskiej od wieloletniego użycia; ma ona przyciskać ładunek, żeby nie rozpadł się, kiedy wóz się przechyla. Dwóch zwykle mężczyzn ciągnie za sznur z tyłu, żeby ją docisnąć; niezbyt bezpiecznie, bo jeżeli wyrwie się, może koniom połamać karki. Wreszcie wdrapuje się na wierzch woźnica i, powożąc, widzi pod sobą konie zmalałe niby wiewiórki. Wjeżdżając w bramę stodoły, kładzie się — tylko tak zdoła się przedostać. Takie żółte kwadratowe stogi kołyszą się cały dzień aleją i tam, gdzie ocierają się o krzaki leszczyn, zwisają źdźbła słomy. Powietrze parne, chmury pęcznieją nisko, aż przed wieczorem zaczyna padać, deszcz nabiera rozpędu i leje całą noc.

Tomasz zauważył w domu pewne zniecierpliwienie. Babcia Misia i Antonina zmieniały się przy łóżku chorej i, nie wyznając tego, miały do niej pretensję. Litość dla kogoś, kto krzyczy i płacze z bólu, a także własna senność budzą chęć, żeby się wszystko jak najprędzej skończyło. Ale znów wróciła pogoda, powietrze drgało od upału, dano chorej zastrzyk morfiny. Tomasz myślał o Borkunach, a nie widać było, kiedy znów tam mógłby pójść. Żeby przewietrzyć pokój, otworzono okiennice i okno, wleciała jaskółka i zataczała koła.

Trzeciego dnia po wizycie księdza, po południu, Antonina zawołała gniewnie z ganku: „Tomasz!", i zerwał się z trawnika. Nie podobało mu się, że złapała go tam, jakby wyczekiwał. Półmrok, babcię Misię zastał mocującą się z pokrywą kufra, z którego tak często babka Dilbinowa wyciągała drobne prezenty. Na wierzchu położyła tam gromnicę: „Jak będę umierać, to pamiętajcie, że tam jest".

Spojrzenie chorej przypominało chwiejnością, rozprzężeniem skrzypienie jej głosu w ostatnich czasach. Antonina uklękła i odmawiała z książki litanię po litewsku. Pyszczek babki Surkontowej, podobny do pyszczka wielkiej myszy, pochylał się nad wezgłowiem, dreptała to tu, to tam, obracając w ręku woskową świecę.

Tomasz, w pobliżu okna, tarł bosą stopą drugą stopę, stojąc w ciepłej plamie słońca na brązowo malowanych deskach podłogi. Czuł siebie tak wyraźnie jak nigdy. Serce tyka, wzrok ogarnia każdy szczegół, przeciągnąć by się teraz, podnieść ramiona i głęboko wciągnąć powietrze. Z zapadania się babki rósł dla niego triumf, dla niego samego potworny i nagle przerwany krótkim szlochem. Bo jej pierś walczyła o jeszcze jeden oddech, zobaczył ją małą, bezbronną wobec straszliwości, która zgniatała ją obojętnie, i przypadł do łóżka wołając: „Babciu! babciu!", żałując za wszystkie swoje winy wobec niej.

Ale ona, zdawało się przytomna, nie zauważała nikogo. Wstał więc i przełykając łzy, starał się zatrzymać na zawsze każdy jej ruch, każde drgnienie. Palce jej otwierały się i zamykały na kołdrze. Z ust wyrwał się charczący dźwięk. Zmagała się z ucieczką mowy.

— Kon-stan-ty.

Trzasnęła zapałka i knot świecy zajął się małym płomykiem. Zaczynała się agonia.

— Jezu! — powiedziała jeszcze wyraźnie.

I cicho, ale Tomasz dobrze słyszał ten rozpływający się szept:

— U-ra-tuj.

Ksiądz Monkiewicz, gdyby był przy tym, mógłby stwierdzić, że Niewidzialni zostali zwyciężeni. Gdyż prawu, które powiada, że cokolwiek umiera, rozpada się w proch i ginie na nieskończoność wieków, przeciwstawiała jedyną nadzieję: tego, który łamie prawo. Nie żądając już dowodów, wbrew racjom dowodzącym czegoś przeciwnego, wierzyła.

Białka oczu nieruchome, cisza, skwierczał knot gromnicy. Ale nie, pierś poruszyła się, głęboki wdech i znów sekundy biegły, i nagłe oddychanie ciała, które już zdawało się martwe, zaskakiwało, obce, rzężące w nieregularnych odstępach. Tomasza przebiegał dreszcz grozy przed tym odczłowieczeniem. Nie była to już babka Dilbinowa, ale śmierć w ogóle, żaden jej własny kształt głowy, żaden jej własny odcień skóry się nie liczyły, zniknął jej, tylko jej lęk i „oje, oje". Nieprędko, może upłynęło z pół godziny (choć według innej miary może to było tyle co całe życie), usta zakrzepły w połowie wdechu, otwarte.

— A światłość wiekuista niech jej świeci, amen — szeptała babka i palcem delikatnie spuszczała w dół powieki umarłej. Dziadek przeżegnał się wolno, uroczyście. Potem zaczęli radzić, gdzie ją przenieść. Łóżko miało wygniecione tak głębokie doły, że ciało zastygłoby w półsiedzącej pozycji. Uchwalili, żeby wstawić długi stół, i Tomasz pomagał przepychać go przez drzwi. Przykryli jego płaszczyznę ciemną derką.

Pomagał także przenosić babkę Dilbinową z łóżka na stół. Koszula, kiedy sięgał ramieniem, żeby dźwignąć, zadarła się i wtedy szybko odwrócił głowę. Na prześcieradle, już kiedy ją trzymał w powietrzu, a Antonina unosiła ją za ramiona, zauważył smugę ekskrementów wyciśniętych w spazmie konania.

Wrócił, kiedy leżała już umyta i ubrana. Ręce złączone na piersi, przylegające do siebie pięty, rozchylenie stóp i szczęka przewiązana chustką. Przez otwarte już teraz okno wpadały echa wieczoru, kwakania kaczek, powolne klekotanie wozu, rżenie konia. Tak inne, pogodne to wszystko, że powstawała wątpliwość, czy naprawdę tutaj odbyło się, czego był świadkiem.

Posłano go do stelmacha i tak żal minął. Stelmach mieszkał w kumietyni (obsługiwał i dwór, i wioskę). Tomasz go przyprowadził i asystował braniu miary. A wieczorem długo nie mógł zasnąć, bo za drzwiami spoczywał trup i ona, przenikając w jego myśli z innej strefy, pozaziemskiej, już wiedziała o jego podłości. Z przyglądania się, jak umierała, czerpał przyjemność. Cierpką jak smak jagód, które pieką w język, a przecież czemuś wzywającą, żeby jeść jeszcze. Świece w dwóch wysokich lichtarzach paliły się tam teraz koło stołu-katafalku, słyszał modlitwy, ale ona była sama w czarnej nocy.

Nazajutrz rano (na szklanej profitce w gruzłach stopionego wosku ugrzęzły skrzydła ćmy; między powiekami babki przebłyskiwał pasek bieli) poszedł do stelmacha, ciekaw, jak będzie robił trumnę. Na podwórzu przed stolarnią wsparte jedno o drugie stały drewniane koła bez obręczy i piętrzyły się deski. Znał ten warsztat chropawy od zacięć i rysów, z rękojeściami śrubstaków z boku, które luźno jeździły w otworach, i ten zapach wiórów pod nogami. Umiał siedzieć nieruchomo długie chwile na pieńku urzeczony ruchem hebla. Tak i teraz. „Sosna do niczego, weźmiem dąb" — mówił majster (Kiełpsz przez swój nos i gule na twarzy podobny był trochę do babci Misi). Żyły plątały mu się na rękach: góry i doliny. Ze szparki w heblu wywijało się pasmo ostrużyn i ta władza nad drewnem cieszyła, jeśli można deskę tak wygładzić, to jakby można było wygładzić, urządzić wszystko, co jest. Więc deseń dębowych słojów przy policzkach babki Dilbinowej już na zawsze. Znów był pełen snu o Magdalenie. Robaki, czy mogą wejść przez szpary w trumnie? Trupia czaszka, biała, z głębokimi jamami zamiast oczu, a deski ciągle jeszcze będą trwać. Babka chyba umarła naprawdę. Opowiadała mu o okropnych wypadkach letargu, kiedy już po zamknięciu trumny rozlegały się w niej kołatania, a czasem ktoś słyszał kołatania w grobie, odgarniali ziemię i podnosili wieko, żeby znaleźć ludzi już uduszonych, skręconych w wysiłku. Obudzić się tak i zrozumieć — choćby na najkrótszy moment — że jest się żywcem pogrzebanym — tego się bała, zawsze powtarzała, że lepiej już, jak ktoś kazał w jej rodzinie, rozbić młotkiem głowę umarłemu, żeby przekonać się, że to nie letarg.

Krzyż miał być też z dębu. Stelmach wyciągnął z kieszeni gruby ołówek, poślinił i narysował na obrzynku, jak powinien wyglądać. Podsunął mu rysunek i pytał o zdanie. Tomasz znów ocenił przywilej wnuka. Rodzaj daszka łączył ramiona krzyża. „Po co to?" — pokazał. „Tak trzeba. Tak ot, dwie deski zbić — niepięknie. A i deszcz, o tędy, spływa, nie psuje".

Według Antoniny dusza człowieka krąży długo dokoła opuszczonej przez siebie powłoki. Krąży i ogląda siebie dawnego, dziwiąc się, że siebie dotychczas nie znała inaczej jak w związaniu z ciałem. A z każdą godziną twarz, która była jej lustrem, zmienia się, zbliża się do spleśniałości kamieni. Wieczorem Tomasz zauważył, że babka jest inna niż rano, ale nagle cofnął się w panice, bo spojrzała na niego. Skoczył ku drzwiom, gotów już wołać, że budzi się z letargu. Ale nie, nie poruszyła się wcale. To powieki rozchyliły się trochę bardziej i blask świec drgał w kresce białka. Dusza nie mieszkała tam wewnątrz.

Jeżeli Antonina miała rację, snuła się tylko, dotykając znajomych sprzętów, czekając, aż zostanie odprawiony pogrzeb, żeby mogła odejść bez troski o swoją, przecież, własność.

LII

Obłoki układają się w brzuchate figury, smok teraz wędruje niebem, z zakręconym ogonem i płetwami, jego gęba rozwiewa się, wydłuża, od niej odrywa się kłębek bieli i pędzi, pchany jego oddechem. Po tym smoku przesuwa się cienki krzyż w rękach kościelnego, za nim idzie proboszcz, a trumnę niosą Baltazar, Pakienas, Kiełpsz i młody Sypniewski. Ze Szwedzkich Wałów, którymi stąpa pochód, widać wyraźnie maleńkich ludzi, poruszających się między punktami snopków na spadzistych polach po drugiej stronie Issy, i wozy ze zbożem.

Luk Juchniewicz, który przyjechał wczoraj z Heleną, podbiega, żeby wyręczyć Pakienasa, i rozchylają mu się czarne poły nad majtkami w ciemną kratkę. Przechyla głowę pod ciężarem, trumna obniża się, chwieje, a on drobi, psuje innym. Więc znów Luk nie okazuje się czymś innym niż śmiesznością i Tomasz jest zawiedziony. Tyle tylko że uparty — wykrzywia się płaczliwie, ale dźwiga. Szatybełko włożył granatową kapotę, jego żona jedwabną chustkę w czarne kwiaty.

W kościele siedzą w ławkach, Tomasz próbuje się modlić, ale myśli o dole, już wykopanym. W rodzinnych grobach zostały tylko dwa miejsca — dla babci Misi i dla dziadka, więc pochowają ją gdzie indziej, niedaleko. Natrafili na korzeń dębu, przecięli go siekierą i sterczą jasne plamy tych ran między glinką. Korzenie oplączą trumnę, może nawet do niej się przedostaną i babka będzie schwycona jak w szpony ptaka.

A kiedy inni powoli ruszają dopiero ku wyjściu, już przeciska się między nagrobkami. Tak, to tutaj. Żeby złożyć ją obok Surkontów, wybrano sam skraj cmentarza, a o kilka zaledwie kroków stąd, rozmyty przez deszcze, z kępkami rzadkiej trawy, wznosi się kopczyk dobrej znajomej Tomasza, Magdaleny. Niczego, co się dzieje po śmierci, nie można sobie naprawdę wyobrazić, ale obie muszą się jakoś spotkać. Jak? Wyciągają do siebie ręce, odcięta głowa Magdaleny już jest z powrotem na szyi i wybuchają płaczem: „A po cóż martwiłyśmy się, czyż było warto? A dlaczego nie znałyśmy się i cierpiałyśmy, każda osobno? U mnie mieszkałabyś — mówi babka — ja wydałabym ciebie za mąż, ty pomogłabyś mi żyć, bo jesteś śmiała. Jak to źle, że ludzie kochają się dopiero po śmierci. Czy to trudno otruć się? Chciałabym wiedzieć". — „Trudno — wzdycha Magdalena. — Modliłam się, żeby Bóg przebaczył, i tak klęcząc połknęłam truciznę, ale zaraz przelękłam się i wołałam ratunku". Obie są młode, babka jak na swoich dawnych fotografiach, kiedy nosiła suknię bardzo wciętą w talii. I mówią sobie na ty. „A dlaczego straszyłaś?" — pyta babka. Magdalena uśmiecha się. „Po cóż pytasz, przecież już teraz wiesz". — „Tak, to prawda, że już wiem".

Tomasz nie godzi się na umieszczenie ich w dwóch różnych światach, bo uważa za niemożliwe, żeby Magdalena została potępiona. Potępieni są chyba tylko ci, którzy w nikim nie budzą litości ani miłości. Tam inni gromadzą się dokoła świeżo rozkopanego gruntu, a on tutaj zaczyna „Zdrowaś Mario", starając się wymawiać słowa tak żarliwie, że aż wpija sobie paznokcie w skórę ręki. Poleca Magdalenę Matce Bożej.

Trumnę opuszczano na pasach, chybotała się przez chwilę, zahaczyła o ten ucięty korzeń i wreszcie stanęła nieruchomo, zaglądał w dół, kiedy ksiądz Monkiewicz przemawiał. Kładą tak umarłych w ziemię ciągle, od setek i tysięcy lat, gdyby oni wszyscy powstali, chyba zebrałyby się ich miliony, że staliby jeden przy drugim ciasno, ani szpilki nie wsadzić. I każdy z żywych wie, że umrze, dziadek mówi, że między łańcuchami w grobie Surkontów na niego już czekają. Oni wiedzą i znoszą to obojętnie. Na pewno nie ma żadnej rady, ale właściwie powinni krzyczeć, wydzierać sobie włosy z głowy z rozpaczy, śmierć — samo przejście z jednego życia do drugiego — jest straszna. Nic. Spokój ich, ich: „bo już tak jest", czy o to chodziło, czy o inne sprawy, pozostawał dla Tomasza niepojęty. Wierzył w sekret, który Bóg objawiłby, gdyby ludzie mocno chcieli: że śmierć jest niekonieczna, że wszystko inaczej wygląda, niż myślą. A może wiedzą więcej, niż po sobie pokazują i dlatego zachowują się tak spokojnie? Czyli że Tomasz udzielał im kredytu, podobnie jak Lukowi, który gdyby nie chował w sobie siebie drugiego, mądrzejszego, burzyłby cały porządek — dorośli wtedy nie byliby niczym więcej niż śmiesznymi, przebranymi dziećmi. Co wydaje się proste, nie może być takie proste.

I jego, Tomasza, któregoś dnia spuszczą w trumnie na pasach. Nawet gdyby został papieżem? Nawet. Ale gdyby rozerwał się wtedy granat, nie wiedziałby, że umiera, obudziłby się i zapytałby: „gdzie jestem". Głuszec, którego zabił Romuald, nie miał czasu na przerażenie. Boże, spraw, żebym nie umierał powoli, jak babka.

— Ty rzuć pierwszy — półgłosem mówi mu babcia Misia. Wnuk, najbliższy, a właściwie jedyny krewny. Bierze żółtawą grudkę i ciska, grudka uderza i rozpada się, inne już dudnią o wieko i zaraz ładunek łopaty zostawia na wierzchniej desce wąski pagórek piasku. Pracują szybko, już szpary między bokami trumny i ścianami dołu są wypełnione, jeszcze widać drewno napuszczone brązowym bejcem, a wkrótce tylko jaskrawy kolor ziemi. Jeżeli pudło, ponieważ zamknięte, wzywało, żeby odgadywać jego zawartość (bo ciało stawało się czymś wewnątrz), to teraz tym bardziej — pusta przestrzeń, odrobina powietrza, odgrodzona od reszty powietrza, kawałek tunelu.

W górze dęby. Niektóre bardzo stare, stały tu, kiedy drogą jeździł Hieronim Surkont. W dole, pod stokiem zarośniętym krótką, gęstą trawą, płynie strumień, wpada pod mostek i dalej do Issy. Sady i chaty na drugim zboczu parowu. Ten widok jest dany jako kres podróży. „Tabliczkę trzeba będzie koniecznie zamówić" — powiada dziadek. Tomasz wtrąca: „Powinno na niej być: wdowa po powstańcu 1863 roku". Bo była z tego dumna. „Kwiaty my zasadzim z Tomaszem" — obiecuje Antonina.

Kiełpsz trzyma ten swój krzyż z daszkiem i umocowuje go, sypiąc naokoło i ubijając podłużną mogiłę. Tutaj kronikarz zatrzymuje pióro i stara się sobie przedstawić ludzi odwiedzających to miejsce kiedyś, po wielu, wielu latach. Kim są? Czym są zajęci? Ich samochód błyszczy w dole, koło mostku, spacerują tutaj. „Jaki śmieszny stary krzyż". „Te drzewa warto wyciąć, po co one tu potrzebne". Prawdopodobnie nie lubią śmierci, przypomnienie o niej poniża ich godność, tupią nogą w ziemię i mówią: „Żyjemy". Jakkolwiek jest, w ich piersiach też tłucze się serce, nieraz oszalałe od trwogi, a poczucie wyższości nad tymi, co przeminęli, nie dostarcza żadnej obrony. Sinawe porosty zwieszają się z daszku Kiełpsza, zniknął ślad nazwiska. I obłoki układają się w brzuchate figury jak wtedy, w dniu pogrzebu.

LIII

Ten dźwięk w niczym nie przypomina głosów, jakie mogą wydobywać się z ludzkiego gardła, a przecież Tomasz nauczył się go naśladować. Szło mu z początku trudno, ale wprawił się i sam ledwo wierzył, że umie już z nimi rozmawiać. W lesie koło Borkun jest dołek, zarośnięty olchami, który na wiosnę zmienia się w jeziorko, i tam się to odbywało. Teraz słońce już zaszło, wierzchołki olszyn czerniały na tle cytrynowego nieba i zbliżała się pora. Przed sobą miał zwartą ścianę młodych drzew, a stał w grząskiej mazi, w zapachu gnijących liści i z wściekłością a ostrożnie, unikając gwałtownych ruchów, zgniatał komary, które obsiadały mu twarz i szyję. Tak opijały się krwią, że na dłoni, kiedy je miażdżył, zostawały czerwone smugi. Odciągnął cicho zamek berdanki do strzału. Berdanka jakoś do niego przyrosła, odebrana na lato Wiktorowi. „Po co ona tobie? — mówił do brata Romuald — czasu u ciebie nie ma, czy ty z nią chodzisz czy co? Wisi na ścianie, a Tomasz niech sobie zapoluje". I Wiktor zgodził się.

Jastrzębie założyły sobie gniazdo w gąszczu, tam gdzie trudno dojść, bo za mokro. Wychowały już młode i te cały dzień kołowały wysoko w powietrzu, jak rodzice, ale wieczorem rodzina zlatywała się tutaj na nocleg. Przedwczoraj spróbował swego wabienia i odpowiadały mu z trzech czy czterech stron. Chyba sekret polegał na wybraniu chwili, kiedy nie wszystkie jeszcze są w domu i dopiero zwołują się. Ich kwilenie odzywało się coraz bliżej, aż między liśćmi zobaczył rozstawione szare skrzydła i zaraz trzepot, kiedy jastrząb czepiał się cienkiego wierzchołka. Nie widział Tomasza w półmroku na dole, wołał i czekał odpowiedzi. Wtedy Tomasz wolniuteńko podniósł strzelbę do oka i pocisnął cyngiel. Spada!! Długo szukał, bał się już, że nie znajdzie, chyba dopiero rano, aż natknął się na niego prawie pod nogami — szarość obca temu bagnu pełnemu ciemnych badyli, prawie jaskrawa. I te długie skrzydła, lotki rozpościerające się, kiedy go podniósł, a odginając zaciśnięte kurczowo szpony skaleczył się w palec. Jeden to za mało, kiedy zdobył taką nad nimi przewagę. Odczekał jeden dzień i próbował znowu.

„Pii-ii" — przenikliwy krzyk musi wychodzić ze ściśniętego gardła i tu tkwi trudność, bo powtórzyć ileś razy, a odczuwa się ból. Słyszał jastrzębie gdzieś w głębi lasu. Przylecą dziś czy nie? Tylko brzęczenie komarów, w plamie światła tańczyły słupem taniec w górę i w dół. „Pii-ii" —

powtórzył. Co dokładnie oznacza w ich języku ten sygnał, nie wiedział, jedno pewne, że wyraża tęsknotę, wezwanie. Bliżej. Tak, na pewno. Wysłał znowu zachętę, niosła się daleko w ciszy, w której inne ptaki już znalazły sobie gałązki do spania i stroszą pióra. I nagle z kilku stron nalegający lament. Więc są.

Smakował swój triumf, choć starał się nie przesadzać. Jastrzębie, ponieważ młode, nie zdobyły jeszcze wprawy w odróżnianiu fałszywego tonu. A poza tym tutaj nie było sójek, które ostrzegają swoim skrzeczeniem o obecności człowieka. Zawabił raz tylko jeszcze, bo z bliska jednak mogły rozpoznać, że to niezupełnie to.

Nad drzewami jeden kształt, drugi. Nie, że tam latają, niczego jeszcze nie dowodziło. Ale uwaga, cień przemknął między szczotką młodych olch. Siadł. Gdzie? Komary na rękach i na czole Tomasza mogły teraz być pewne bezpieczeństwa, nie poruszał się. Jastrząb kwili z tamtego wierzchołka, a nie widać nic w listowiu. Jeżeli posunie się o kilka kroków, zauważy go z pewnością i wtedy zniknie, tym swoim szczególnym lotem, którego używa przy spotkaniu z człowiekiem: lotem tajemnicy.

Zaryzykować i wabić, jedyny sposób. Zapominając, że jest sobą, przybrał duszę jastrzębia, tak starał się, żeby dobrze mu wypadło. „Pii-ii". I tamten, podniecony, rzucił odzew. Załopotał, to wystarczyło, żeby Tomasz go wypatrzył. Celował prawie na oślep, raczej zgadywał, niż widział myszatą plamę w czerni. Po strzale ptak zerwał się, zwinął się i spadł tłukąc się, usiłując się zatrzymać. Tomasz skoczył ku niemu, witki siekły go po twarzy. Już drugi, zabił drugiego — śpiewało w nim. Zastał go leżącego na wznak, jeszcze żywego, szpony sterczały obronnie. Zamiast towarzysza czy matki, których zaproszenie tak wyraźnie do niego się kierowało, olbrzymia istota pochylała się nad nim, porażonym niemocą. Tomasz oczywiście czerpał usprawiedliwienie swego postępku w tym, że drapieżnik karmił się mięsem i krwią rozdzieranych przez siebie gołębi i kurczaków. Stuknął go więc kolbą w głowę i złote oczy przesłoniły się od dołu powieką. Mięso po zdjęciu skóry oddane zostanie Lutni, a wypchana skóra zachowa przez pewien czas pozór tej właśnie, a nie innej osoby, zanim nie zalęgną się w niej mole.

Jeżeli Tomasza nawiedzały skrupuły (co się zdarzało), tłumaczył sobie, że stworzenie, które się zabija, i tak umrze, więc chyba wszystko jedno, czy trochę wcześniej czy później. Jakoś że zwierzęta chcą żyć nie było całkowicie wystarczające, bo on przecie miał cel — zwyciężenia, wypchania, i ten cel wydawał się ważniejszy. Niebo przybrało barwę granatową, kiedy wyszedł z lasu i przeprawił się kładką nad strumieniem. Okna domu świeciły przez krzaki, Barbarka przygotowywała kolację. Co ona powie na drugiego jastrzębia?

Ale za trzecim razem już się nie udało, spłoszyły się tym strzelaniem. Umiejętnością wabienia chwalił się później nieraz, aż któregoś ranka (nie tego lata) chciał sprawdzić, czy nadal umie, i tylko zachrypiał. Przechodził mutację, głos mu zgrubiał i już nigdy nie zdołał wydać z siebie tego ostrego sygnału, pośredniego między miauczeniem kota i świstem kuli.

LIV

Barbarka biła pana Romualda po pysku, aż echo rozchodziło się w sadzie. „Co ty? Co ty?" — powtarzał i cofał się. Zaskoczenie przeciwnika jest taktyką na ogół zalecaną, a tutaj było zupełne. W ten niedzielny ranek bez żadnych nieporozumień i sporów, nagle: „Świnia! Ze starymi babami jemu zachciało się! Na! Na! Za moją krzywdę! Na!" Pojawienie się komety wywołałoby chyba równy podziw Romualda jak jej atak, mógł chwycić za kij i wygnać ją natychmiast z Borkun, ale zamiast tego miękł, niepewny, czy nie zwariowała. A ona już uciekała ścieżką, zanosząc się od płaczu.

Płacz był szczery. Jednak co do ciosów, łączyły się tutaj w jedno gniew i rozwaga. Barbarka jakoś czuła, że tak trzeba, a nie inaczej, że albo wygra wszystko, albo przegra wszystko. Nudzić czy chmurzyć się po kątach nie zdałoby się już na nic. Zresztą ocenia się dystans przy skoku nie przy pomocy arytmetyki. Romuald był przeciwnikiem, ale nie tylko. Było mu z nią dobrze i to wiedziała. Przede wszystkim niełatwo znalazłby gospodynię taką jak ona, z podobną czystością, porządkiem, zdolną do każdej pracy, nawet do orki — zaorała kiedyś sama prawie całe pole, kiedy chorował, a parobek pokłócił się i odszedł. Poza tym gotowała lepiej niż inne. Ponieważ nie młodzieniec, miał swoje upodobania, a każdą nową musiałby dopiero uczyć. Istniały też inne powody jej pewności siebie.

To życie na odludziu zupełnie im wystarczało, dlatego, że mieszkali razem. Wiosna i lato upływały szybko, wypełnione mnóstwem zajęć, ledwo mogli im nadążyć. W jesieni smażyła powidła z brusznic i z jabłek, a kiedy zaciągały się deszcze, siadała przy kołowrotku. Prząść umiała cienko. Len hodowali swój, a wełnę kupowało się u Masiulisa. Ze swojego przędziwa tkała płótna i sukna na krosnach. Stukała na nich w zimie (stuk powstaje, kiedy przesuwa się czółenko) aż do zmierzchu — prząść można wieczorami prawie na oślep, ale tkactwo wymaga światła i wielkiej uwagi. Drewniany warsztat i kilka spódnic w kuferku stanowiły jedyny posag Barbarki.

Pracowity tydzień kończył się ceremonią łaźni w sobotę i jej wyprawą do kościoła w niedzielę, bryczką albo na piechotę. Romuald nie był zbyt gorliwy i nieraz po kilka niedziel opuszczał, woląc swoje polowanie.

Łaźnię zbudował sam, nad rzeką, i zbudował starannie. Składała się z dwóch izb. W pierwszej wbił kołki w ścianę na ubranie i nawet wyciosał ławę, żeby było wygodniej rozbierać się i ubierać. W niej też umieścił palenisko, tu wkładało się grube polana, które tak nagrzewały płaski kamień za ścianą, że każdy skopek wody wylany na niego zmieniał się natychmiast w kłęby pary. W tej drugiej izbie, od ściany do ściany, jedne nad drugimi, biegły trzy półki połączone ze sobą tak, że tworzyły stopnie. Nie ma nic obrzydliwszego niż łaźnie, w których gwiżdże wiatr, opatrywał więc szczeliny między bierwionami mchem co roku.

Ceremonia zaczynała się od tego, że Barbarka myła mu plecy. Następnie dodawał pary, a lubił bardzo mocną. Włazł od razu na najwyższą półkę, a do niej należało postawić przy nim skopek z zimną wodą, tak żeby mógł sięgnąć ręką — jeżeli polewa się sobie głowę zimną wodą, wytrzyma się na górze dłużej. Brała wiennik z brzozowych witek i stojąc niżej przeciągała nim po jego piersiach i brzuchu, co wymaga umiejętności: skóra robi się pod wpływem pary wrażliwa i dotknięcie parzy jak rozpalone żelazo, bardziej delikatne dotknięcie niż uderzenie, na tym właśnie, żeby na przemiany dotykać i siec, polega sztuka. Romuald sykał i ryczał: „Aaaa! Jeszcze! Jeszcze!", przewracał się na brzuch, czerpał dłońmi wodę ze skopka i: „Walaj! Jeszcze! Aaaa!" Aż zrywał się i czerwony jak gotowany rak pędził na dwór, tam przewracał się w śnieg, tarzał się w nim kilka sekund — tyle żeby jak dostać biczem, a nie poczuć chłodu. Wracał i znów pakował się na półkę, bo przychodziła kolej Barbarki. Trzymał ją tam na górze tak długo, że jęczała: „Ojej! Ja już nie moga!" „Możesz. Odwróć się", i siekł, a ona krzyczała śmiejąc się: „No już dość. Puść!"

Gdyby wypowiedział jej służbę, z kim by chodził do łaźni i kto by szorował mu plecy?

Że Romuald patrzył na nią w łaźni z upodobaniem, nie ulegało wątpliwości. Samo zdrowie i młodość, piersi ani za małe, ani za pełne, mocne ramiona i biodra. Jasnoróżowa, prawie biała przy nim. Tak czy owak dawała mu sporo okazji do męskiej dumy.

Tak czy owak. Poddając się obrzędowi miłosnemu, Barbarka (co może nie jest bardzo stosowne, ale nie myśli się wtedy, co jest stosowne, a co nie) wzywała najświętszych imion z Ewangelii i wydając ostatnie tchnienie wrzeszczała szeptem: „Romuaaald!" On, nieruchomy, kontemplował tę falę, która w niego uderzała i którą sam spowodował. Miał ambicję dobrej roboty. Zadowolony był, kiedy po chwili znów łapała powietrze i znów słyszał jej bezładną litanię. Jeżeli powtarzało się to jeszcze i jeszcze, i jeszcze, jak najmniej brała mu to za złe. I rozłąki z nim nie mogła sobie w ogóle wyobrazić. Gdyby nie pomogły pewne stare sposoby i było dziecko, no to by było. Świat rano pojawiał się nowy, szyba przemyta rosą, i nogi lekko drżały w kolanach. Stąd te pieśni nad krosnami, z nadmiaru radości.

Teraz jednak płakała myśląc zarazem, co on robi w sadzie. Idzie ścieżką, zaraz podłoga zaskrzypi, wejdzie i powie: „won". Chociaż gdyby tak w złości ją wyrzucił, postąpiłby przeciwko sobie. Cała historia z Heleną Juchniewicz na nic mu nie była potrzebna. Barbarka jego szlacheckie kaprysy uważała za część męskiej głupoty, u każdego mężczyzny innej, którą trzeba znosić taką, na jaką się natrafi. Nie więcej niż przebranie, pod spodem jest zwyczajny. Powinien wreszcie spostrzec się, że goniąc za prawdziwą panią tylko po to, żeby pokazać: ja nie gorszy od nich, psuje sobie wszystko.

Gdyby nie stara Bukowska... Ta była jej wrogiem. Nie sprzeciwiała się wcale jej pobytowi u Romualda, nie mógł przecie żyć zupełnie sam, ale pilnowała. Czasem sadzał Barbarkę koło siebie na bryczce i tak jechali do kościoła, i za to mu wymyślała: co ludzie powiedzą. Służąca powinna znać swoje miejsce.

Tak, Bukowska przeszkadza. Najwyższe szczęście, władanie na Borkunach, z pewnością że już nikt by jej stamtąd nie wysiudał, przez nią było zabronione. Nigdy żaden Bukowski nie ożenił się z chłopką, nawet z bogatą, nie taką jak ona. Ze wzrokiem utkwionym w podołek, siedząc z szeroko rozstawionymi nogami, które napinały spódnicę, Barbarka oddawała się rozpaczy. Tamte przeszkody wydały się już niepotrzebnym zmartwieniem. Jeżeli on wejdzie, padnie przed nim na kolana i będzie prosić o przebaczenie. Żeby tylko było jak dotąd.

Czerstwy kark Romualda jest pocięty w ukośne kwadraciki. Teraz poczerwieniał, prawie koral indora. Stoi nieruchomo, podrywa się, szybko idzie w stronę domu. Ale zatrzymuje się przed gankiem, po chwili wolno wstępuje na drewniany stopień i w swoim pokoju zdejmuje dubeltówkę ze ściany.

Las, jeżeli słucha się jego szumu przez wiele godzin, udziela rad. Te rady, albo znany fakt, że twardość mężczyzn jest pozorna, sprawiły, że kiedy wrócił po południu, nie powiedział nic. Dopiero wieczorem, kiedy wydoiła już krowy, rozległo się jego rzeczowe:

— Barbarka!

Drżąc przestępowała próg.

— Kładź się!

W ręku trzymał kańczug z sarnim kopytkiem. Zadarł jej spódnicę i bił po gołym tyłku, nie śpiesząc się, a boleśnie. Skowytała i skręcała się za każdym uderzeniem, gryzła poduszkę, ale szczęśliwa. Nie odtrąci jej! Karze, to znaczy, że uznaje za swoją! Sprawiedliwie karze. To jej się należało.

Co nastąpiło później, może być uznane za nagrodę, tym większą, że miłość nabiera słodyczy, kiedy połączona jest ze łzami i bólem. Tu wypada zauważyć jedną z najdziwniejszych cech człowieka, że nawet kiedy się zbliża do szczytu upojenia, nie opuszcza go myśl, snująca się niezależnie od zapamiętania cielesnego, i wtedy, bardziej niż kiedykolwiek, czuje, że jest podwójny. Usta Barbarki wyrzucały święte imiona, świadczące, że jest wierną córką Kościoła i że nie może wyrażać gwałtowności swoich uczuć inaczej niż w jego języku, a myśl odważała swój triumf. I jeszcze niedawno godząca się całkowicie na to, żeby zostało, jak jest, sięgała dalej, w walkę przeciwko starej Bukowskiej. Barbarka widzialna chciała, żeby ją rozdzierał i wypełniał, a Barbarka niewidzialna podszeptywała, że gdyby z tego urodziło się dziecko, nie byłoby najgorzej. A obie utrzymywały ze sobą pewne porozumienie.

LV

Za tydzień miało się odbyć polowanie na cietrzewie i przygoda ciotki Heleny wpędziła Tomasza w rozterkę. Jakkolwiek chował wiele do niej niechęci, to jednak obowiązywała rodzinna solidarność. Co się zdarzyło? Jechała do Borkun, a on nie przepuścił okazji. Trzymał lejce i bicz, siedzieli obok siebie i już byli w lasku, koń wspiął się pod górkę, kiedy... Nie można orzec, czy najpierw zobaczył, czy usłyszał. Zza jodełki błysk bieli i już krzyk, a ten wydobywał się z ust Barbarki, której nigdy takiej nie widział, zamarł w osłupieniu. Czerwona, ze ściągniętymi brwiami podnosiła leszczynową witkę grożąc i wrzeszczała:

— Suka! Ja tobia dam! Ja tobia pokaża romansy!

I różne przekleństwa w dwóch językach.

— Niech ja ciebia jeszcze raz zobacza w Borkunach! Niech ja ciebia...

Tutaj witka świsnęła i Helena schwyciła się rękami za policzek, i witka świsnęła i Helena zastawiła się ramieniem, a jak zachować się w takim wypadku, przekraczało wszelką wiedzę Tomasza, tyle że walnął konia, zaturkotały koła.

— Zawracaj! Zawracaj! O Boże, a za co, a za co? — skarżyła się Helena. — Zawracaj, moja noga tam więcej nie postanie.

Tak, łatwo powiedzieć, ale droga była wąska, gniótł młode drzewka i koło zgrzytało o bok bryczki, ledwo się nie przewrócili. Wielkie łzy leciały po twarzy ciotki, teraz ona była czerwona i przede wszystkim wyrażała cichym głosem zdumienie. Składała dłonie modlitewnie, a niebieskość jej oczu zostawiała niebiosom pomstę za niewinnie doznaną krzywdę.

— Coś okropnego. Ja nic nie rozumiem, co to znaczy! Dlaczego? Jak ona śmiała? Ona chyba pomieszana.

Tomaszowi było przykro i starał się nie odwracać głowy, udając, że jest zajęty powożeniem. Zresztą miał dość do rozmyślań. Romanse — to jednak prawda. Te wszystkie jej słodkie miny do Romualda, oczy jej robiły się przy nim jak mokre śliwki. Ale skąd tutaj Barbarka? Tego w żaden sposób nie mógł pojąć. Czy on miał dość tej głupoty Heleny i kazał Barbarce, żeby na nią czekała w lasku? Czemu sprzymierzał się przeciwko ciotce ze swoją służącą? Co Barbarce do jego spraw?

Tomasz umówił się na polowanie. Ich męskiej przyjaźni nie mogły zakłócić żadne takie drobiazgi, niepoważne kłótnie dorosłych. Tylko że tak: ona nie będzie już jeździć do Borkun i powie, że nikt tam nie ma prawa bywać, a jeżeli on tam pójdzie, to wyjdzie jakoś nieładnie. Ona powie? Choć może nie powie. W tym tkwiło coś wstydliwego i zatrzymując się na granicy rzeczy niejasnych, odgadywał, że ona nie ma czym się chwalić. I chociaż nie napomknęła ani słówkiem, z jej milczenia wynikał jakiś między nimi układ. Twarz jej sponurzała, dwie fałdy koło ust, kiwała się na bryczce jak sowa.

— Co? Tak prędko? — zapytała babcia Misia.

— A tak, nie zastaliśmy Bukowskiego w domu — skłamała lekko Helena.

Więc z tego wyłaniała się jego przewaga, a zarazem wspólnictwo. Niestety przyplątywało się do wspomnienia gniewnej Barbarki inne, już tylko jego samego dotyczące. Niedawno, włócząc się z berdanką skrajem lasu, wysunął się z gąszczu aż przy polach wsi Pogiry. Stary chłop na wozie ze zbożem układał snopki, które młody podawał z dołu widłami. Spostrzegłszy Tomasza, który go grzecznie pozdrowił: „Padék Dévu", czyli „Pomagaj Bóg", przerwał robotę i wyprostowawszy się na swojej kopicy, zaczął ciskać stamtąd na niego wyzwiska, a podniesioną pięścią potrząsał w słońcu. Tomasz zupełnie się tego nie spodziewał, ledwo go znał z widzenia i tak dostać porcję nienawiści, na którą niczym nie zasłużył, było dla niego ciężkim przeżyciem. Jeśli gniew natrafia na gniew, to łatwiej, ale tutaj furia trafiła na jego życzliwość, tylko dlatego, że był panem. Nie wiedział, gdzie się podziać, odchodził powoli, żeby nie wyglądało, że ucieka, twarz go paliła ze wstydu i żalu, a usta, choć nie przyznałby się do tego nikomu, drgały, układając się w podkówkę.

Coś w tym nagłym wyskoczeniu Barbarki na nich przypomniało mu tamten dzień. Bądź co bądź on z Heleną na bryczce to było jedno, a Barbarka to drugie. Na Romualda spadała jednak odpowiedzialność za sprzymierzenie się z — i, niespodziewanie dla Tomasza, uparcie, pojawiał mu się ukochany, świętokradczy Domcio, który śnił mu się kilka razy jako Barbarka. „Cóż to za towarzystwo ten pan Romuald — babcia Misia z naciskiem wymawiała «pan» — różnych łapserdaków do domu nawprowadzać!"

Romuald pachniał tytoniem i siłą. Tomasz nie chciał go stracić. I nagle uświadomił sobie, że chodzi o cietrzewie, o strzelbę, o wszystko, a wtedy przestraszył się, że przez sekundę mógł mieć takie myśli. Od babci Misi wynudził skrawki płótna na onuce i dopasowywał sobie łapcie z lipowego łyka, bo przecie w rojsty nie pójdą w butach.

LVI

Kotły do pędzenia samogonu ustawione były w lesie, w trudno dostępnym miejscu, i gdyby nawet zjawiła się policja, to chyba po to, żeby spróbować ich produktu u Baltazara w domu. Odjechałaby z kilkoma butelkami w podarunku za spisanie protokółu, że nic nie znaleziono. Wódki Baltazar potrzebował nie tylko na swój użytek (nie wystarczało mu piwo) i nie tylko na sprzedaż. Od czasu kiedy las oglądała komisja, którą sam oprowadzał, pomiędzy wioską Pogiry i nim rosła złość. To prawda, że trzej urzędnicy, po traktamencie u Surkonta, drapali się na bryczkę w dobrych humorach, bardzo czerwoni na twarzach, że śpiewali po drodze i jeden o mało nie spadł, co ten i ów zauważył. Poprawili sobie jeszcze w leśniczówce, tak że drzew chyba naprawdę nie widzieli, tylko trawę. Ze względów gruntownie przez siebie przemyślanych Pogiry życzyły sobie, żeby las przeszedł na własność rządu, choć wtedy znikłyby korzyści, to jest spuszczanie pnia od czasu do czasu, na które Baltazar pozwalał. Nikt nie wiedział na pewno, z wyjątkiem Józefa, jak to jest z datą działu między Surkontem i jego córką, ale odgadywali, że las jest tutaj ważny, przewidując skutki takiego i innego rozstrzygnięcia dla pastwisk, o które toczyli spór ze dworem. Do Baltazara mieli pretensję, że trzymał w tym z Surkontem, i samogon służył do zalewania najbardziej wrzeszczących gardeł. Zresztą, mszcząc się, gdyby im nie dawał darmo, mogli naprowadzić policję na samą ukrytą w gąszczu winokurkę.

W tym czasie, przy murze pod kościołem w Giniu, kiedy msza się kończyła i mężczyźni zbierali się w grupki, rozmawiano często o lesie.

— On chytry — mówił młody Wackonis.

Dawno już nie nosił wojskowej bluzy, ubrany był tak jak Józef Czarny, w samodziałową kurtkę, zapinaną pod szyją. Jeżeli się spotykali, nigdy nie dawali poznać po sobie, że pamiętają o historii z granatem. Należała do przeszłości, zapadła się jak kamień w wodę.

— On — i język przesuwał się po papierku zwiniętego papierosa — swojej ziemi nie odda nikomu.

Było to powiedziane obojętnie, żadne spojrzenie, żadne drgnięcie twarzy nie zdradzało zamiaru. Jednak Józef wiedział, że kryła się w tym drwina z łatwowiernych.

— Może i teraz nie odda — zgodził się. — To za rok odda. Albo za dwa.

— A Baltazar jemu pomaga.

— Sobie sznur na gardło kręci.

— Kręci. Mówią, że Juchniewiczowa jego już wyrzuca.

— Kto mówi?

— A dziś, w kumietyni. Chodziła dom dla niego wybierać. On tu, a ona do jego domu.

Splunięcie Józefa miało świadczyć o obrzydzeniu.

— Za parobka u nich będzie służyć? Pewno nie taki głupi.

— A może nie służy?

— Kto jemu każe z lasu iść? Nie zechce — nic jemu nie zrobią. Do sądu podadzą, tak co, na lat dziesięć wystarczy.

— E, Baltazar taki już, bojący. Spadnie szyszka, a on, że niebo jemu wali się na głowę.

— Co pijaństwo potrafi zrobić z człowieka.

Opinia Wackonisa dowodząca, że w ocenie ludzi kierował się, jak należy, obserwacją, wyrażała dość powszechny u mieszkańców wsi Pogiry stosunek do Baltazara: wiele złości, ale i wiele pogardy. Inaczej mówiąc, uważali, że tam gdzie każdy zrobi spokojnie sto kroków, Baltazar zadyszy się, biegając w kółko i tłukąc pięściami w ściany, których nie ma. On jednak nie wiedział, że tak go traktują i że z pogardą miesza się również litość. Więzienie, w którym tłukł się, było dla niego rzeczywiste, i gdyby próbowali mu wytłumaczyć, że tylko się tak jemu wydaje, lekceważyłby ich perswazje, pewien, że są ślepi i nie rozumieją nic. Wpychał im wódkę po to, żeby twarze rozjaśniały się na chwilę i żeby siedząc z nimi usłyszeć jakąś pochwałę, dowodzącą jemu samemu, że „Baltazar dobry". Nigdy dotychczas, mając te swoje wewnętrzne zmartwienia, nie musiał zajmować się tym, jak inni na niego patrzą. Wiodło mu się dobrze, niektórzy mogli mu trochę zazdrościć, ale na tym się kończyło. Teraz ta przeklęta komisja i kombinacje dworu i jak gdyby mało było jego odcięcia przez to od wioski, Surkont wspomniał nieśmiało o córce — jedno zdanie, ale dosyć, żeby ostrzec Baltazara.

Pracowicie bulgoce braha w kociołku, poblask ogniska oświetla twarz o okrągłych policzkach. Cała aparatura pod nim w wykopie, on siedzi na skraju, za jego plecami ciemność, z której wynurzają się lśniące liście leszczyn. Dlaczego czyjaś dłoń nie sięgnie, zbliżając się nad lasami, zasłaniając gwiazdy, w ten maleńki punkt na kręcącej się ziemi, prowadziłoby ją światło księżycowe na falach Bałtyckiego Morza, dlaczego nie schwyci i nie uniesie biednego Baltazara. Dokąd, wszystko jedno, na przykład mogłaby go cisnąć w środek orkiestry w czasie koncertu w wielkim mieście, padałyby pulpity, popłoch, czołgałby się na czworakach, niezgrabnie przebierając nogami w długich butach, dźwignąłby się wreszcie, chwiejący się, rozczochrany.

— Krzycz!

I Baltazar, posłuszny rozkazowi swego prześladowcy, rzuciłby na salę wyznanie sekretnej choroby drążącej tak wielu z nas, urodzonych nad brzegami Issy.

— Za mało!

Za mało!

Żyć to za mało!

— Krzycz!

Dziki skowyt:

— Nie tak! Nie tak!

Przeciwko temu, że ziemia jest ziemia, niebo jest niebo i nic więcej. Przeciwko granicom, jakie zakreśliła nam natura. Przeciwko konieczności, przez którą ja jest zawsze ja.

Żadna ręka go nie porwie i Baltazara męczy czkawka. Drapie się w pierś zakładając palce pod rozpiętą koszulę, na plecy zarzucił kożuch, bo noc przezroczysta i chłodna.

Pogarda gromadzka wsi Pogiry da się łatwo uzasadnić, bo oto człowiek, który nie wie, czego chce. Utrudnia sobie życie, zaplątuje się, być może tylko po to, żeby nie być sam na sam z trwogą bez kształtów i nazw. Ale przecie nie jest niemożliwe, że od początku świata czekało gdzieś na niego przeznaczenie, które jedynie on mógł wypełnić, a nie wypełnił, i na miejscu, gdzie powinien by był wyrosnąć dąb, zostało powietrze z ledwo dostrzegalnym rysunkiem gałęzi.

Zsuwa się z brzegu wykopu, kuca i podstawia kubek pod rurkę. Pije. W głębokościach lasu rozlega się lament rozdzieranego ptaka. Znów cisza, trzaska ogień. Niebo już blednie, gwiazda spadająca nakreśliła linię na ciemnej jego stronie.

— Zabić.

— Kogo?

— Nie wiem.

LVII

Bekas kszyk jest szarą błyskawicą. Zrywa się i nisko nad ziemią robi kilka zygzaków, dopiero później prostuje swój lot. Dlaczego, trudno zgadnąć, wygląda to, jakby od dawna przewidziano w porządku wszechświata, że człowiek wynajdzie strzelbę. Karo drżał z podniesioną przednią łapą, Romuald strzelił i zabił ptaka. Tomasz natomiast nie zdążył nawet podnieść berdanki do ramienia.

Działo się to na podmokłej łące, gdzie między trawą przeświecały tafle wody czerwonej od rdzy. Wilgoć chłodziła przyjemnie nogi chronione od ostrych badyli i od żmij przez onuce i łapcie. Słońce poranka igrało w rosach. Posuwali się rzędem za psem. Mieli polować we czwórkę, ale Dyonizy wymówił się, więc tylko Romuald, Tomasz i Wiktor.

Być może kiedyś było tutaj jezioro, ale na jego dawnym dnie teraz rozpościerały się łąki z ostrą wikswą i dalej, przed nimi, mszaryna — kępy, na których rosły karłowate sosenki, tu i ówdzie chaszcze splątanej łozy. Wchodząc między pierwsze drzewka Tomasz wciągał znany zapach. Jest to królestwo zapachu. Z mchu sterczą tu krzaki bahunu *Ledum palustre* — z ich wąskimi skórzanymi liśćmi, niebieskie jagody pijanic, duże jak gołębie jajka, dojrzewają w cieple powietrza przesyconego parą. Są orzeźwiające w smaku, ale dużo nie należy ich jeść, bo zakręci się w głowie, nie wie się zresztą, czy od nich, czy od długiego wdychania aromatów. Młode cietrzewie znajdują tu dość jedzenia, pod kierownictwem matki, a koguty, które spędzają lato samotnie, tutaj zaszywają się w gąszczu, żeby linieć — przez ileś tam dni ledwo mają siłę latać.

— Szukaj, Karo, szukaj!

Karo zataczał koła, migała jego biała sierść z żółtymi plamami, merdał ogonem i oglądał się czasem na nich pytająco. Romuald w parcianym frenczu, przepasanym ładownicą, z rzemieniem od siatki na zwierzynę przez plecy, wskazywał mu ręką kierunek. Wiktor dźwigał swoją wielką skórzaną torbę przyborów do kapiszonówki.

Tomasz przyszedł do Borkun jakby nigdy nic i witając się z Barbarką udał, że jego wtedy na bryczce nie było. Później, już kiedy maszerowali, sami, Romuald zapytał od niechcenia:

— A co ciocia? Nie wybiera się przyjechać?

Tomasza aż zatknęło. Dlaczego on udaje? Ale czuł, że jeżeli się w to wda, to się zaplącze.

— Ja nie wiem. Chyba teraz to zajęta.

I tyle o niej rozmowy. Z lufą wysuniętą naprzód wpatrywał się w śmigania Kara, cały skoncentrowany na tym, co się zdarzy, i niespokojny. Od dawna bolało go, że nie zabił dotychczas ani jednego ptaka w locie, kaczki kłapaki się nie liczyły, wygarnął wtedy w kupę równocześnie z Romualdem. Najwyższa pora trafić choć jednego, cietrzewie stanowiły próbę. Pierwsza dzisiaj zdobycz — ten bekas, wzmógł tylko jego napięcie, bo umiejętność wodzenia lufą za ruchem, obliczenia, ile metrów trzeba założyć, i to wszystko w ciągu sekundy, wydawała mu się nieosiągalna. Żeby przynajmniej złapał tego bekasa na muszkę, ale gdzie tam, stało się to za szybko, ledwo rozluźnił mu się skurcz gardła, już Karo aportował.

— Oni siedzo teraz twardo — powiedział Romuald. — Pies może nosem tknąć. Ty nie oglądaj się, Tomasz.

Zapadali się w mchu po kolana.

— O, tam to mogo być.

Ale nie było i szli coraz dalej w mszarynę, a Karo wywieszał język, chował i znów zabierał się do pracy.

Tak, najgorsze jest, że człowiek się nie spodziewa. Najpierw natęża uwagę i przybliża się do każdego krzaka z ostrożnością, następnie zapomina trochę o celu, porywa go sam rytm kroków i łozy, jak te naprzeciwko, są dla niego tylko czymś, co się zaraz minie. I właśnie wtedy, na przekór.

Kara stracili na chwilę z oczu. Nagle Tomasz został ugodzony, obrzucony odłamkami dźwięku, który wybuchł w powietrze, trzask, rwanie się świata na kawałki, panika, ogień, krew zalewa twarz, wzrok przyćmiewa się, ręce się trzęsą. To. To. A tak blisko, że widział ich wyciągnięte szyje i dzioby jak u kurcząt między zamętem bijących skrzydeł. Celował, właściwie nie celował, pociągnął za cyngiel w pośpiechu, byle pociągnąć, wierząc w jakiś cud. Równocześnie Wiktor obok składał się, zgarbiony, niezgrabnie i Tomasz słyszał jego strzał, jego własny cietrzew leciał dalej, a inny, przed Wiktorem, spadł, pies rzucał się to tu, to tam, niezdecydowany, czy ma gnieść w pysku cietrzewia Wiktora czy Romualda.

Wyrzucając pustą gilzę, Tomasz starał się znosić porażkę mężnie, ale jasne niebo przesłoniło się kirem, serce mu biło gwałtownie jak po przerażeniu. Spodziewał się (jeżeli miał czas coś pomyśleć), że trafi cudem, że mu się to należy, sam sobie był winien, na drugi raz będzie mądrzejszy.

Wiktor stukał stęplem, ładował swój gruchot.

— Gam gy ig gegge goggęgim, czyli: tam my ich jeszcze dopędzim — powiedział taktownie, dając do zrozumienia, że nie warto przejmować się jednym pudłem. Wkrótce Tomaszowi minęła ponurość, tym dotkliwsza, że wypadało nadrabiać miną. Przyszłość wabiła. Teraz spokoju, przede wszystkim spokoju. Ze wszystkich stron naokoło nich siwizna chorowitych sosenek, dolne gałęzie tutaj schły i zwieszały się z nich brody porostów. Romuald podnosił palec, śledząc ruchy wyżła.

— Ma, on ma.

Pies znieruchomiał ze sterczącym ogonem. Podchodzili stawiając duże kroki, w pogotowiu. W Tomaszu jęczało błaganie o pomoc.

— Pyf!

Karo posunął się, ale znów zastygł, magnetycznie wpatrzony w jeden punkt.

— Pyf!

Ktoś to może znosić, a on, Tomasz, nie: kiedy postanawiał sobie, że zachowa równowagę, rozległ się trzask jak rozdzieranej płachty, inny, niż się spodziewał, wibrowanie, klaskanie białych skrzydeł wrących nisko i strzał Romualda.

— To pardwy. Daj tu, daj tu!

Pardwa była biało-brązowa z nogami w getrach, śnieg skrzydeł odcinał się od reszty ciała. Z ukosa spoglądając na siatkę Romualda, zazdrościł, zamiast się cieszyć, że zapoznał się z nowym gatunkiem i że wpisze do swojej książki jego łacińską nazwę.

Ale pokrzepiało go to, że nie dał się ponieść. Powstrzymał się i przez to nie obciążył swego myśliwskiego sumienia. Została więc nadzieja i wyciąganie nóg z gąbczastej masy nie sprawiało przykrości. Za każdym stąpnięciem woda wygniatana z łapci posykiwała miękko. Zabili żmiję, na którą Karo wściekle szczekał, podnosząc górną wargę z wyrazem, jaki człowiek przybiera, kiedy je coś zbyt kwaśnego. Teraz. Wyżeł ciągnął, pełno czasu, żeby wyrobić w sobie rozsądną czujność. Powoli, wysuwając łapę za łapą, oglądnął się na nich, czy są, czy skorzystają.

Wybuch. O Boże, tak łatwo, tak łatwo, leci tutaj, byle nie pośpieszyć się, już na muszce. Boże, daj! Strzał i Tomasz w zdumieniu, nie godząc się, żeby naprawdę stało się nieszczęście, widział, jak cietrzew leci spokojnie dalej. Ta sprzeczność między jego sprężoną wolą, zaklęciem a faktem zgnębiła go zupełnie. Bo w istocie, znów jak wtedy, był pewien, że decyduje związek magiczny pomiędzy nim i zwierzyną, a celowanie przybywa na dodatek, jako wynik szczególnej łaski.

Tuż koło niego spadły dwa młode cietrzewie ściągnięte dubletem Romualda. Oba były tylko ranne — istnieje rodzaj rany, który dotyka stworzenie paraliżem, lot ani bieg nie są wtedy możliwe, ale życie trwa, nienaruszone. Tomasz je podnosił, a one kręciły szyjami. Poczuwał się do obowiązku przynajmniej takiego, jeżeli innego nie spełnił. Wziął je za nogi i bił łebkami o kolbę berdanki, to nie pomagało, skarżyły się cienkim gdakaniem. Cierpka rozkosz, wyładowanie złości i zarazem wstyd, jednak ten tłumił powołując się na to, że trzeba. Położył strzelbę, zamachnął się i z całej siły hepał nimi o pień sosenki. Jeszcze wam mało? Dobrze, to jeszcze. Aż dzioby otworzyły się i spływały z nich krople krwi.

— Odpoczniem sobie. Podjeść trocha warto, w brzuchu burczy. Słońce już wysoko.

Siedzieli na kępie i jedli chleb z serem, który Romuald wydobył z siatki. Tomasz nigdy dotychczas nie siedział tak obok nich, nagle obcych, oddzielonych przegrodą. Oni mieszkają w kraju, do którego jemu dostęp został zamknięty. Nawet Wiktor, ten jąkała Wiktor, strzelił teraz i trafił. W nich jest coś innego niż w nim. Jakby nie umiał dobrze podchodzić do zwierzyny, jakby nie dostawał ich pochwał. To jakiś sekret, że Wiktor ze swoim niedołężnym wyglądem umie, a on nie umie. Blask pogodny musował w górze, cieplarnia rojstu odurzała, jaszczurki szeleściły na swoich suchych wyspach, wśród porostów. Niby wystawiał twarz na słońce, półdrzemiąc, a smutek toczył w nim zimne kule, ciążyły mu wewnątrz.

— Czemuż ty nie strzelasz, Tomasz?

Nie mógł. Wiedział, że tylko zwiększyłby rozmiary swego niepowodzenia. Cóż za dzień! Zaraz skończą, już wyłazi łysy pagórek przed nimi, tamtędy wiedzie ścieżka okólna do Borkun, ku niej skręcają. Wiktor spudłował, ale Romuald nie. Jednak kiedy zerwało się stadko tuż przy wyjściu na suchy grunt, nie wytrzymał i zdawało mu się, że na sam ostatek przygotowana musi być dla niego pociecha, nagroda, że nie zasłużył na odtrącenie.

Romuald patrzył z zaciekawieniem na jego dymiącą strzelbę i odlatującego cietrzewia.

— Tobie dzisiaj nie wiodło. Tak bywa.

Jego słowa nie oddawały całości sytuacji. Tomasz nienawidził siebie, bo sprawił mu zawód.

LVIII

Polowanie na cietrzewie dlatego zostawiło tak złe wspomnienie Tomaszowi, że od dawna podejrzewał siebie o różne braki. Myśliwy na pewno, kiedy trzeba wabić, skradać się, zamieniać się w drzewo czy kamień, nawet wykazujący wyjątkowy do tych umiejętności talent, dobry, jak się zdaje, strzelec z zasadzki, tracił się za najmniejszą przyczyną do gorączki. Jeżeli dowód z cietrzewiami miał być ważny, to wznosiła się przed nim przeszkoda nie do przebycia. Nigdy nie stanie się pełnym człowiekiem, cały jego budynek wyobrażeń o sobie rozpadał się w gruzy. Tak dążył, tak pragnął, tak już oswoił się z sobą jako obywatelem lasu, a tutaj, jakby przez ironię wyższą, która odmawia tego, czego się najbardziej chce, słyszał: „nie". Nie. A więc kim ma być? Kim jest? Wspólnota z Romualdem, mapa tego państwa dla wybranych, wszystko to stracone. Nie mógł rozstać się z berdanką, obolały, wędrował przecie do lasu i tam żal ustępował.

Cętki światła na poszyciu, szum w górze koiły go, zapominał o sobie. Nie potrzebował tam przed nikim zdawać egzaminu, nikt niczego od niego nie oczekiwał, on nie szukał niczego, stąpał jak najciszej, przystawał i cieszył się, że różne stworzenia go nie zauważają. Wtedy przychodziło mu na myśl czasami, że szczęśliwszy był, kiedy nie nosił strzelby, bo właściwie zabijanie nie jest potrzebne. Choć znowu jeżeli się idzie do lasu bez strzelby, każdy zapyta, po co, jakoś głupio, nie da się nikomu wytłumaczyć, po co, a tak to „na polowanie" i już wiadomo. A także ta lufa za ramieniem dodaje łażeniu uroku, na wszelki wypadek, może niespodziewane spotkanie z ptakiem czy zwierzęciem, do którego strzelić wypadnie, trudno przewidzieć, jaka niespodzianka może się zdarzyć.

Strzelba nie odegrała żadnej roli w spotkaniu z sarnami. Szedł jedną z tych dróżek, które są pokryte brunatnym igliwiem, gładkie i gubią się gdzieś w bagnie, dopiero zimą, kiedy ścisną mrozy, jeżdżą nimi sanki z drzewem. I nagle nogi pod nim podcięło, nie zrozumiał z początku, co to za obecność, właśnie: obecność, nic więcej, czerwonawe pnie drzew ruszyły z miejsca i odprawiały taniec, światło odprawiało taniec między piórami paproci. Nie pnie, żywe istoty obrosłe rudzizną kory, ale na samej granicy roślinnego żywiołu. Skubały trawę tuż przed nim, ich drobne kopytka przesuwały się naprzód, falowały szyje, jedna obróciła ku niemu głowę, ale nie odróżniła go pewnie od rzeczy nieruchomych. Chciał tylko, żeby to trwało, żeby mógł się rozpłynąć i, niewidzialny, brać w tym udział. Może drgnięcie jego powieki czy zapach wzbudziły ich czujność, lekkimi skokami znikły w leszczynach, a on został, prawie wątpiąc, czy były, czy mu się tylko zdawało.

Kiedy indziej w podobny sposób natknął się na młodego lisa, który myszkował pod karczem. Tu już Tomasz nie tylko kontemplował jego pyszczek i kitę, dołączył się nakaz obowiązku, a także myśl, że mógłby odkupić swoje winy przynosząc go Romualdowi, i ta myśl przesłoniła wszystko, jednak kiedy dotknął rzemienia strzelby, lisem podrzuciła sprężyna i nawet nie zachwiał się żaden listek.

Któregoś dnia broń jednak zwiodła go na pokuszenie i bardzo źle wtedy wypadło. Na szczytach leszczyn zauważył wicie się kolorowego węża, pół w zieleni, pół w powietrzu. Wiewiórka, choć inna niż te, jakie widywał, może dlatego, że w tym poziomym przesuwaniu się, które ją wydłużało i dodawało jej urody. Pod nią rozlegały się przestraszone okrzyki małych ptaszków, widocznie zagrażała ich gniazdu. Tomasz z samej miłości do niej, nie mogąc się oprzeć, strzelił.

Była to młoda wiewiórka, tak mała, że to, co wziął za nią tam w górze, nie było wcale nią, tylko smugą jej skoków, w której długo chwiała się barwa. Zginała się wpół i prostowała się na mchu, chwytając się łapkami za pierś w białej kamizelce, na której wystąpiła krwawa plamka. Nie umiała umrzeć, próbowała wydrzeć z siebie śmierć jak oścień, na który nagle została wbita i tylko dokoła którego mogła się obracać.

Tomasz klęcząc obok niej płakał i twarz kurczyła mu się od wewnętrznej męczarni. Co teraz robić, co robić. Oddałby pół życia za to, żeby ją uratować, ale uczestniczył w jej agonii bezsilnie, ukarany przez ten widok. Pochylał się nad nią, a jej łapki z drobnymi palcami składały się, jakby go błagała o pomoc. Wziął ją na ręce i jeżeli, gdyby ją tak miał, ogarnęłaby go chęć całowania i pieszczenia, to teraz zaciskał usta, bo już nie żeby posiadać, wołał w nim głos, ale żeby jej oddać siebie, a to było niemożliwe.

Najtrudniej znosił tę jej małość i skręcanie się, jakby żywe srebro broniło się przed zastygnięciem. Odsłaniała mu się znów jakaś tajemnica, na mgnienie tak krótkie, że zaraz tracił do niej dostęp. Płynne ruchy zmieniły się w urwane podrzuty i ciemne pasemko wsiąkało w sierść puchatych policzków. Coraz słabsze drgnięcia. Martwa.

Siedział na pieńku, las szumiał, przed chwilą tutaj bawiła się, zbierając orzechy. Było to bardziej przerażające niż śmierć babki Dilbinowej, z powodów, których dokładnie nie rozróżniał. Jedna, jedyna, nigdy pośród wszystkich wiewiórek, jakie dotychczas istniały, nie znalazłoby się takiej samej i nigdy już nie wskrześnie. Bo ona jest ona, a nie inna. Ale gdzie podziewa się jej czucie, że ona jest ona, i jej ciepło i jej giętkość? Zwierzęta nie mają duszy. W takim razie zabijając zwierzę zabija się je na wieczność. Chrystus nie zdoła jej pomóc. Babka wołała: „uratuj". Ją Chrystus przygarnie i poprowadzi. Mógłby zbawić wiewiórkę, jeżeli wszystko może. Nawet jeśli wiewiórka nie modli się, to przecie ta się modliła, modlić się to to samo co chcieć, chcieć żyć. I on tutaj winien. Podły.

Zagrzebać ją w ziemi, zgnije, żadnego śladu. Nieść jej nie będzie. Nie ośmieliłby się nikomu spojrzeć w oczy. Odwrócić się i odejść. Wysoki kopiec mrowiska zwrócił jego uwagę. Usypany z zeschłych świerkowych igieł, nie zapowiadał, że jest zamieszkany, ale płytkimi ścieżkami dążyły ku niemu wielkie rude mrówki, a kiedy Tomasz zdarł wierzchnią warstwę i zanurzył patyk, zaroiło się we wgłębieniu. Jeszcze kopał, aż kiedy z rozprutych tuneli wypadały ich tłumy, miotając się w panice, przyniósł wiewiórkę, ułożył i zasypał. Objedzą ją dokładnie, aż zostanie biały szkielet. Wróci tutaj i znajdzie. Co z nim później, to jeszcze postanowi, najlepiej w skrzynkę i umieścić gdzieś tak, żeby przetrwała jak najdłużej.

Odnajdzie drogę chyba łatwo, sosna z krzywym konarem, następnie kamień, wyspa grabów. Podjął berdankę (nie naładowaną), zarzucił na ramię, przedzierając się ku drożynce.

Podłość. Nie dosięgać tych, co bronią się zręcznością i lotem; dosięgać tylko słabych, którzy nie oczekują niebezpieczeństwa. Wiewiórka go nawet nie widziała, nic jej nie ostrzegło. Młode cietrzewie wykręcały szyje teraz w nim, słyszał tępy odgłos ich łebków miażdżonych o drzewko. Tak dokładny obraz, że dotykał chropowatości kory, z której za każdym razem sypały się chrzuszczące płaty. I inne wyrzuty sumienia. Babcia Misia co prawda opowiadała mu, że kiedy był mały, zbierał w ogrodzie w koszyk ślimaki winniczki, żeby je ciskać do Issy z litości nad nimi. Wyobrażał sobie (może dlatego, że wypełzają na dróżki po deszczu), że im wyrządza przysługę. Tam na dnie rzeki ginęły, ale dobra wola istniała. Także kaczka, której życie oszczędził. Ale to za mało.

Gdyby mógł przytulić się do kogoś, wypłakać się, wyskarżyć. Nagle napadło na niego tak gorące pragnienie, żeby dąb, który mijał na skraju pasiek, zamienił się w żywą istotę, że skulił się, ściągnięty ssaniem w dołku, lękiem, podobnym do tego na huśtawce. Kraska na suchej gałęzi poskrzekiwała, zawsze je ścigał, choć nigdy nie dawały się podejść — tylko dwa ptaki mają tę jaskrawą niebieskość, są czystą latającą farbką: zimorodki i kraski — *Corracias garrulus*, jak wpisał w swoim zeszycie. Teraz nie podniósł nawet głowy.

Od tak dawna mówiło się, że mama przyjedzie, że zabierze go do miasta, że będzie tam chodzić do gimnazjum. I ciągle: za miesiąc, już wkrótce, a nigdy nic z tego. „Mamo, mamo, przyjedź", powtarzał idąc z berdanką, w swoich długich butach myśliwskich, a łzy leciały mu po twarzy i oblizywał ich słony smak. Słowo zaklęcia nie przywoływało żadnego wyraźnego wspomnienia, tylko łagodność i promienność.

Innej promienności potrzebował niż tej sierpniowego popołudnia z lusterkiem powietrza obracającym się nad rżyskami. W ostatnich czasach nawiedzało go niekiedy dziwne uczucie: ludzie, psy, las, Ginie jak zawsze przed nim, ale nie te same. Jajko wydmuchuje się w ten sposób, że robi się na końcu mały otworek i wyciąga się, co jest we środku, przez słomkę. Podobnie ze wszystkiego naokoło zostawał pozór, skorupka. Niby to co dawniej, a nie to.

I nuda. Zrywając się rano z łóżka albo odpowiada się na wezwanie do radości, do zabaw i prac, dnia ledwo wystarczy, żeby wykonać, co się zamierza, albo nie odzywa się żadne wezwanie i wtedy nie wie się, po co i dokąd. „Co, Tomasz jeszcze nie wstał?" „Co tobie, chory może jesteś?" „Nie". Na brzegach Issy nie pojmował, co mu się tam kiedyś podobało, liście były pokryte grubym pokrowcem białego pyłu, który wzbijał się z drogi, spiekota przejrzewającego lata, woda leniwa i oleista ze smugami zapróceń, które prąd rozwlekał powoli. Wydobył swoje wędki i oczyścił haczyki z rdzy, dżdżownica wykręca się w palcach, ostrze haczyka celuje w różowy punkcik w centrum, zagłębia się, nie, wolał łapać na chleb. Czy pławik zadrga i zanurzy się, czy nie, było mu obojętne, przez łowienie ryb powtarzał już tylko na próżno dawną, zupełnie inną czynność, próbował obudzić w sobie zainteresowanie i dał spokój.

Wyciągnął swoje kajety do arytmetyki, zaniedbane od czasu, kiedy, po złożeniu przez Józefa donosu, urwały się lekcje. Postanowienie, żeby co dzień nad nimi spędzić godzinę, nie trwało długo, zaplątał się w jakimś zadaniu i zniechęcił się. Grzebał się znów w bibliotece, znalazł tam książkę *Al Koran*. Była to, jak wiedział, święta księga mahometan. Ktoś się w Giniu ich religią pewnie interesował, pradziadek czy prapradziadek Tomasza. Chociaż niektóre ustępy były niezrozumiałe, czytał je z przyjemnością, ponieważ pouczano w niej, jak człowiek powinien postępować, co wolno i czego nie wolno, również dlatego, że zdania dźwięczały dobitnie, kiedy je głośno wymawiał.

Berdanka wisiała na gwoździu bezużytecznie. Wywoływała ona w Tomaszu wstyd zaniedbania. Wybierał się do Borkun, ale odkładał z dnia na dzień. Romuald nie pokazywał się. Ciotka musiała dowiedzieć się od babci

Misi, że Tomasz chodził z nim na cietrzewie, ale nie dała poznać po sobie, że to ją cokolwiek obchodzi.

— Tomasz, pomóż nosić jabki.

Pomagał. Nawet zmęczyć się, dźwigając zamiast Antoniny pełne kosze, dawało trochę satysfakcji. Nosił na drewnianym nosidle, z obu stron którego przyczepiało się kosze na haczykach zrobionych z rozwidlonej leszczynowej gałęzi. Sad arendował teraz pachciarz, krewny Chaima. Wielkie piwnice pod świrnem, z półkami, na których układało się lepsze gatunki, pachniały cierpko kamieniem i ubitą ziemią. Gryzł renetę i jej sprężysty miąższ, który zawsze tak lubił, dziwił go: że nie zmienił się.

Upłynęło chyba z miesiąc, zanim przypomniał sobie o szkielecie, a i to zmuszał się, żeby przebyć drogę do lasu. Mrowisko znalazł, ale wiewiórki w nim nie. Nie dowiedział się, co się z nią stało.

LIX

Post, który sobie Tomasz wyznaczył, był ścisły. Wolno było tylko pić wodę, jeść nie. Postanowił tak wytrzymać przez dwa dni. Silniej niż nadzieja, że piętno zostanie z niego zdjęte, popychała go do tego sama potrzeba umartwienia się. Czuł, że to jest słuszne, że tak należy, sprawiedliwe.

Miał powody. Jakby na znak, że jest inny, nie taki jak zwykli ludzie, dotknęła go dziwna choroba. Rano ukradkiem przynosił wodę w kubku i starał się zmyć plamy na prześcieradle. W nocy nawiedzały go koszmary, Barbarka, goła, obejmowała go i siekła rózgą. Smutek. Musi być jakiś sposób rozdarcia zasłony. Bo rzeczy, które go otaczały, były albo wydrążone, albo, jak czasem mu się zdawało, przesłonięte jakąś pajęczyną, która odbierała im wyraźność. Nie okrągłe, a płaskie. I zasłona również kryła sekret, do którego dążył, jak we śnie, kiedy biegnie się, już-już, a nogi ciążą ołowiem. Bóg — dlaczego stworzył świat, w którym śmierć i śmierć i śmierć. Jeżeli jest dobry, dlaczego nie można wyciągnąć ręki, żeby nie zabić, ani przejść ścieżką, żeby nie deptać gąsienic czy żuków, choćby się starało nie deptać. Bóg mógł inaczej stworzyć świat, wybrał właśnie tak.

Więc niepowodzenie w polowaniu i nieskromna przypadłość, ponieważ wyłączały go z towarzystwa ludzi, natychmiast skłaniały do rozmyślań sam na sam ze wszystkim. Post powinien był go oczyścić, przywrócić mu normalność, a równocześnie pozwolić zrozumieć. Kto siebie karze, okazuje przez to wstręt do swego zła i, tą swoją częścią, która karze, wzywa Boga.

Przekonał się, że sposób jest skuteczny. Rano czczość, jak ta, kiedy idzie się do komunii świętej. Później, po kilku godzinach, gwałtownie chciało mu się jeść i przezwyciężał pokusę: choć kawałek jabłka, no pozwól sobie. Im dalej, tym łatwiej. Przeważnie leżał i drzemał, szlachetniejąc wewnątrz. I, co najważniejsze, działo się z przedmiotami koło niego, z niebem i drzewami, kiedy wyszedł przed ganek. Tomasz odkrył ni mniej, ni więcej, że słabnąc wydobywa się z samego siebie i zmieniony w punkt, unosi się gdzieś nad swoją głową. I wzrok tego drugiego ja był ostry, ogarniał swoją pozostałą istotę jako znajomą, a przecie obcą. Ona malała, odsuwała się w dół, w dół, i cała ziemia z nią razem, a nic na ziemi nie traciło szczegółów, choć biegło na dno przepaści. Smutek ustępował, zbyt nowy roztaczał się widok. Antonina opowiadała, że bogini Warpeja siedzi w niebie i przędzie nitki losu, a na końcu każdej z nich chwieje się gwiazda. Kiedy gwiazda spada, znaczy to, że przecięła nitkę i jakiś człowiek wtedy umiera. Tomasz, na odwrót, zamiast obniżać się, wędrował w górę, podobny w tym do pajączków, które dźwigają się szybko ku gałązce, ściągając niewidzialny sznur.

Co postanowił, spełnił, choć drugiego dnia po południu osłabł zupełnie i kręciło mu się w głowie, kiedy wstawał.

Zjadł kwaśnego mleka z kartoflami na kolację i nigdy ich zapach (polane masłem) nie wydawał mu się tak cudowny. Bóg zesłał mu na pocieszenie myśli, jakie dotychczas nigdy go nie nawiedzały. Lubił rozkraczać nogi, stojąc na trawniku, pochylać się i patrzeć przez ich bramę na drugą stronę: tak odwrócony, park okazywał się niespodzianką. Post również przemieniał nie tylko jego, ale także to, co widział. Więc czy wtedy świat przestawał być, czym był dotąd? Nie. I to nowe, i to dawne istniało w nim równocześnie. Jeżeli tak, to może niezupełnie ma się rację, wytaczając pretensje do Boga za to, że źle wszystko urządził, bo skąd można wiedzieć, czy któregoś dnia nie obudzimy się i nie odnajdziemy jeszcze jednej niespodzianki, uważając, że dotychczas byliśmy głupi. A Bóg, kto wie, czy nie przygląda się ziemi przez rozkraczone nogi, albo po tak długim poście, że ten Tomasza nie da się z nim porównać.

Ale wiewiórka męczyła się. Czy ktoś mógłby ją zobaczyć jakoś z drugiej strony i powiedzieć, że nam się tylko przywidziało, że nie, ona nie cierpi? Tego to już chyba nikt nie powie, nawet Bóg.

W każdym razie z postu dla Tomasza wyniknęło otwarcie się szczeliny, przez którą padał i łączył się z nim promień. Dotykał palcem pnia klonu i właściwie zdumiewał się, że nie do przebicia. Tam wewnątrz czekała kraina, po której chodziłby, zmniejszony, przez rok, do samego sedna by dotarł, do wiosek i miast za granicą kory, w drewnie. Niezupełnie. Tam miast nie ma, ale wyobraża się sobie i tak i tak, bo pień klonu to ogrom, w nim, nie tylko w człowieku, który na niego patrzy, tkwi ta możliwość, że raz jest jednym, a raz drugim.

Samotność Tomaszowi ciążyła, jednak do czego tęsknił, było roztopieniem się i rozmową bez słów. Stawiał wygórowane żądania. Babcia Misia, tak, ale przecież nie był zdolny cokolwiek jej wyznać, ona nie do tego. Co do spowiedzi, to odnosił się do niej niechętnie. Rachunek sumienia według pytań w książce do nabożeństwa, na które udziela się potwierdzeń albo zaprzeczeń, ale te omijają co najważniejsze, odstraszał go od niej. Winę swoją nosił w sobie, ogólną, a wymykającą się podziałowi na grzechy.

Boże, spraw, żebym był taki jak wszyscy — modlił się Tomasz, a demony natężały ucha, obmyślając metodę dalszego postępowania. Daj, żebym umiał dobrze strzelać i żebym nigdy nie zapomniał, że postanowiłem być przyrodnikiem i myśliwym. Ulecz mnie z tej wstrętnej choroby (tu trudno zaręczyć, zważywszy na niski stopień wielu demonów znad Issy, czy nie parskały niesłyszalnym śmiechem). Pozwól, żebym pojął, wtedy kiedy Tobie spodoba się mnie oświecić, Twój świat. Taki jaki naprawdę jest, a nie taki, jak mnie się wydaje (posępniały, bo sprawa była jednak poważna).

Liczne sprzeczności dostrzegalne w życzeniach Tomasza dla niego nie pozostawały sprzecznościami. Ubolewał nad śmiercią i cierpieniem, ale jako nad cechą porządku, w którym został umieszczony. Ponieważ to nie zależało od jego woli, musiał dbać o swoją pozycję wśród ludzi, a tę zdobywało się przez zręczność w zabijaniu. Wolałby teraz podtrzymywać przyjaźń z Romualdem i zyskać prawo do wycieczek po lesie bez uciekania się do przelewu krwi, ale zrzucał z siebie odpowiedzialność, choć nie udawało mu się całkowicie jej pozbyć.

LX

— Mama! Mama!

Dyonizy, nieco płaczliwie, błagalnie, zwracał się do starej Bukowskiej, ale to nie pomagało.

— Szatan! — krzyczała i biła pięścią w stół. — Szatan, na nieszczęście ja jego urodziłam. Brud! Brud!

Była bardzo czerwona i Dyonizy bał się o jej zdrowie. Dyszała teraz ciężko, pochylała się na krześle i łapała się za brzuch.

— Oj jej, mnie tak w dołku ciśnie!

Skarżyła się:

— W błoto nas wszystkich wdeptał. Matka swoja on zabije, co jemu. Oj, Dyonizy, mnie nudno.

Dyonizy podszedł do szafki, nalał pół szklanki wódki i postawił przed nią. Wychyliła jednym gulgnięciem i ocierała sobie usta. Podsunęła szklankę na znak, że jeszcze. Dolał, rad, że nie odmawia lekarstwa.

— Wiktor, ty pobądź z mamą.

I wyszedł na ganek. Tam na ławeczce siedział Romuald, bardzo markotny, i palił.

— No jak?

Dyonizy siadł obok niego i kręcił bankrutkę.

— Krzyczy i słabieje. Ty jej teraz przed oczy lepiej nia suń sia.

— Jaż i nie chca.

— Nia już trzeba tak było? Nia lepiej było pomalutku, przygotować?

Romuald wzruszył ramionami.

— Czy ty jej nie znasz? Pomalutku czy nie pomalutku, a byłoby także samo.

Milczeli. Kury grzebały się pod jabłoniami, gdzie miały swoje wysiedziane obozowiska w sypkiej ziemi, posiekanej śladami ich łap. Kogut gonił jedną, dopędził, łopotał na niej, puścił wreszcie, złażąc z niej niezgrabnie. Otrzepywała się, jak zawsze zdumiona tym, co zaszło, i zaraz zapomniała, zanim zdążyła się nad tym zastanowić. Spętany koń, skacząc, podrzucał grzywą. Dyonizy zerwał się, bo koń parł przez grzędę dojrzewającego maku. Podjął z ziemi patyk, cisnął w niego i zamachał rękami, żeby go przegnać. Kaczki ciągnęły przez trawę, kwacząc melancholijnie, bo słońce prażyło i wrzesień był suchy.

— Tak co będzie? — zapytał Dyonizy.

— A co ma być? Uspokoić się, to uspokoi.

— Ale jakżeż tak? Błogosławieństwa, mówi, nie da.

Ściągła twarz Romualda była ciemna od zarostu i przykrości.

— Jak nie da, to nie da. Ja co mam zrobić? Ty mamy słuchasz, tobie ożenić się nie pozwoliła, tak źle, tak niedobrze, kto jej dogodzi?

— Jednakże, sam wiesz, chamka — bąknął Dyonizy.

— Twoja była szlachcianka i mama też nie chciała.

Nie było to zupełnie ścisłe. W tamtym sprzeciwie chodziło jej o co innego, nie o osobę wybranej, a o syna, jakby była o niego zazdrosna i wolała, żeby został starym kawalerem. Tutaj zdarzyło się coś naprawdę strasznego, a w jaki sposób do tego doszło, zbyt trudno przedstawić, tak jak zbyt trudno przedstawić, jak stopniowo w pajęczynę zaplątuje się mucha.

Klejnot szlachecki. Na dnie wielkiego kufra leżały stare dokumenty rodziny, co prawda nie ruszane od śmierci starego Bukowskiego, który jeszcze umiał je odczytywać, ale były. Zmieszać krew Bukowskich z krwią niewolników, których przez wieki bito bizunem po plecach, to właśnie cisnąć klejnot szlachecki w błoto. To prawda, Bukowscy pracowali tak jak chłopi i nikt z zewnątrz nie mógłby ich od chłopów odróżnić, ale królom każdy z nich był równy, bo królów kiedyś wybierali. Jeżeli czyjś ojciec nie zginał przed nikim karku, ni dziadek, ni pradziadek, ni prapradziadek, to trudno znieść myśl, że mógłby urodzić się Bukowski, w którym odezwałyby się ciemne popędy służalczości, pełzania, chytrości właściwej ludziom podlejszego stanu. I już nie miałby wtedy żadnej obrony przez pamięć, kim jest i co winien swemu nazwisku, też ożeniłby się z chłopką i tak roztopiłby się ród w brudzie tłumu, który nie wie i nie chce wiedzieć, skąd się wziął.

Stara Bukowska, która stała na straży czystości krwi, znajdowała więc dość powodów do rozpaczy. Mogła również być wściekła na siebie. Nie sprzeciwiała się temu, że

Romuald trzymał Barbarkę w Borkunach, liczyła na jego rozsądek, chociaż niektóre szczegóły powinny były ją ostrzec. Barbarka siedziała za mocno, na zbyt wiele sobie pozwalała.

Romuald dał na zapowiedzi. Ksiądz Monkiewicz nie okazał po sobie zdziwienia, ale miód rozlał mu się w sercu, że co nie po chrześcijańsku, kończy się po chrześcijańsku i że szlachcic, a jednak porządny człowiek. Wolno tutaj zapytać, czy Romuald słusznie, ze swego punktu widzenia, postąpił dając na zapowiedzi. Jeżeli chciał zachować Barbarkę u siebie i mieć kogoś, kto by szorował mu w łaźni plecy, słusznie. Z pewnych względów trudno było żyć jak dotychczas, a raczej należało się spodziewać, że będzie trudno. Co nie znaczyło, że zdobył się na to bez skrupułów i wątpliwości. Dopomógł mu może gniew na Helenę Juchniewicz, która bawiła się z nim, owszem, ale wreszcie, nie zjawiając się wcale, złożyła dowód swoich pańskich fanaberii: za wysokie progi na jego nogi.

Wykrztusić z siebie decyzję wobec matki było nie lada próbą do przebycia i Romuald się spocił. Wiele mówił o gospodarstwie, że potrzebuje pomocy i że powinien się ożenić. Z kim? A choćby — i padło to imię, na co wybuchł szyderczy śmiech, on, że już postanowił, i wtedy krzyk, rzucanie krzesłami, chwyciła laskę i zaczęła go nią okładać.

Dyonizy, wróciwszy do izby, zastał matkę wpatrzoną nieruchomo w jeden punkt, zaciśnięte pięści trzymała na stole. Z butelki dużo ubyło. Wiktor gapił się na nią siedząc na łóżku, usta miał półotwarte. Głowa jej się trzęsła.

— Hańba.

I znów cicho do siebie:

— Hańba, hańba.

Dyonizy bardzo kochał matkę i było mu jej żal. Jednak nic tu nie pozostawało do powiedzenia. Przyglądał się ze swego zydla świętemu Alojzemu, którego rękę z palmą popstrzyły muchy. W szklanej muchołapce na oknie serwatka była pełna czarnych kropek, które poruszały się jeszcze, silniejsze łaziły po masie swoich zanurzonych już towarzyszek, niezdarnie wlokąc mokre skrzydła.

LXI

Nic nie może się porównać ze spokojem babci Misi. Kołysze się ona na falach wielkiej rzeki, w ciszy wód bez czasu. Jeżeli narodziny są przejściem z bezpieczeństwa matczynego łona w świat ostrych, raniących rzeczy — to babcia Misia nigdy się nie urodziła, trwała zawsze owinięta w jedwabny kokon tego, co Jest.

Noga dotyka miękkości koca, podwija go, lubując się w sobie i w darze dotyku. Ręka podciąga puszystą materię pod brodę. Za oknem białość mgły i gęsi krzyczą, kroplami rosy spływa po szybie jesienny świt. Spać jeszcze, albo raczej istnieć na granicy snu. Wewnętrznego punktu w nas nic wtedy nie dosięga takie, jak ujmują to myśli i słowa, pomiędzy kocem, ziemią, ludźmi, gwiazdami znika różnica, zostaje tylko jedno, jedno, które nawet nie jest przestrzenią — i podziw.

Wsparta na doświadczeniu swoich poranków babcia Misia rozumiała względność nazw nadawanych przedmiotom i względność wszelkich ludzkich spraw. A nawet, ośmielmy się tak twierdzić, to, co Kościół do wierzenia podaje, nie przylegało dla niej do odczuwanej prawdy, większej, i jedyna modlitwa, jakiej naprawdę potrzebowała, streszczałaby się do powtarzania: „O". „Ta poganka" — mówiła o niej babka Dilbinowa, i słusznie. Skaza, którą człowiek odkrywa w sobie działając, Misi nie ciążyła. Zamiast natężać wolę w dążeniu do celu, rozluźniała się, żaden cel nie zdawał się jej godny wysiłku. Nie należy się dziwić, że nie wnikała w potrzeby i troski innych. Chcą, potrzebują, a dlaczego?

Kiedy budzi się na dobre i leży z otwartymi oczami, myśli o różnych szczegółach codziennego życia, ale te są dla niej mało ważne, i nigdy babcia Misia nie zrywa się w pośpiechu, żeby zrobić coś, czego wczoraj zrobić zapomniała, albo co pilnie wymaga jej wglądu. Syci się pamięcią swojego przebywania w nieskończoności, mruczy, jeszcze głaskana olbrzymią ręką. To, co dla innych byłoby serią kłopotów, dla niej po prostu dzieje się, nic więcej. Na przykład Luk — też małżeństwo! Albo amory Heleny — choć pewnie z Romualdem już się skończyło — albo ta reforma. Także Tekla, z jej ciągłymi zapowiedziami przyjazdu, że już żadnej z nich się nie wierzy.

Więcej pewnie niż ona tym wszystkim, Niewidzialni, przechadzający się skrzypiącymi podłogami, wśród trzaskających mebli „salonu", przejmowali się tym, że się nie przejmuje. Zresztą dawno już musieli dać za wygraną. Na ich nieszczęście trudno jest zaatakować niewinnych, tych, co nie mają świadomości grzechu. Chociaż może obserwacjom, jakie zebrali, trzeba przypisać nowy rodzaj pokus, jakimi zaczęli oblegać Tomasza.

Dłubiąc w nosie, co sprzyja jesiennym zastanowieniom, Tomasz po raz pierwszy myślał o Misi jako o osobie i zaczął ją sądzić surowo. Ona jest straszna egoistka, nie kocha nikogo prócz siebie. Ale kiedy tak już powiedział, w dziwny sposób z tego rosły różne wątpliwości. Bo tak: dość na nią spojrzeć, żeby wiedzieć, jaka zadowolona ze swoich kolan, z dołku w poduszce, jak się w siebie zagłębia niby w wygodną pierzynę (Tomasz czuł Misię od środka, albo zdawało mu się, że czuje). A on sam, czyż nie jest do niej podobny? Czy tak samo jak jej nie najlepiej mu, kiedy wącha swoją skórę, zwija się w kłębek, rozkoszuje się tym, że on to on? Wtedy wdzięczność Panu Bogu i modlitwa. Tylko czy tutaj nie ma jakiegoś oszustwa? Babcia Misia jest pobożna. Dobrze, ale czy nie przed sobą odprawia właściwie nabożeństwo? Mówi się: Bóg. A jeżeli to tylko miłość do siebie tak się przebiera, żeby wyglądać ładnie, bo naprawdę to co kochamy? Swoje ciepło, może bicie swego serca, swoje zatulenie się w kołdrę.

Sprytu demonom nikt nie odmówi. Cóż za gratka, pozbawić Tomasza zaufania do wewnętrznego głosu, odebrać mu spokój, apelując do jego skrupulatnego sumienia. Wtedy już nie będzie mógł zwrócić się do Boga z prośbą, żeby mu rozjaśnił w głowie, padając na kolana będzie sądził, że pada na kolana przed sobą.

Tomasz chciał powierzać się Prawdziwemu, a nie oparowi, który unosi się nad nami, karmiony tym, co jest wewnątrz nas. I zaledwie po tamtym swoim poście pozbył się trochę samoudręczeń, zaledwie zaznał kilku ranków słodyczy, a już znowu tracił ostoję, rozmazywał mgłę na szybie i spływały mu po twarzy łzy opuszczenia.

Tymczasem babcia Misia co dzień o świcie pogrążała się w swoich rozkoszach i do głowy jej nie przyszło, że kogoś mogłaby zgorszyć.

LXII

— Zaraz już skończy się.

Był to głos czy sygnał, który wibrował w powietrzu nad suchą trawą, w której grały świerszcze. Baltazar chwiał się, stojąc na ścieżce, porażony rozprzęganiem się rzeczy. Skąd on tu? Co tu robi? Co ma z tym wspólnego? Zamazane i płaskie, przedmioty zygzakowały przed nim, urągając swoją obcością. I unosił się w środku pustki, gorzej, bo nie miała ona środka, a ziemia stopom nie dostarczała oparcia, umykała sprzed nich, bezsensowna. Szedł i iskry owadów pryskały na obie strony, po co one są, zawsze te same. Skaczą.

— Zaraz już skończy się.

Schodki zaskrzypiały, izba pusta, żona z dziećmi wyjechała do Ginia, do matki, dzban z piwem na stole, obok bochen chleba. Przechylił dzban, wypił kilka łyków i z całej siły cisnął nim o podłogę. Bryzgi brunatnej cieczy na szorstkich deskach rozpadły się gwiaździście. Chwycił się stołu i zapach drewna wymytego ługiem, cały ten zapach domu, nieco zaprzały, był dla niego wstrętny. Oglądał się i wzrok jego natrafił na siekierę opartą o piec. Podszedł do niej, schwycił i kołysząc się, wlokąc ją w opuszczonej ręce, wrócił przed stół. Zamachnął się i uderzył z góry, i nie w poprzek, a wzdłuż, i nie na ślepo. Stół zwalił się z trzaskiem, bochen chleba potoczył się i zatrzymał odwrócony, pokazując umączoną gładkość.

Z drugiej izby Baltazar przyniósł wielką butlę oplecioną wikliną i postawił ją na podłodze. Potem ją kopnął. Oparty o ścianę patrzył na płyn, który bulgotał i rozszerzał się w wielką plamę, sięgając rozwalonego stołu i opływając naokoło chleb. I znajdował wiele do patrzenia, bo ze wszystkiego naokoło nagle to nabrało mocy, wyraźności. Nabrzmiała na brzegach materia siąkła leniwie, wpuszczając zacieki pod ławy, zostawiając wyspy, które zaraz zatapiała. W niej jakby zawierało się już co konieczne i o niej tylko myśląc, Baltazar wyjął z kieszeni zapałki.

Wtedy zaznał tej chwili na granicy nie ma i jest, sekunda przedtem nie było, sekunda potem jest, na zawsze, aż do skończenia świata. Palce jego ściskały pudełko, palce drugiej ręki zbliżały drewienko z czarnym końcem. Może zawsze chciał być tylko aktem czystym, samym spięciem tworzenia, tak żeby skutek nigdy go nie obciążał, bo dogoniłby go wtedy, kiedy on już koncentrowałby się na nowym akcie, niedostępny dla przeszłości. Potarł zapałkę o pudełko i buchnął płomyk, wpatrywał się teraz w niego, jakby pierwszy raz to widział, aż ogień go sparzył, palce się rozwarły i zapałka zgasła, spadając. Wyjął nową, potarł z rozpędu i rzucił przed siebie. Zgasła. Zapalił trzecią, pochylił się i wolno przytknął do rozlanej nafty.

Na pełzające płomienie przewrócił ławę i wyszedł. Bluzę miał rozpiętą, nie przepasaną pasem. W kieszeni tytoń i butelka wódki.

— Zaraz już skończy się.

Przyszłość. Tej nie było. Głos nawoływał, niebo blade i jasne, świerszcze grają, dzień, noc, dzień, nigdy ich już, są niepotrzebne. Skądś bierze się, umacnia się pewność. Czy wiedział, dokąd idzie? Szedł. Ale odwrócił się i przerażenie skutku, przerażenie nieodwołalnego na widok dymu, który sączył się przez otwarte okna domu, ten wieczny protest Baltazara przeciwko prawu, że nic nie zostaje samo w sobie, tylko przykuwa nas łańcuchem, i butelka wyjęta drżącymi palcami, i przewrócenie się na trawę, a potem dźwignięcie się na czworaki i wołanie, w którym zdaje się nam, że krzyczymy, a z gardła wydobywa się tylko charczący szept.

Baltazar miałby zapewne dość przytomności, żeby biec i gasić dom. Że tak mógłby postąpić, nie pomyślał wcale, dławił się krzykiem nie z powodu tego, czego dokonał, ale czego musiał dokonać, wiedząc może już wtedy, kiedy trzymał zapałkę, zarazem że jest wolny i zarazem że zrobi tylko to, nic innego. Tak samo wiedział, stojąc na czworakach, podobny do zwierza, że nie zerwie się i nie pobiegnie gasić.

Postać z drewnianym mieczem czołgała się ku niemu ruchem żmii. Zataczała mieczem młyńce słomianego koloru. Baltazar widział jej błyszczące oczy pionowo ustawione, ciało rozpłaszczające się chytrze. Skoczył i wyrwał gruby kół z płotu, dyszał, i przed nim w trawie nikogo nie było. Nitki babiego lata bujały w powietrzu, lekko wygięte linie blasku. Las naokoło złoty w słońcu, cisza upału.

Nikogo. Ni wroga, ni przyjaciela, prócz obecności nieuchwytnej i dlatego strasznej. Odwrócił się gwałtownie, żeby odeprzeć atak z tyłu. Sroka zerwała się ze skrzeczeniem, skądś z rowu. Dym z okien łączył się w pasma, które smużyły się po gontach dachu i już wlokły się mgiełką nad wierzchołkami grabów.

— Zaraz już skończy się.

LXIII

— Las.

— Rządowy.

— Nie.

— Czy to las?

— To Baltazar.

— Baltazar pali się.

Ludzie pogirscy wychodzili na skraj sadów, na rżyska, żeby lepiej widzieć. Następnie zwoływali się, brali wiadra, bosaki, siekiery i ruszyli pośpiesznie, gromadą. Za mężczyznami biegły dzieci i psy, z tyłu zebrała się grupka zaciekawionych kobiet.

W tym, co się potem zdarzyło, należy oddzielić prawdopodobieństwo od rzeczywistego przebiegu. W każdym odtworzeniu faktów, choćby łączyły się one ze sobą z pozoru najbardziej logicznie, kryją się luki i gdyby je wypełnić, wszystko ukazałoby się w innym świetle. Jednakże nikt tego nie próbuje, przeszkadza temu zadowolenie z osiągniętej od razu oczywistości.

Baltazar podpalił swój dom i zaczaił się w tym miejscu, gdzie kończą się jego ogrodzenia z obu stron drogi do wypędu bydła. Zaczaił się, ponieważ spodziewał się, że pożar będzie widoczny z Pogir i że przyjdą gasić, a on postanowił do tego nie dopuścić. Tak wygląda prawdopodobieństwo. W istocie nie miał żadnych zamiarów, siedział w trawie, szczękając zębami, zagrożony przez pełzające postacie i nadprzyrodzone sroki. Wiele tłumaczy jego brak harmonii między duchem i ciałem. Duch mógł pogrążać się całkowicie w bezład i grozę, ale ciało zachowało swoją przytomność i szybkość odruchów, ociężałe, a przecież ciągle potężne. Przedstawiało się więc obcym jako poddane woli, napiętej w jakimś kierunku.

Widzieli już z daleka płomienie i słyszeli rozpaczliwy skowyt psa, do którego budy musiał już sięgać ogień. Tym zajęci, zdumieli się, kiedy nagle on wyrósł jak spod ziemi, rozczochrany, nieludzki. W ręku trzymał swój koł wyrwany z płotu. Wykonując ruchy obronne ramię jego zamierzyło się. Nie oczekiwał ludzi. Dla niego było to coś, co następowało szerokim frontem, świecąc mnóstwem twarzy. Na przedzie szedł stary Wackonis. Widząc, że Baltazar podnosi koł, zastawił się siekierą. Wtedy ciało Baltazara poczuło niebezpieczeństwo i zrobiło, co do niego należało. Koł opuścił się z całą siłą użyczoną mu przez ramię na głowę Wackonisa, który padł.

— Zabił!

— Zabiiił!

I drugi krzyk, wezwanie, umocnienie wspólnoty:

— Ej, Vyrai! — Ej, mężczyźni!

Były to pasieki, między ściętymi pniami rosły młode dębniaki, gdzieniegdzie, tam gdzie karczowano, przerywały zieleń ciemne doły. Kilkunastu ludzi pędziło wrzeszcząc, przeskakując przez te doły, koszule im łopotały w biegu. Baltazar uciekał w stronę wysokiego lasu. Teraz już tylko broniące się ciało i jemu zawdzięczał swój cel. Nie myślał, ale wiedział, że gra idzie na śmierć i życie, stąd cel: karabin z obciętą lufą schowany w dębie.

Oni jednak też wiedzieli, że skoro zapadnie w wysoki las, już go nie dostaną. Zabiegali mu drogę z ukosa i skręcił w lewo, znów zabiegali, skręcił jeszcze bardziej i wpadł w olszyny. Te od lasu oddzielało pole Baltazara, z drugiej strony graniczyły z przestrzenią pastwisk.

W podeschłym błocie Baltazar grzązł, spod jego butów rwały się grudy czarnego torfu. Nie miał tchu, żeby biec dalej, musiał, ale nie miał tchu i lazł na czworakach nurzając się w mazi, z sercem, które go rozsadzało, i ze skowytem. Tymczasem pościg się zatrzymał. Naradzali się. Jeżeli chcieli go mieć, powinni byli olszyny obstawić i urządzić nagankę. Ustalali, kto gdzie ma pójść. Baltazar słyszał ich i oglądał się za bronią, koł rzucił uciekając, namacał gruby kij, ale ten mu się rozpadł, spróchniały, więc schwycił kamień.

Ludzie z Pogir mogli teraz załatwić z nim swoje dawne porachunki, ze zbrodniarzem, który skoczył ich mordować za to, że po sąsiedzku dawali mu swoją pomoc. I niewątpliwie chcieli go zatłuc. Rozumieli, że siłacz, że na niego trzeba razem, i zachęcali się przekleństwami.

Posuwają się drobnymi drgnięciami wskazówki zegarów, jest równoczesność gestów, spojrzeń, ruchów na wielkiej ziemi, grzebień dotyka lśniących długich włosów, w lustrach odbijają się pęki świateł, dudnią tunele, burzą wodę śruby okrętów. Serce Baltazara biło odmierzając czas, z otwartych ust ciekła mu ślina, nie, nie, jeszcze nie! Żyć, jakkolwiek, gdziekolwiek, jeszcze żyć. Szukał schronienia, przywierał do bagna, darł je, jakby chciał się zagrzebać, wyżłobić kryjówkę. Bo to — on tutaj, a oni naokoło — przychodziło jako potwierdzenie głosu czy snu, takie jak miało być, nieodwołalne. Nie mógł nigdzie się skryć. Olszyna, gęsta u skraju, tutaj była dość rzadka, stare drzewa nie zostawiały dość światła dla krzaków, półmrok, grube korzenie, między którymi ślady krowich kopyt i gdzieniegdzie płaskie grzyby nawozu. Nie ominą go, spostrzegą z daleka. Karabin. Mieć karabin. Nie ma karabinu.

Może Baltazar powinien był wyjść naprzeciwko nich podnosząc ręce. Żeby tak postąpić, musiałby postawić przegrodę pomiędzy pożarem domu, widmami i ludźmi z Pogir, ale oni zjawiali się jako wykonawcy, złączeni z tamtym wszystkim. Oczy musiał mieć wybałuszone, wyłażące z orbit, ściskał swój kamień.

Stukali o pnie drzew tak jak w regularnej nagance. Ich głosy zbliżały się. Resztkom przytomności Baltazara trzeba przypisać taktykę, jaką obrał. Zamiast czekać, ruszył na nich, na tych podchodzących od pola. Zaskakując ich zdołałby może uciec. Jednak za ciężki, grzązł, nie nabrał dość impetu.

Ten, na którego wpadł, był to młody chłopak, znany w okolicy z tego, że na wszystkich wieczorynkach dziewczęta uważały go za najlepszego tancerza. Baltazar zderzył się z nim prawie i z odległości dwóch kroków puścił mu w twarz kamień. Jeżeli jest się dobrym tancerzem, to to dowodzi pewnej zręczności i chłopak uchylił się — ćwierć sekundy — a kamień ze świstem przeleciał mu koło głowy. Od ostrza siekiery uchronił Baltazara skok za drzewo. I wybuchł wrzask:

— Tu on! Tu on! Tu on!

Znów biegnąc, Baltazar oburącz uczepił się młodego drzewka i wyrwał je z korzeniami. W jaki sposób to zrobił, nie wiadomo, przekraczało to siły człowieka. Z tym drzewkiem jak olbrzymią maczugą, umazany w błocie, spotkał tych, którzy biegli mu naprzeciw.

— Tu on! Tu on! Tu on!

Owce w słońcu wzbijają kurz na dywanie. Jeż szeleści pod jabłonią. Prom odbija od brzegu i człowiek trzyma za uzdę konie, które chrapią wciągając zapach wody. Wysoko na niebie, nad obszarami pokrytymi mchem lasów, lecą żurawie i nawołują: kruu, kruu.

Starli się ze sobą na polance. Powietrze gwizdnęło od zamachu Baltazara i w tej samej chwili drąg spadł mu na ramię, palce jego rozwarły się i puściły drzewko. Bosak z żelaznym hakiem na końcu, służącym do rozszarpywania palących się dachów, drzewce jego grube, jesionowe, wzięte w obie ręce Wackonisa-syna, szedł do góry.

Gdyby zatrzymać jedno mgnienie tego, co się dzieje wszędzie, zamrozić, patrzeć na to jak w szklanej kuli, odrywając od mgnienia przedtem i mgnienia potem, linię czasu zamienić w ocean przestrzeni. Nie.

Grzmotnęło o czaszkę Baltazara. Zakołował i walił się całą swoją długością. Słychać było sapanie zmęczonych ludzi, echo powtarzało „tu on" i łomotały pośpieszne kroki innych.

Tymczasem dopalał się dom Baltazara, stajnia, obora i chlew. Z gospodarstwa w lesie została tylko odryna.

— Dobrze jemu tak.

— Czerci syn.

LXIV

Stary Wackonis umarł, ale Baltazar żył. Przewieziono go do Ginia do teścia. Surkont natychmiast posłał po doktora. Tomasz nigdy dotychczas nie widział dziadka w stanie takiego rozdrażnienia. On, zawsze tak łagodny, teraz odpowiadał opryskliwie, odwracał się, jego krótko obcięte siwe wąsy stroszyły się, skrywając jakieś nie wypowiedziane słowa. Poszedł do wioski i siedział przy łóżku chorego, który nie odzyskiwał przytomności.

Duża naftowa lampa postawiona na zydlu paliła się jasno. Baltazar leżał na łóżku, z którego zdjęto poduszki, zostawiając tylko jedną pod głowę. Zmyto z niego już błoto i krew, twarz sinośniada odcinała się od bieli bandaża z grubego płótna. Należało mu udzielić Ostatniego Namaszczenia, ale wtedy, wbrew oczekiwaniom, otworzył oczy. Spojrzenie miał jakby zdziwione, spokojne. Zdawało się, że nie pojmuje, gdzie jest i co to wszystko znaczy.

Proboszcz, związany tajemnicą spowiedzi, nie rozgłaszał tego, co usłyszał, zapewniał tylko, że Baltazar był w pełni swoich władz umysłowych. Być może nagły wstrząs uwolnił go od pajęczyn i mgieł, w których się wikłał. Rozmowa jego z księdzem trwała długo. Później, w miarę upływu czasu, Monkiewicz powtarzał z niej to i owo, coraz więcej, znajdując usprawiedliwienie w użytku, jaki z tego robił. Podpierał pewnymi szczegółami swoje nauki o pułapkach, jakie czyhają na duszę ludzką, stąd wiele faktów przedostało się do publicznej wiadomości.

Chociaż doświadczony i dowiadujący się niejednego w swoim konfesjonale, był jednak wstrząśnięty. Nie tylko ciężkimi grzechami — te Baltazar wyznawał mu po raz pierwszy, jakby dotychczas nie zdawał sobie z nich sprawy i nagle je przed sobą zobaczył. Bardziej może rezygnacją czy uporem, z jakim ten człowiek powracał do stwierdzania, że jest potępiony. Proboszcz mu tłumaczył, że nikt nie ma prawa tak mówić, że dobroć boska jest bez granic i że żal za grzechy wystarcza w zupełności, żeby uzyskać przebaczenie. A Baltazar szczerze i mocno żałował. Tak mocno, że swój żal obracał przeciwko wszystkiemu, czym był, niczego nie oszczędzając. Słuchał uważnie, ale po chwili wtrącał swoje: „Mnie nic nie pomoże" i „on tu jest".

Tak, więc Baltazar traktował jasność, z jaką ukazywała mu się przeszłość, jako krąg otoczony ciemnością, z której przychodził i w którą szedł. Miał już nałóg oczekiwania na podstęp, ciągle nowy, który go wtrącał w to samo cierpienie. I „on tu jest" brzmiało tak pewnie, że ksiądz Monkiewicz oglądał się z niepokojem.

Brak nadziei. Winnemu równie ciężkiego grzechu musiał udzielić rozgrzeszenia i ostatnich sakramentów. To nigdy dotychczas nie zdarzyło się proboszczowi i, pełen skrupułów, próbował wydrzeć z Baltazara chociażby pozór ufności, żeby być samemu w zgodzie ze swoim sumieniem. Zyskał to, że chory już nie zaprzeczał, dlatego zresztą, że widocznie słabł. Cały ten pobyt przy nim rozstroił nerwy Monkiewiczowi, jakby przypadłość, którą miał leczyć, była zaraźliwa i jakby uczestniczył tutaj, niewiele mogąc przeciwko Złu, a zarazem wzbraniając się do tego przyznać.

Z niedostatku sił czy chęci Baltazar, kiedy inni weszli do izby, nie okazywał, że jest świadomy ich obecności. Wpatrywał się w jeden punkt i tak, w przestrzeń, powiedział:

— Dąb.

Odnosiło się to do karabinu w dębie, przez zwykły automatyzm powrotu wstecz, albo wyrażało jakąś myśl. Stracił zaraz przytomność.

Doktór Kohn przyjechał późno w nocy. Orzekł, że może, że gdyby na przykład operacja, ale po to trzeba by go wieźć końmi, później koleją do wielkiego szpitala, czyli co pozostawało, to czekać i nie zadawać sobie niepotrzebnej fatygi. Baltazar dotrwał tylko do świtu. Słoneczniki wynurzały swoje czarniawe tarcze z mgły, kury skrzekorzyły sennie, otrząsając rosę ze skrzydeł, wtedy jeszcze raz ogarnął spojrzeniem belki nad sobą, twarze ludzi i wszystko to prawdopodobnie wydało mu się dziwaczne.

— Chłopcy, razem.

To były ostatnie jego, niezrozumiałe słowa i w kilka minut później umarł.

Rano nie było po co już tam zaglądać. Dla Tomasza obraz Baltazara żywego nie został więc przesłonięty przez maskę śmiertelnego spokoju. Górna warga lekko zawinięta do góry, trochę dziewczęca, cienie i uśmiechy przemykające się po twarzy okrągłej, zawsze za młodej, niech już taki zostanie.

— A co? Nie mówiłam? Zapił się na śmierć, łajdak. — I babcia Misia robiła znak krzyża, dodając: — Panie, świeć nad jego duszą.

Antonina wzdychała, dorzucając o doli człowieka, który dziś żyje, a jutro gnije. Co do Heleny, to zupełnie zapomniała, że miała jakieś zamiary przenoszenia Baltazara i wprowadzania się do leśniczówki. Ubolewała tylko nad tym, że tyle dobra poszło z dymem, a ten jej żal nie wynikał z egoistycznej troski, tylko z troski o wszelki owoc ludzkiej pracy.

Na pogrzebie byli wszyscy ze dworu. Padał wtedy deszcz i Tomasz przytulał się do babci Misi, trzymając nad nią rozpięty parasol. Krople święconej wody z kropidła proboszcza nikły wśród strumieni ulewy, która hałasowała w liściach dębów.

Proboszcz zamyślał się nad przypadkiem Baltazara i gubił się w zawiłościach. Wnioski, jakie wyciągnął, nabrały dla niego samego pewności, dopiero kiedy przyzwyczaił się wypowiadać je głośno i utwierdzać się w swoim zdaniu przez powtórzenie go wiele razy. Mówił o tych, którzy zamykają dostęp do siebie Duchowi Świętemu: wola ludzka jest wolna, ale tak urządzona, że może albo przyjąć, albo odrzucić dar. Przyrównywał ją do krynicy, która bije na szczycie góry — woda z początku rozlewa się, szuka sobie drogi, wreszcie musi spłynąć w jedną albo drugą stronę.

Ani szczególnie dobry kaznodzieja, ani teolog, Monkiewicz po śmierci Baltazara potrafił przejmować swoich słuchaczy, do czego dopomagało pewne porozumienie między nimi i nim — zawsze wiedzieli, kogo bierze za przykład. Baltazar dość długo zajmował pokaźne miejsce w pamięci wszystkich. Kobiety lubiły straszyć nim swoich mężów, jeżeli za dużo pili.

Dziadek Tomasza zakupił kilka mszy za duszę leśnika. Proboszcz, przyjmując pieniądze, grzecznie dziękował, zły za tę swoją niepotrzebną grzeczność, której wobec panów nie zdołał się nigdy pozbyć. Równocześnie co myślał, to myślał. Nie był prawdopodobnie daleki od uważania Baltazara częściowo za ofiarę dworu, częściowo, tak, ale jednak.

Nie ma więc Baltazara i to „nie ma" nie jest bynajmniej łatwe do wyobrażenia, jeżeli wypowiadają to usta, które również za kilka minut czy lat znajdą się w sferze „nie ma". Kociołki, w których Baltazar pędził samogon, są natomiast niewątpliwie dotykalne. Ludzie z Pogir przenieśli je bliżej wioski i użytkowali w sposób skuteczny. Stały się one powodem kłótni między nimi, jak również oskarżeń o kradzież, rzucanych przez rodzinę zmarłego. Z ogrodu Baltazara natomiast korzystały dziki.

LXV

Brzeziny w maju są jasnozielone i wtedy na tle ciemnych świerkowych lasów znaczą się pasmami tego światła, w które jesteśmy skłonni przybierać planetę Wenus. W jesieni, jasnożółte, świecą płatami słońca. Czerwień osin jarzy się na szczytach olbrzymich świeczników. Październik w lasach ma jeszcze barwę dojrzałych jarzębin, płowych roślinnych sierści i liści opadłych na dróżki.

Polowali tam, gdzie pagórki schodzą do rojstów, i widzieli przed sobą zbocza w ich spiętrzonej piękności. Powietrze tego ranka było chłodne i przezroczyste. Romuald zwinął dłonie w trąbkę i nawoływał psy:

— Ha li! to li! Ha li! to li!

— Ooooliii — niosło się echo.

Tomasz stał obok niego. Z wątpliwości i samoudręczeń nie zostało śladu, wydały mu się nieprawdziwe już wtedy, kiedy Barbarka powiedziała mu po mszy, że Romuald czeka na niego następnej niedzieli, bo wyprawia się z gończymi. Do Barbarki nie wiedział co prawda, jak się odnosić po tej wiadomości o bliskim małżeństwie, która w domu została przyjęta wzruszeniem ramion i niezbyt pochlebnymi uwagami. Ale właściwie to nigdy nie wiedział, jak do niej ma się odnosić. Najważniejsze, że Romuald go wzywał. Więc nie było może żadnej pogardy i tak mu się tylko zdawało. I rzeczywiście Romuald przywitał go zdziwieniem, że tak długo się nie zjawiał, pytał, co porabiał.

Tomasz był szczęśliwy. Wciągał ostre zapachy i płuca rozszerzały mu się w poczuciu siły. Odrzucił ramiona w tył i mógłby skoczyć, a odbijając się stopą przeleciałby sto czy dwieście metrów, lądując tam, gdzie by zechciał. Przyłożył dłonie do ust i naśladował Romualda:

— Ha li! to li!

— Gug gegną — wygulgotał Wiktor. — Gam — pokazał ręką.

Psy biegły przez łączkę w dole. Przodem Lutnia, za nią Dunaj i Zagraj. Nic tam nie znalazły, a trzeba było je ściągnąć, żeby przejść na inne stanowiska.

Świat ukazywał się Tomaszowi jasny i prosty, urwał się związek ze sobą pogrążonym w myślach. Naprzód! Namacał za plecami zamek berdanki, jego chłód go cieszył. Cokolwiek jest przeznaczone, żeby dzisiaj się stało, musi być dobre.

Przyszłość była zawsze dla niego magazynem rzeczy przygotowanych, czekających, żeby się spełniły. Sięgało się w nią przeczuciem, bo w jakiś sposób mieściła się w ciele. Także niektóre żywe istoty występowały jako jej reprezentanci — na przykład kot, jeżeli przebiegnie drogę. Ale przede wszystkim należało wsłuchiwać się w głos wewnętrzny, który odzywał się albo radośnie, albo tępo. Jeżeli przyszłość jest dana, a nie dopiero się tworzy, mogąc w każdej chwili być taka albo taka, to co przypada na naszą chęć i nasz wysiłek? Tego Tomasz nie umiał sobie wytłumaczyć, wiedział, że powinien poddawać się wyrokom, które dokonywały się poprzez niego, a więc każdy jego krok równocześnie do niego należał i nie należał.

Poddawał się. Głos nawoływał radością, dzwonienie kryształu. Nogi stąpają po warstwie butwiejących liści, brzęknie metal strzelby o kółko przy pasie, cisza w jedlinach, orzechówka mignie nakrapianą szyją, na wielkich mrowiskach ni śladu ruchu, odbywa się gdzieś tam, we wnętrzu państw zapadających w zimowy sen. Tomasz szedłby tak godzinami, ale oto Romuald zatrzymał się i gładził się po policzku, zastanawiał się, którędy najlepiej. Trzy ścieżki łączyły się tutaj, wybrali tę, która wiodła skrajem dość stromej spadzistości. W niektórych miejscach czuby świerków oglądali z góry, poniżej nóg, gdzie indziej las obniżał się łagodnie, przecinały go jary w otoku półnagich leszczyn, na ich dnie jaskrawa zieleń traw. Przy jednym z takich jarów Romuald zostawił Tomasza. Polecił mu dawać baczenie i na dróżkę, i na przesmyk z dołu. Tomasz patrzył na oddalające się plecy Romualda i Wiktora z żalem, bo przecież zdaje się nam, że to, co czeka towarzyszy idących dalej, jest ciekawsze.

Oparł się o pień sosny. Potem przysiadł, kładąc sobie strzelbę na kolanach. Naprzeciwko niego rozległ się szelest, przyglądał się i zobaczył mysz, która wysuwała pyszczek z jamki pod płaskimi korzeniami. Pyszczek węszył, podnosząc się śmiesznie. Zdecydowała, że nie ma niebezpieczeństwa, i pobiegła, w płowości liści stracił ją z oczu. Inny szelest, leciutkiego sypania się skądś z gałęzi, zwrócił jego uwagę. Wstał i zadzierał głowę, ale świerk, skąd sypały się łuski szyszek, był ogromny, tam wysoko małe ptaszki trzepotały się, przemknęło skrzydło prześwietlone blaskiem słońca, jednak prócz tego trzepotu nic nie mógł rozróżnić. Obchodził drzewo naokoło, bez skutku. A korciło go, bo nie znał ich nazwy, z tak daleka nie poznawał i w ogóle z tymi małymi ptakami miał największy kłopot. Romuald na przykład pytany o ich gatunki machał tylko ręką: „A kto ich tam wie?"

Drgnął i opamiętał się, bo nagle z głębi lasu posłyszał gon. Jakby zahuczał raptem organ w kościele. Nie poszczególne głosy, ale przydeptany mocno pedał, chorał, który rozwijał się od pierwszych taktów we wznoszącą się i opadającą linię. Echo go potęgowało i Tomasz ściskał strzelbę wlepiając oczy w rudą dróżkę, to znów w dno jaru. Bo nie rozumiał, którędy psy idą, gon to wzmagał się, to przycichał, a sama jego regularność, cała gęstwina zamieniona w głęboko pomrukującą pierś, wywierała na niego taki wpływ, że przestawał nawet doszukiwać się źródła głosów. Gdyby był z Romualdem, dowiedziałby się, jaką treść granie wyraża, i wpadłby w podniecenie, ale ten język nie oznaczał dla niego nic, dostateczny sam w sobie.

Oddala się chyba. Żeby właśnie tutaj przed nim pojawiła się zwierzyna, już nie wierzył, ulegał powoli temu lenistwu, jakie ogarnia nas, kiedy liczymy i wszystko się zgadza, więc nie ma się ochoty dalej sprawdzać, albo kiedy wykluczamy wypadek. Zieleń na dnie jaru, dróżka przez swoje mocne istnienie zaprzeczały możliwość czegoś innego dodanego do nich. Zresztą Tomasz o tyle się nie mylił, że Romuald, niezbyt pewny jego strzałów, postawił go w miejscu, gdzie zachodziło mierne prawdopodobieństwo — przesmyk ten znał jako rzadko używany przez zające.

Bierne uczestnictwo w wołaniu lasu rozmarzało Tomasza, wolny od odpowiedzialności, pogodny, zaczął zabawiać się rozrzucaniem ściółki i grzebał skrajem podeszwy dołki w ziemi. Zupełnie nie licujące z jego wiekiem nachodziły go obrazy — ten dołek to kanał, tutaj rzeka, teraz przeprowadzić jeszcze jeden kanał. A gon ciągnął dalej swoją rozmowę z przestrzenią, szum nad jego echem przesuwał się wierzchołkami boru.

Że też Tomasz nie zorientował się, że psy gonią inaczej niż zwykle i że w ich głosach brzmi prośba: uważać! uważać! Nie, zamyślony o niebieskich migdałach, bo o niczym, zagapiony, nie spodziewał się, że zły wyrok zapadł i że zbliża się tragedia.

Bo wszystko zostało przygotowane, aby cios ugodził najboleśniej. Ufność bohatera. Jego długo hodowany lęk i później pozbycie się lęku, a więc ten punkt słaby, miłości, pragnienia, bez którego człowiek nie stałby się nigdy celem gromów, i zwodnicza wesołość i obietnica, że cierpienie zaznane w przeszłości nigdy już się nie powtórzy. Bez niewiedzy nie ma chyba prawdziwej tragedii, oto już snopy świateł kierują się ku niemu, już nimi owinięty porusza się pod czujnym spojrzeniem widzów, którzy wstrzymują oddech, szaleniec, niczego nie oczekuje, zbyt poddając się magii słuchu, żłobiąc dołki, które przyniosą mu zgubę.

Psy goniły kozła. Przebiegły, idąc jego śladem, duży łuk i ich wrzawa dobiegła Tomasza skądś z doliny, na tę wrzawę podniósł głowę i celował roztargnionym wzrokiem tam, daleko. A wtedy tuż pod nim buchnęła błyskawica, targnął nim nie jej widok, całym ciałem poczuł, że substancja jaru wypryska w nową, nieznaną rzecz. Równoczesność zdumienia, podrzutu strzelby, strzału i myśli: „to kozioł", ale w nieprzytomności, z tą rozpaczą dokonanego, kiedy pociska się cyngiel, a już zdaje się sobie sprawę, że się chybia.

Usta Tomasza były otwarte. Jeszcze nie ogarniał sensu tego, co zaszło. Następnie z ust wyrwał się jęk, Tomasz z furią cisnął strzelbę na ziemię, wszystko naokoło wydrążyło się ze swojej treści i przysiadł, szlochając, przebity na wylot okrucieństwem przeznaczenia.

Powiew chwiał nad nim puszystymi łapami sosny. Psy umilkły. Więc jego pogoda to była tylko pułapka. Dlaczego, dlaczego ten głos wewnętrzny, który dawał mu pewność? Jak on potrafi teraz znieść to wszystko, upokarzające bez granic? Teraz dopiero kozioł trwał pod jego palcami, które przyciskały powieki, zastygł w skoku, podginał przednie nogi i odchylał w tył szyję. Gdyby o jedno mgnienie wcześniej, jedno mgnienie. Zostało mu to odmówione.

Krzaki zaszeleściły, wypadła stamtąd Lutnia, skomląc, i zwracała ku niemu oczy, za nią dwa tamte, nie pojmowały. Jeszcze w dodatku ten ich zawód, człowiek strzelił i obniżył powagę człowieka. Siedział nieruchomo na pieńku, z dłońmi przy rozpalonych policzkach. Trzasnęła pod butem gałązka, szli sędziowie.

Romuald stanął nad nim.

— Gdzież kozioł, Tomasz?

Nie poruszył się i nie spojrzał.

— Spudłowałem.

— Taż on na ciebie prosto walił. Ja mogłem był zalecieć, ale myślę, Tomasz niech ma.

I do zbliżającego się Wiktora, z irytacją.

— Tomasz kozła puścił.

Każde słowo pogrążało się w Tomaszu, zimne ostrze. Żadnego ratunku. Bał się oglądać na ich twarze. Wepchnięty w siebie, w swoje więzienie, w ciało, które go zawiodło i którego nie mógł się wyprzeć, zaciskał zęby.

Droga powrotna w milczeniu. Te same, tak niedawno miłe mu rozwidlenia i zakręty, teraz szkielety bez barwy. Czym zasłużył? Jeszcze bardziej niż wstyd, dotkliwy był żal do siebie czy do Boga za to, że przeczucie szczęścia nic nie znaczy.

Na łąkach, tam gdzie mieli skręcić do Borkun, wymówił się, że w domu na niego czekają, i pożegnał się.

— Tomasz! Flinta! — wołali za nim.

Berdanka została przy nich, oparta o olchę. Nie odwrócił głowy, wsadził ręce w kieszenie i starał się gwizdać.

LXVI

Tomasz miał skończonych trzynaście lat i dokonał odkrycia: że po prawdziwej rozpaczy przychodzi zwykle prawdziwa radość i wtedy zapomina się o tym, jak wyglądał świat, kiedy tej radości nie było.

Szron leży na astrach. Gałązka, której koniec oblepiają białe kulki, chwieje się po odlocie sikorki. Naprzeciwko okna pokoju, gdzie dawniej mieszkała babka Dilbinowa, stoi pod gruszą i wciąga zapach brązowych, pokurczonych gruszek na ziemi, więdnącego ogrodu. Patrzy w okiennice. Nie, chyba jeszcze za wcześnie. Ona śpi. A może już się przebudziła? Podchodzi do okiennicy i ostrożnie podnosi haczyk, ale zaraz cofa rękę.

Nowy jego niepokój: czy on na nią, przez to, co jest w nim, zasługuje. Jeżeli między nimi stoi koszyk z owocami, wybiera jabłko najgorsze, żeby przypadkiem tego nie wzięła. Nakrywając do stołu dba, żeby jej dostały się talerze bez żadnej szczerby (bo prawie wszystkie są poszczerbione), kładzie widelec i namyśla się, wydaje mu się, że sobie dał za dobry, a jej trochę wytarty, i szybko zamienia. Obudzić ją, tak, już chciałby, ale to byłby egoizm.

Echem zza stawu odzywa się nierówne huczenie młocarni. Okrąża dom i wbiega na ganek, gdzie schną nasiona nasturcji, w kuchni zderza się z Antoniną. Podłoga korytarza z drzewem desek miękko wgłębionym od wieloletniego deptania. Zagląda do garderoby. Na przykład zważy ten węzeł z wełną i potem posłucha pod jej drzwiami. Zdejmuje ze ściany bezmian, zaczepia o hak rogi płachty i przesuwa mosiężny pręt. Na chwilę oszukał uwagę, ale nagle rzuca wszystko. Przykłada ucho do drzwi. Nie może już powstrzymać się i naciska klamkę, cicho, żeby bez skrzypienia zajrzeć przez szparę. Ale skrzypnęło i jej głos z zewnątrz: — Tomasz!

Wtedy po powrocie z polowania zachorował. Już idąc trząsł się, w domu szczękając zębami rozbierał się pośpiesznie i właził między zimne prześcieradła. Babcia Misia dała mu suszonych malin na poty. Nosił już w sobie chorobę i kłamliwe upojenie, w jakie wpadł rano, zapowiadało gorączkę, albo choroba była mu potrzebna. Brodą dotykał podkurczonych kolan, ogarnięty jedną tylko chęcią, żeby zaszyć się w norę i czuć na sobie ciężar kołdry i kożucha. To było kilka tygodni temu, ale to już dawno.

Kasztanowate włosy, które leżą na poduszce, kiedy Tomasz zbliża się do niej w półmroku, splata w warkocz, siedząc przed lustrem i przechylając na bok głowę. Najpierw jednak on dotyka ustami jej policzka i przysiada na jej łóżku, na samym twardym skraju, sterczącym nad materac. Szpilka na stoliku, albo coś, czego się dokładnie nie rozróżnia, połyskuje tajemniczo. Potem okiennice są otwarte, Tomasz patrzy na nią z tyłu, w lustrze jej oczy, trochę skośne, szare, albo z tym błyskiem, kiedy nie wie się, jakiego są koloru. Grube brwi obniżają się, kiedy się śmieje, tak że oczy chowają się w szparach między nimi i policzkami.

Dwa tylko fakty ze swego wczesnego dzieciństwa dotyczące matki znał Tomasz z opowiadań i nieraz o nich myślał, aż zdawało mu się, że różne szczegóły pamięta, choć pamiętać nie mógł, bo był wtedy zupełnie mały.

„Miejsce kąpielowe" nad Issą jest to rodzaj luki w rzędzie drzew, zawsze ocienionej, w którą schodzi się z pola. Matka położyła go przy ścieżce, już była w wodzie, kiedy zobaczyła na ściernisku biegnącego w ich stronę psa z wywieszonym językiem i podwiniętym ogonem (a w okolicy było dużo wypadków wścieklizny). Wyskoczyła, schwyciła Tomasza i, goła, pędziła pod górę do parku. Tomasz sam nie wiedział, skąd mu wziął się ten ręcznik, który zgarnęła na oślep i który za nią się rozwiewał i w jaki sposób czuł jej lęk, usta łapiące powietrze, tłuczenie się serca. Widział także psa: rudego, z zapadniętymi bokami, słyszał za sobą jego oddech. Może to czerpał ze snu, bo taki właśnie sen o ucieczce często go prześladował. Bezwładny, zdany tylko na jej szybkość, zamierał w przerażeniu, że ona już biec dalej nie zdoła, że upadnie. „Ona" to zresztą nie było więcej niż znak, nawet inny od jej fotografii i inny od niej prawdziwej, której teraz co dzień mógł dotknąć. Uparcie nawracał w rozmowach z nią do tamtego przypadku i kiedy już wszystko opowiedziała, pytał: „Ale ręcznik. Przecie tam był ręcznik". „Jaki znowu ręcznik?"

Drugiego zdarzenia wcale z nią nie poruszał. Miał wtedy półtora roku i zachorował na dyfteryt. Był już konający, a matka, jak to dokładnie opisywała Antonina, biła głową w ścianę i na kolanach szła przez pokój krzycząc, błagając zmiłowania. Podniosła złączone ręce i przysięgła: że jeżeli Tomasz wyzdrowieje, ona odbędzie pieszo pielgrzymkę do cudownego obrazu Matki Boskiej Ostrobramskiej w Wilnie. I natychmiast nastąpiło polepszenie. Starsi, nagabywani o ten ślub, wykręcali się: „No, wiesz, takie czasy, wojna, ten zamęt, gdzież o tym myśleć". Tomasz więc musiał pogodzić się z tym, że pielgrzymki nie odbyła. Teraz to łączyło się z rozmowami, jakie ona, Helena i Misia toczyły zwykle w jej pokoju. Matka przejmująco przedstawiała swoje podróże wojenne, koło frontu, albo to swoje przejście granicy — w dzikich lasach, w nocy, sama z przemytnikiem, który pokazał jej ścieżkę, ale było tak ciemno, że zabłądziła, bała się ruszyć, żeby nie wpaść na straże, więc schowała się w gąszcz i czekała świtu. Helena wtrącała: „Co ty mówisz, Tekla, co ty mówisz!", z podziwem. Ale jeżeli zostawała sama z Misią, zaczynała od pobłażliwego: „No tak, Tekla zawsze..." Znaczyło to, że niepoważna, lekkomyślna, wspaniałe przygody, ale nigdy nie ma pieniędzy i tak dalej. Misia spod swego pieca podniecała z lubością Helenę, żeby ta więcej wyłożyła swoich cukrowych pretensji, a Helena, głupia, nie rozumiała, że robi sobie z niej zabawę. Tomasza jednak te uwagi ciotki bardzo raniły, bo był tamten złamany ślub. Może naprawdę lekkomyślna? Skądś, z głębi, pojawiał się żal do niej o to, że go tak zostawiła, samego. Kiedy siebie na tym przyłapał, uznał natychmiast swoją ciężką winę. Szukał, jaką sobie zadać karę, i wybrał najsurowszą — zabronił sobie przychodzić do niej na dzień dobry przez trzy ranki: najsurowszą, właśnie ponieważ wyglądać mogło, że on nie dba o nią, zajęty czymś innym. Jeżeli znów kusiło go, żeby ją sądzić, zamykał oczy i kazał sobie rozpamiętywać, jaka jest piękna i odważna.

Liście są czerwone, Issa dymi między zrudziałym ajerem. Zaprzęgają czasem konia i jadą do wiosek odwiedzić przyjaciół matki z jej panieńskich czasów. Dzbany z piwem stoją na stole i fajki pykają i podnoszą się szklanki, i dzieci, i psy, i kufry zielone malowane w kwiaty, z sieni pachnie serami, serwatką, jabłkami, kury tam poprawiają się łopocząc na drabinach, leniwość chaty o tej porze roku, kiedy prace w polu są zakończone i gospodarstwo zamyka się w sobie, w prostokącie podwórza. Błoto na drogach syczy miękko przelewając się przez szprychy kół. Pali się już w piecu, o szarej godzinie dobrze jest patrzeć w płomień i nie myśleć nic. Różowe światło, niech tak trwa, ale powoli żar przygasa, już nie to samo, ciemno, a nie chce się ruszyć.

Knot lampy z kloszem z jednej strony białym, a z drugiej zielonym trzeba długo przycinać nożyczkami, żeby nie wypuszczał czarnych wąsów na szkiełko. On odrabia lekcje, ona odkłada sweter na drutach i ślini ołówek poprawiając jego zadanie. Przysuwa krzesło do jego krzesła, opierają się o siebie ramieniem, krąg lampy, oni tutaj, a za oknem w sadzie hukają sowy.

Jednak tego, co już się stało, niełatwo się pozbyć. Zapytała go raz, kim chciałby być. Poczerwieniał i spuścił głowę.

— Ja... chyba księdzem.

Przyglądała mu się ubawiona.

— Cóż ty za głupstwa pleciesz. Dlaczegóż to właśnie księdzem?

— Bo ja... bo ja...

Przełykał łzy i nie zdołał ich poskromić. Nie mógł wykrztusić: „Bo ja spudłowałem do kozła i martwiłem się, że nie pamiętasz o ślubie", to zresztą nie byłaby cała prawda.

— Bo ja... jestem gorszy.

Księdzu przez to, że nosi sutannę, wolno być różnym od innych ludzi, wymagania do nich zwrócone jego nie dosięgają. To próbował wyrazić.

Wyraz jej twarzy był taki, że musiał powiedzieć:

— Bo tak.

— Nic a nic nie wiesz, jaki jesteś.

Odwracał się i wydobył z siebie przez zęby:

— Ja nie chcę być sam.

Tylko raz tak otwierają się drzwi, twarz nad szarym swetrem pod szyję, nieznajoma, rzuca promienie, wzywa, oczekuje, zachęca, on, znieruchomiały, nie pojmuje i nagle z krzykiem, skok, ramiona go oplatają, ona. Nie, już nigdy.

Sen jest spokojny. Otula go kołdrą i jej pocałunek odprowadza go łagodnie w gąszcz nocy. Jej kroki oddalają się, wciskając nos w poduszkę Tomasz szuka, co mógłby jej dać. Zeszyt z ptakami? Nie, to było co innego. „Ale ja ją kocham".

LXVII

W wigilię św. Andrzeja lali wosk, matce wypadła korona z kwiatów czy cierni, nie wiadomo, a jemu płaski liść przypominający na cieniu Afrykę i na tej Afryce krzyż. I zaraz potem spadły śniegi, kłęby pary wydobywały się z ust tych, co wchodzili, tupiąc mocno, żeby zrzucić szklistą masę z obcasów, ruchoma chrzęszcząca breja na Issie krzepła w lód. Boże Narodzenie zbliżało się nie takie jak dotychczas: pusty talerz, który zostawia się przy wilii dla podróżnego, teraz dla naprawdę kogoś nieznanego był przeznaczony, a nie jak ubiegłych lat z cichą nadzieją, że raptem przyjedzie matka. Nie Antonina, ale ona robiła teraz przygotowania świąteczne, wspomagana przez Tomasza. Sama ugotowała barszcz z uszkami i przyrządziła śliżyki. Śliżyki są to kawałki ciasta ugniecionego w wałek, które się piecze, aż twardnieją na kamyczki. Polewa się je na talerzu sytą — cały jej dzban stoi na stole. Syta składa się z wody, miodu i zgniecionego maku. Tomasza nie bardzo obchodziły dania w środku między barszczem i deserem. Nakładał sobie głębokie talerze żurawinowego kisielu i pęczniał od tej ulubionej potrawy, a siano, które podkłada się pod obrus na pamiątkę, że mały Jezus leżał w żłobie, tworzyło miękki materac dla jego łokci, kiedy już osłabł z obżarstwa. Potem, pod choinką, śpiewali z matką kolędy i uczyła go takich, których nie umiał. Zapalili stajenną latarnię i szli na Pasterkę, kopiąc się w sypkim śniegu.

Matka Tomasza była praktyczna i postanowiła, że zostaną w Giniu przez zimę. Wyprawa w mrozy przez granicę jest zbyt trudna, a poza tym należało poczekać z innych powodów. Ojcu Tomasza wiodło się rozmaicie, ale najczęściej nędznie. Po różnych perypetiach z traceniem posady, jako urzędnik samorządowy klepał biedę. Helena dostawała swoją część w ziemi, więc jej należało się coś też; ale żeby mieć pieniądze, które się zamieni na dolary, trzeba wymłócić i sprzedać zboże, czekając na lepszą cenę. Przyszedł jej do głowy także śmiały pomysł, na który Helena wykrzykiwała: „zwariowałaś!" Żeby przeszmuglować przez granicę parę koni, dlatego że tej rasy niskich, szerokich koników takich jak na Litwie nigdzie nie ma, więc w podarunku mężowi. Ale przecież sama ledwo się przemknęła, więc jakże z końmi? Głupstwo, musi się udać.

Ta granica, otwarta tylko dla szmuglerów, wilków i lisów, dlatego że miasto Wilno Polacy uważają za swoją własność, a Litwini za swoją stolicę bezprawnie zagrabioną przez Polaków, była utrapieniem dla wielu ludzi. Matka wybrała konie, czterolatki, oba bułane z ciemniejszą pręgą przez grzbiet. One miały ich zawieźć aż do domu, przy czym liczyła na swoje szczęście i na to, że strażnicy, jeżeli nie ma w pobliżu oficerów, dają się zmiękczyć, jeżeli już nie można tak, żeby nie widzieli.

Biały puch na framugach okien i cisza, w niej monotonne poćwierkiwanie gilów łuszczących nasiona bzu. Zbliżająca się podróż obudziła zainteresowanie Tomasza dla geografii. Do tych lekcji służył niemiecki atlas z datą wydania 1852. Matka poprawiała na nim ołówkiem państwa, bo wiele z nich miało teraz inne kształty. Na atlasie nie zaznaczono ani Ginia, ani okolicznych miejscowości, o co nie wypadało mieć żalu, jednak myślał o mapach w ogóle, o tym, że przyciska się palcem jakiś punkt i tam, pod palcem, są lasy, pola, drogi, wioski, porusza się mnóstwo ludzi, z których każdy szczególny, różny w czymś od innych, podnosi się palec i nie ma nic. I tak jak w kościele kusiło go, żeby ulecieć i przyglądać się klęczącym z góry, tak tutaj chciałby mieć magiczne szkło powiększające, które by wydobyło z papieru wszystko, co tam się kryje. Im więcej poświęca się uwagi tej przestrzeni z jej zarysami lądów, kółkami i liniami, tym bardziej nas ona pociąga. To jak wtedy, kiedy wziąć dwie cyfry: jeden i dwa i wyobrażać sobie, co jest między nimi. Gdyby można było narysować mapę, na której zaznaczone byłyby wszystkie domy i wszyscy ludzie — gdzie każdy z nich stoi czy idzie — to jeszcze przecież zostają konie, krowy, psy, koty, różne ptaki, ryby w Issie, a gdyby i to narysować, to przecie jeszcze i pchły na psie i błyszczące żuki w trawie i mrówki, i tak dalej. Więc mapa zawsze musi być niedokładna. I nad nią ślęcząc, dokonuje się jeszcze jednego spostrzeżenia: że tu na krześle ja jeden, a tam pod moim palcem zatrzymanym na pustej plamie, gdzie powinno być Ginie, ja drugi. Ja wskazuję siebie zmniejszonego. Ten drugi ja nie jest taki sam jak ja tutaj, tylko zrównany, zmieszany z innymi ludźmi.

Dnia przybywało. Dziadek wracał z podróży w interesach w bardzo dobrym humorze, bo jego starania wreszcie odnosiły skutek. Obiecywano mu, że podział Ginia między niego i Helenę zostanie uznany przez władze.

Donos Józefa ostatecznie nic nie zaszkodził. Juchniewiczowie mieli się wprowadzić po św. Jerzym, tamten majątek naprawdę parcelowano.

Już Niedziela Palmowa, co prawda bez kotków wierzby, w mrozie i śniegu, wiosna spóźniała się w tym roku. Potem spomiędzy przegniłych liści i igliwia wyłaziły niebieskie przylaszczki, zastanawiał się nad tym, że to ostatnia wiosna i że może tu nigdy nie wróci. Długo łaził po parku, aż wreszcie wypatrzył miejsce na zboczu, pośrodku kwadratowej polanki, wykopał młody kasztan, przeniósł tam i zasadził. Jeżeli kiedyś znowu znajdzie się w Giniu, pierwszą rzeczą będzie zbiec na tamtą polankę i sprawdzić, jak duże wyrosło jego drzewo.

Woda w Issie była jeszcze lodowata, wynurzały się z niej dopiero przy brzegu pierwsze trąbki liści jasnozielonego koloru, a w środku odbijały się skłębione obłoki. Któregoś dnia na stecce w chaszczach nad rzeką spotkał przyjaciółkę swoich dawnych zabaw, Onutė. Widywał ją od czasu do czasu z daleka, ale teraz odbyło się to nie tak jak zwykle. Zatrzymała się, przyglądając mu się przez chwilę jakby z zaciekawieniem, a właściwie z dziwnym wyrazem. Była to duża dziewczyna. Spuściła głowę, a Tomasz poczuł gorąco za kołnierzem i w policzkach, ominął ją z surową miną. Surowa mina maskowała drżenie, ale Onutė mogła pomyśleć, że gardzi nią, bo już jest prawie panem. Tak przypuszczał Tomasz poniewczasie, kiedy już oddalił się od niebezpieczeństwa, i było mu przykro.

LXVIII

W sześć miesięcy po ślubie Romualda z Barbarką urodził się im syn. Gołe czarne garby sterczały wtedy na polach spod topniejącego śniegu, ale, choć już początek kwietnia, znów podmarzło i do kościoła wieźli go sankami. Na chrzcie świętym dostał na imię Witold.

Pochmurne niebo, wrony krakały w łozach, bicz Romualda, ten od paradnych wyjazdów, z czerwonym chwaścikiem, smagał grzbiet konia niedbałym ruchem. Barbarka rozchylała kraciastą chustkę i zaglądała, dziecko spało. Jechali tak oczywiście w pełnej niewiedzy czasu, który nie jest tylko znaczony powrotem wiosen i zim, chwianiem się dojrzewającego zboża, przylotem i odlotem ptaków. Ziemia, po której ślizgały się płozy malowanych na zielono sanek, nie była ziemią wulkaniczną, nie wydobywał się z niej ogień, nikt tu nie myślał o innych pożarach i potopach właściwych historii człowieka.

Witold rozwrzeszczał się przed samym domem, Barbarka złożyła go w kołysce na biegunach i, kołysząc, oglądała się na zastawiony do przyjęcia stół. Jest to wielka radość być gospodynią u siebie. Kiedy otwierała drzwiczki szafy, z której pachniały upieczone przez nią bułki, napełniała ją słodycz równa ich słodyczy. Moje bułki. Mój mąż. Mój syn. I nie mniej ważne, że moja podłoga, deski skrzypią i skrzypią sznurowane buciki. Więc twarz jej promieniała, wchodzili goście, Romuald zacierał ręce i mówił: „No, Barbarka, dawaj, podjemi".

Stara Bukowska oglądała wnuka i orzekła, że podobny do niego, nie do synowej. Musiała pocieszyć siebie i w ten sposób, i wychylając kieliszek za kieliszkiem. Następnie za oknami gęstniała noc, w gałęziach poświstywał wiatr odwilży, gdyby ktoś podszedł, zwabiony światłem, widziałby ich śmiejących się, nieco ociężale odchylających się na krzesłach i psy (tym wolno było w zimie, ze względu na chłód na dworze, przebywać w domu) drapiące się na środku izby. Pies, drapiąc się tylną łapą w szyję, stuka o podłogę, ale szyba nie przepuściłaby dźwięku.

W stronę oświetlonego okna w ciemności wilk na skraju lasu zwraca głowę i śledzi przez chwilę niezrozumiałe siedlisko ludzi, oddzielone od tego, co zdolny jest pojąć, na zawsze. I, być może, taki kwadrat zwabia inne stwory, bardziej rozgarnięte. Tylko że jeżeli są to na przykład diabły we frakach, ukarane już będą niedługo za swoje zainteresowanie wnętrzem ludzkich domostw. Do drobnych spraw przywiązują zbyt dużą wagę, żeby mogły uchować się w oczach wymagających poczucia proporcji. Wkrótce już nikt nad Issą nie będzie opowiadać, że widział jednego z nich machającego nogami na belce we młynie, albo że słyszał ich tańce. Gdyby opowiadał, nie trzeba wierzyć.

Wiatr odwilży był zachodni, od morza. Na wodach między brzegami Szwecji i Finlandii, między hanzeatyckim miastem Riga i hanzeatyckim miastem Danzig, kołysały się statki i buczały we mgle. Barbarka przewijała dziecko, trzymając je za nogi i lekko unosząc mały tyłeczek, który budził w niej tkliwość. Tej tkliwości, jak również jej uczuć, kiedy rozpinała bluzkę i podawała synowi pierś z żyłą przeświecającą przez skórę niebiesko, nie należy przenosić poza właściwą im sferę doświadczenia. Na pograniczu tego, co zwierzęce, i tego, co ludzkie, żyć nam wypadło, i tak jest dobrze.

LXIX

W tym samym mniej więcej czasie Romuald umówił nowego parobka, Dominika Malinowskiego. Jeżeli ten po raz pierwszy w życiu opuszczał Ginie, to z poważnych powodów.

Z gospodarzem, u którego pracował tej zimy, stali wtedy w stodole i młócili cepami. Być może dałoby się uniknąć starcia, mimo że od rana wszystko ku niemu prowadziło. Domcio umiał się hamować. Usta jego były zawsze wąskie i zacięte od skrywania tego, co chciałby powiedzieć, a nie mógł. W dojrzałość wchodził podobny coraz bardziej do chudego drapieżnego ptaka. Nieraz korciło go, żeby złapać tego drania za grdykę, ale wiedział, że uleganie własnym chęciom jest niebezpieczne. Buch, wzbijał echo cep starego, bach, odpowiadał mu cep Domcia i tak, na dwa głosy, ciągnęli pracę. Potem przerwali, bo stary musiał wykrzyczeć swoją porcję na kogoś w domu. I tutaj właściwy początek.

Ten ktoś był służącą, w tym wieku co Domcio, który uważał ją za głupią i niepotrzebnie dającą się każdemu popychać. Mniejsza zresztą o to, jakie zachowywał dla niej sympatie, dość, że teraz padło jego słowo w jej obronie. Następnie żylasta, zapiekła pycha starego trafiła na siłę Domcia i miał ją, tę grdykę, pod palcami, trzymał go przez chwilę w powietrzu i rzucił o ziemię, aż jękło. Wychodził za wrota, a za sobą słyszał wrzask.

Chwila triumfu. „Nie będziesz mną rządzić". Kiedy jednak zbliżał się do chaty przy promie, już zaczął myśleć, co z tego może wyjść. Wyszło naprawdę. Tamten podbuntował przeciwko niemu innych, tych bogatszych, trzymali ze sobą i Domcio nie mógł odtąd liczyć na zarobek u nich. Trzeba było szukać służby, wypadło, że w Borkunach.

Tymczasem Domcio przesiadywał w domu i strugał łyżki, necki, kłumpie, żeby każdy dzień dawał trochę grosza. Czasem matka z ławy naprzeciwko przyglądała się jego zręcznie uwijającym się rękom. Mówiła „ziemia" i wtedy podnosił oczy na tę twarz pociętą zmarszczkami, na usta wzięte w klamrę dwóch głęboko wprasowanych fałd skóry. Zawsze to samo: to jej podanie o ziemię z reformy. „Józef przecie mówił". „Już wszędzie parcelują..." Domcio nie odpowiadał nic. Pochylał głowę i zagłębiał w lipowe drewno nóż z większą niż zwykle uwagą. Zamyślony, prowadził powoli ostrze ku sobie, orząc długą bruzdę.

LXX

Wyjazd Tomasza z matką odwlókł się do czerwca. Kazała wprawić na wozie leszczynowe łęki, na tych łękach rozpinała się buda, jak w wozach cygańskich. Do granicy mieli setkę kilometrów, po tamtej stronie jeszcze ze czterdzieści, więc jeżeli deszcz, a poza tym, żeby móc spać w podróży. Przygotowywała też cały zapas suszonych serów z kminkiem, kiełbas i szynek wędzonych na czarno, takich jakie lubił ojciec Tomasza.

W przeddzień dziadek wprowadził Tomasza do swego pokoju, zamknął drzwi, siadł i chrząkał. Potem zaczął mówić o tym, że w mieście ludzie są zepsuci i że trzeba się pilnować, żeby nie wpaść w złe towarzystwo, ale zaraz znów dmuchał tch tch nosem i wyglądało, jakby się czegoś zawstydził, bo Tomasz zapytał, po czym poznaje się złe towarzystwo. „No wiesz, wódka, karty...", przyciągnął go do siebie i gwałtowne wzruszenie przeniknęło Tomasza, kiedy całował go po kłujących policzkach, aż nagle dziadek go odsunął i szukał po kieszeniach chusteczki.

Śniadanie Tomasz jadł tego ranka parząc sobie usta herbatą i zerwał się, zostawiając szklankę nie dopitą. Przed oknem widział białą budę wozu, wszystko było załadowane, ostatnie pośpieszne rozmowy, więc wyskoczył przed ganek i dalej, pochyłością gazonu, mijając rząd kwitnących piwonii. Rąbek doliny między drzewami parku w porannej mgle, nad rosami różowiał pogodny dzień, śpiewały ptaki. Chciał pamiętać. „Zapomnisz ty nas, oj, zapomnisz". Antonina, kiedy zebrali się na stopniach, brała jego twarz w obie dłonie, smutna. Policzki Misi pachniały jak mokre renety. Luk piszczał, cmokał, gniótł. I błogosławieństwa, i w powietrzu kreślone znaki krzyża. „No Tomasz!" powiedziała poważnie matka. Przeżegnali się. Ściskał twardą skórę lejc. Przy takich rozstaniach zawsze musi być moment, kiedy ktoś przerwie, najlepiej niespodzianie. Machnął biczem, zaterkotały koła, słyszeli krzyki, oglądając się, za płachtą budy widzieli w malejącym otworze zielonego tunelu alei powiewające chustki, podniesione ręce.

Już lejce napięte, ostrożnie zjeżdżali rozmytą drogą, zatroskany Chrystus mignął im spomiędzy bujnych liści. Z tyłu biała ściana świrna. Tomasz puścił konie w kłus, tak minęli dęby cmentarza, pod którymi zostawali na zawsze Magdalena, babka i Baltazar. Ginie niknęło za zakrętem, przed nimi nieznane.

I później, kiedy konie pięły się pod górę, po raz ostatni błyska Issa, ułożona w pętle na łąkach. Rzeka rodzinna, jej woda jest słodka wspomnieniu. Poruszają się muskuły pod sierścią koni, biorą pochyłość, na płaszczyźnie Tomasz zacina batem i odgraża się: „Ech ty, Birnik, ja tobia!''

Konie, które miały znaleźć się za granicą, daleko od miejsc swego urodzenia, nazywały się Smilga i Birnik, te imiona upamiętniały właścicieli, od których pochodziły. Smilga był znany jako szczery, pracowity, wyłaził ze skóry, żeby ciągnąć, i dlatego nigdy nie utył. Natomiast Birnik, niewrażliwy na uderzenia, gruby jak ogórek, udawał tylko, że ciągnie, spychając cały trud na swego towarzysza. Za to pod górę Birnik parł z zaciekłością, przeszkoda obrażała jego lenistwo i starał się ją jak najprędzej pokonać.

Chustka matki w kolorowe kwiaty i siano w worku, które wygniata się w dołek, a zaledwie początek podróży, i wiadro do pojenia koni, które, choć mocno przywiązane, jednak brzęczy i orczyk coś nie w porządku. Jadą przez leśne polanki, gdzie konie młócą ogonami, oganiając się od bąków, w stronę wielkich jezior, tą samą drogą, którą kiedyś przybyła w trumnie Magdalena. Jest tam dąb, pod którym popasa się w południe, kładąc na trawie serwetę. Pod wieczór odsłoni się przed nimi widziany z góry nowy kraj, tam gdzie, jak wzrok sięgnie, więcej wody niż ziemi, jezioro przy jeziorze, półwyspy nie do odróżnienia od przesmyków dzielących jedno od drugiego, rojowiska zielonych wysp. Następnie w dół, pagórkami, między kamienie, ogromne, wyprostowane jak figury zastygłych zwierząt. Na łąkach właśnie sianokosy, rzędy małych postaci ludzkich chwieją się miarowym ruchem. Nocleg przypadnie w rybackiej wiosce; cisza, łódki pachnące smołą, chrobot koni jedzących obrok.

Pozostaje ci życzyć szczęścia, Tomasz. Twoje dalsze losy pozostaną na zawsze domysłem, nikt nie odgadnie, co z ciebie zrobi świat, ku któremu dążysz. Diabły znad Issy pracowały nad tobą, jak mogły, reszta nie należy do nich. Teraz uważaj na Birnika. Znów zasypia, obojętny na wszystko, nie wiedząc, że dzięki tobie zostanie kiedyś wspomniany. Podnosisz bicz — i tutaj urywa się opowieść.

Marek Zaleski

Chłopiec imieniem Tomasz

Został wybrany: odwiedzał go demon, a Moce Ziemi uczyniły swoim instrumentem. W okupowanej Warszawie anioł okrył go swoim skrzydłem: inaczej cykl *Świat (poema naiwne)* nie mógłby powstać w tym kręgu zła, jakim w roku 1943 było miasto z dogasającym gettem. A jednak w następnych latach poezja Czesława Miłosza została wystawiona na wielkie niebezpieczeństwo. Tym niebezpieczeństwem była trująca logika dziejowej konieczności. Przekładał ją sobie tak oto: Zachód niczego się nie nauczył, winien jest za niewolę Europy Wschodniej i hekatombę II wojny światowej, komunizm w Europie zwycięży, chyba że dojdzie do nowej wojny; decyzja, by we Francji w roku 1951 opuścić polską ambasadę (w której pracował jako attaché kulturalny) i wziąć azyl polityczny, oznacza, że jako pisarz zachowa godność i niezależność, ale wyląduje na „śmietniku historii". Historia przyznaje rację zwycięzcom, a tymi zdawali się komuniści. Duch Dziejów podróżował eszelonami Armii Czerwonej. Po latach, kiedy przygoda znalazła swoje szczęśliwe zakończenie, tak na ten temat żartował, przyrównując siebie do bohatera katastroficznej powieści *Pożegnanie jesieni* Stanisława Ignacego Witkiewicza:

> Przecież ja miałem zostać Atanazym Bazakbalem, który na wieść o rewolucji niwelistów w Polsce wraca do kraju z Indii, żeby „prawidłowości" przeciwstawić akt jednostkowy. Mój opublikowany w Polsce *Traktat moralny,* rozwinięty następnie prozą

w *Zniewolony umysł*, to właśnie praca, jaką przeciwko „nieubłaganym prawom rozwojowym" pisał Bazakbal.

On sam jako nowe wcielenie Witkacowskiego bohatera? Tyle że teraz na modłę, jaką lansowali w paryskich kawiarniach filozofowie, odmieniający przez wszystkie przypadki słowo „zaangażowanie" jako nowe zaklęcie? To nie bardzo mu odpowiadało. Wybrał inne rozwiązanie, choć i ono miało swoje wady. Wydany w roku 1953 *Zniewolony umysł* i powieść *Zdobycie władzy* zostały przetłumaczone na wiele języków. Zanim pojawiły się ich polskie wydania, przyniosły mu międzynarodowy rozgłos, ale wyrabiały opinię „eksperta od komunizmu", gdy tymczasem w swoim przekonaniu był jedynie „poetą, który został wtrącony w dziwaczną studnię i starał się, jak umiał, z niej wydostać" — tak skarżył się w liście otwartym do Gombrowicza, zamieszczonym w paryskiej „Kulturze".

Znalazł się w studni, czyli w pułapce, jaką był poligon historii. Gwoli sprawiedliwości należałoby tu dodać, że w owej studni znalazł się jednak na własne życzenie. Metafizyka dziejowej konieczności zauroczyła wtedy wielu. Stała się i jego obsesją. Jak zwierzał się Gombrowiczowi, kusiły porzucone ogrody arkadyjskie, ale silniej pociągała przygoda śmiałków biorących udział w kolejnej wyprawie po złote runo, czyli nadzieja na wynalezienie nowego społeczeństwa i kresu historii. Nadziei towarzyszył lęk przed tym, że przez brak roztropności można zostać wyrzuconym po drodze, na martwym brzegu historii. Ten dylemat nie znajdował dobrego rozwiązania. Zauroczenie historią, czyli polityką, prowadziło do „oschłości serca i wątroby" (jak to określał, idąc tropem starożytnych i ich teorii temperamentów). Wydawało na łup nihilizmu, skłaniało do pogardy dla sentymentalnych więzi i do traktowania wszystkiego jako iluzji rozumu nieukształconego w szkole dialektyki. Z kolei porzucenie takiego myślenia zdawało się obrazą samego myślenia właśnie, było więc grzechem głupoty, czyli grzechem przeciwko Duchowi Świętemu, a w dodatku skazywało na anachronizm i wyłączenie z gry o przyszłość — w najlepszym razie na przebywanie w towarzystwie obrońców Okopów Świętej Trójcy.

Ten dylemat w połączeniu z kłopotami po tym, jak 1 lutego 1951 roku zdecydował się pozostać na Zachodzie jako azylant polityczny, doprowadził do ostrego kryzysu. Jako dyplomata w służbie komunistycznego reżimu stał się obiektem nagonki i kampanii oszczerstw ze strony części emigracji. Również jako autor wydanych na Zachodzie książek, odsłaniających mechanizm politycznego zniewolenia i oszustwo intelektualne marksizmu wyzbywającego się dialektyki na rzecz ideologii, został dotknięty ostracyzmem ze strony podówczas lewicowych, opiniotwórczych kręgów literackich we Francji. Był celem bardzo ostrych ataków w Polsce, jako zdrajca, i obiektem pogardliwego współczucia, jako ktoś, kto emigrując, dezerterując, podpisał na siebie wyrok śmierci jako poeta i intelektualista. Wyroki historii wydawały się zapadać po wschodniej stronie żelaznej kurtyny i tutaj też zdawało się rodzić myślenie zdolne sprostać wyzwaniom swego czasu. Tutaj pozostawił również swoich rozumiejących czytelników. Po latach, w rozmowach z Aleksandrem Fiutem i Ewą Czarnecką (Renatą Gorczyńską), w wywiadach i esejach wspominał tamten okres jako najcięższy w swoim życiu kryzys psychiczny i intelektualny, tym bardziej dotkliwy, że towarzyszyło mu poczucie poetyckiej niemocy i wyjałowienia.

Jesienią 1953 roku w Bon nad Lemanem, nie bez wpływu przyjaciela, Stanisława Vincenza, mieszkającego u podnóża Alp w La Combe, zaczął pisać powieść, która ukazała się w maju 1955 roku i wydana została przez Jerzego Giedroycia w Bibliotece „Kultury". Była to właśnie *Dolina Issy*. Pracę nad *Doliną Issy* ukończoną w czerwcu w roku następnym w Brie-Comte-Robert pod Paryżem, gdzie zamieszkał wraz ze sprowadzoną z Ameryki rodziną, określił po latach jako zabieg kuracyjny, a samą książkę jako pisaną dla siebie, z wewnętrznej konieczności. Pisanie jej pomagało mu wyjść z impasu psychicznego i kryzysu twórczego.

Jeśli Vincenz coś doradzał, to pewnie kierując się wiedzą o tym, że najsilniej prowadzą nas niewidzialne ręce. Do czterdziestoletniego poety „w wędrówce życia na połowie czasu" najsilniej przemawiały słowa mitu prywatnego, mitu własnej genezy. Musiał jednak uwolnić się z gorsetu kategorii, w jaki wtłaczał go intelekt, i nauczyć się, by powodowała nim jego *anima*. Jego ulubiony podówczas filozof i czciciel ruchu, Heraklit z Efezu, zalecał: „Suchy płomień to dusza najlepsza i najmędrsza", ale i zarazem napominał: „Jest rozkoszą dla duszy stać się mokrą". Musiał więc dla równowagi kierować się emocjami, lecz także napić się z rzeki zapomnienia i niewiedzy: „Gdy mąż się upije, wtedy prowadzi go nieletni chłopiec, a on sam zatacza się i nie wie, dokąd idzie, gdyż jego dusza jest wilgotna". Ten stan ducha, tak odmienny od cenionego do tej pory, aplikował sobie jako kurację. A dziecko? Dziecko jako przewodnik często pojawiało się w wizjach poetów, podobnie jak samo zalecenie, a może raczej marzenie, aby w naszym poznaniu osiągnąć świeżość i intensywność wizji dziecka. Istniał jednak tekst, który łączył obie perspektywy. Tekst ten Miłosz tłumaczył po raz pierwszy w okupowanej Warszawie (ale przekład zaginął). Był to pochodzący z 1863 roku esej Baudelaire'a *Constantin Guys. Malarz życia nowoczesnego*, w którym prawdziwy artysta był przyrównany do dziecka i zarazem rekonwalescenta:

Powrót do zdrowia jest jak gdyby powrotem do dzieciństwa. Rekonwalescent, podobnie jak dziecko, posiada w najwyższym stopniu zdolność interesowania się rzeczami najbardziej pospolitymi z pozoru. [...] Dla dziecka wszystko jest n o w o ś c i ą; jest ono zawsze p i j a n e. [...] Geniusz to d z i e c i ń s t w o o d n a l e z i o n e ś w i a d o m i e, dzieciństwo obdarzone teraz, by mogło się wypowiedzieć dojrzałością ciała i umysłu, zdolną do analizy, pozwalającą uporządkować sumę materiałów zgromadzonych bezwiednie.

Opowieść o własnej *genesis* miała wartość przywracającego do życia sakramentu. I rzeczywiście w samej powieści, jak i w kilku wierszach i esejach pisanych w trakcie pracy nad nią, dokonały się zasadnicze roztrzygnięcia. Dylemat intelektualny, o którym była mowa, znalazł swoje rozwiązanie. Sprowadzał się do tego, by w rzece czasu i pośród zmienności zjawisk znaleźć punkt stały, co pozwoliłoby myśleć, że życie jest czymś innym aniżeli tylko bezładnym ruchem elektronów. Mówiąc inaczej, rozwiązywanie dylematu było pytaniem o obecność sensu pozahistorycznego, a więc w istocie pytaniem o transcendencję. Czy w jego ówczesnym świecie kogoś zrozpaczonego i szukającego ładu serca w rozmowach z tymi, których uważał za mędrców, z Einsteinem, Camusem, Jaspersem, Vincenzem, istniała na to szansa? Aby sobie odpowiedzieć na to pytanie, należało najpierw znaleźć odpowiedź na kilka innych: czy — jak pisał o tym w drukowanym w 1954 roku w „Kulturze" eseju *Niedziela w Brunnen* — istniała możliwość znalezienia punktu oparcia pozwalającego „uznać, że należymy do siebie", być „w każdej sekundzie źródłem ruchu, czuć, że dalszy ruch wyznaczany jest przez nasze akty", odnaleźć w sobie „cząstkę absolutną", a więc odnaleźć coś, czego mogłaby się uczepić nasza potrzeba „pobożności", jak to określał.

Jak owa próba rozwiązania sprzeczności przebiega w *Dolinie Issy*?

Dolina Issy nie jest książką autobiograficzną, ale i jest nią zarazem: w innym, niejawnym planie, w porządku rozstrzygnięć ważnych dla jej autora. Wiele tu materiału autobiograficznego. Tomasz odbywa kwarantannę w domu dziadka Surkonta, bez rodziców: ojciec jest inżynierem w armii rosyjskiej, a po odzyskaniu przez Polskę niepodległości pozostaje w wojsku, bo toczy się wojna polsko-bolszewicka; matka przebywa za granicznym kordonem. Chłopiec jest wychowywany przez babki i ciotki — cała ta sytuacja bardzo przypomina sytuację małego Miłosza. Dziadek Artur, mąż babki Bronisławy Dilbinowej, ma wiele z postaci prawdziwego dziadka autora i nosi wprost jego imię. Również kilku innych bohaterów ma realnie istniejące pierwowzory: nieszczęsny Baltazar, w którym „szalało", szlachciura-hreczkosiej i myśliwy, Romuald Bukowski. Podobnie miejsca. Krajobrazy znad Issy są krajobrazami doliny rzeki Niewiaży, miejsca polowań wzięte z podwileńskich okolic w Radounce. Również powieściowe epizody, takie jak historia z granatem wrzuconym nocą przez okno ręką litewskiego nacjonalisty, wydarzyły się naprawdę. Powieściowy dwór stał w Szetejniach i został wiernie opisany. Miłosz zawsze jednak silnie podkreślał, że *Dolina Issy* to nie są wspomnienia z dzieciństwa i wszystkie prawdziwe realia zostały przetransponowane na użytek wizji powieściowej. Służą czemu innemu aniżeli opisowi, jak było. Rzecz jednak w tym, że siłą napędową opowieści są zapamiętane obrazy, silnie naznaczające na resztę życia, wrażenia, szczegóły często bardzo zwyczajne, które, gdy powracają, wydobyte powtórnie z pamięci-niepamięci, dają wrażenie intensywnego wglądu w istotę rzeczy. Te obrazy i doznania są ową chwilą mającą wartość odnawiającego się doświadczenia, w którym to, co jest teraz, zawsze ma swoje odniesienie do wczoraj i do jutra. W literackiej transpozycji ta chwila często przybiera postać odległego od tego, co rzeczywiste: obrazu, metafory albo fantazmatu. Dobrym tego przykładem w powieści jest śniona przez Tomasza postać leżącej w grobie Magdaleny, zmarłej kochanki wiejskiego księdza, grzesznicy, „co nie zaznała zmazy", żywej i martwej jednocześnie — turpistyczny i zmysłowy obraz budzący w chłopcu grozę, ale i silną erotyczną fascynację. W rozmowie z Renatą Gorczyńską autor powiada:

> miałem wtedy jakieś dziesięć lat. Byłem u mojej ciotki, pod Kownem, też nad Niewiażą. I stała taka kapliczka na skrzyżowaniu dróg. Tam były jakieś cegły, zasypane wejście, ale wdrapałem się. Zobaczyłem w środku rozwaloną trumnę, a w niej suknię z atłasu, pantofelki jakieś młodej pani, która tam została pochowana. Potem całą noc mi się śniła.

Jeśli w *Dolinie Issy* jest „pewien klucz bardzo osobisty", jak autor oświadcza w rozmowie z Aleksandrem Fiutem, to dlatego, że pisanie jej przypominało proces terapeutyczny. Chodziło o to, by powrócić do samego siebie, by znowu móc należeć do siebie, a w tym pomocne były obrazy z powracającej przeszłości. Udręczona dusza powracała do świata, który kontemplowała niegdyś w raju. Tym rajem był świat dzieciństwa. Rajem — o czym przyjdzie mi tu jeszcze napisać — wątpliwym, skażonym, rajem na miarę istot narodzonych już po upadku pierwszych rodziców. Niewiele tu z wizji, jaką znajdujemy w cyklu *Świat (poema naiwne)*, w którym rzeczywistość podporządkowana prawu rozumnej konieczności i opromieniona łaską istnieje jako przedmiot wiary w ład świata. Tutaj rzeczywistość zachwyca i przeraża. Przy interpretacji dzieciństwa powieściowego bohatera *Doliny Issy* narzędzia, jakie wręczają nam święty Augustyn, Baudelaire, Freud albo Georges Bataille, przydają się nie mniej niż tomistyczny klucz do rajskiej wizji tłumaczonego przed wojną przez Miłosza siedemnastowiecznego angielskiego „poety metafizycznego" Thomasa Traherne'a.

Zatem dla autora była to książka o nim samym: oczarowania i rozterki Tomasza są oczarowaniami i rozterkami samego Miłosza. W tym sensie powieść stanowi przykład duchowej autobiografii, rodzaj ruchu powrotnego, pozwalającego poprzez pisanie na nowe ustanowienie wzoru zagrożonej tożsamości. Miało ono stanowić antidotum na ubóstwienie ruchu w jego zwulgaryzowanej i politycznej odmianie, czyli uodpornić na bałwochwalcze adorowanie historycznego momentu.

A zatem bohaterem powieści jest dorastające dziecko (Tomasz w zakończeniu powieści ma trzynaście lat), a jej akcja rozgrywa się w na poły realnej, na poły baśniowej krainie jezior, w dolinie przechowującej czas pogańskiego starowieku. „Osobliwością doliny Issy jest większa niż gdzie indziej ilość diabłów", czytamy, by zaraz potem dowiedzieć się, jakiego to gatunku diabły zamieszkują okoliczne gaje i rojsty. Niewidzialne „siły" asystują poczynaniom powieściowych postaci, niczym tajemnicze siły *mana* opisywane w rozprawach antropologów wracających z wysp Polinezji. W lesie mieszka czarownik Masiulis przyrządzający swoje magiczne zioła. Trupa przebija się tu osinowym kołem, by nie powracał pomiędzy żyjących... Po cóż ten świat i po cóż otaczająca wszystko aura pogańskiej cudowności? Czemu pisarzowi wchodzi w paradę etnograf, każąc po drodze zapisywać stare legendy, podania, zaklęcia i przyśpiewki? *Dolina Issy* ukazała się w tym samym roku, co *Smutek tropików* Claude'a Lévi-Straussa. Przy całej różnicy obie książki mają pewną cechę wspólną: obie zostały napisane po to, aby lepiej zrozumieć siebie, tu i teraz, dziś, zanurzonego w swojej współczesności.

Tylko umieszczając się poza obrębem pewnej cywilizacji, odkrywa się gest dyktowany przez jej kostium. Nie znaczy to, że należy uciekać. Swift, odnajdując dystans (a więc wigor) w swoich *Podróżach Guliwera*, nie uciekał. Nie uciekało wielu innych

— zapisał Miłosz w roku 1954, w notatce *Kilka problemów osobistych*, przedrukowanej potem w tomie *Kontynenty*. Przedstawiona w powieści dolina raz jest rajską doliną, a znowu innym razem Swiftowską krainą Brobdingnagu czy wyspami Laputy, gdzie pobyt ma posłużyć temu, by opowiedzieć o swojej kondycji i problemach, jakie on i jego współcześni mają tu i teraz.

Cóż w tym dziwnego, że autor powieści chce dotrzeć do samego siebie poprzez dziecko w nim samym? Dziecko przecież bywa ojcem dorosłego. „Dziecko jest ojcem dorosłego" — napisał angielski romantyk, William Wordsworth, w odzie *Przeczucia nieśmiertelności*, i tak wypowiedziana przez niego prawda rozpoczęła swą literacką wędrówkę. Autor powieści chce przecież odzyskać wrażliwość dziecka, a ta pod wieloma względami przypomina wrażliwość poety. Zasada utożsamiania odmiennych porządków znaczeń czy po prostu figura utożsamiania, stanowiąca podstawę poetyckiej metafory, ma swój odpowiednik w dziecięcej niewiedzy, niewinnej ignorancji, która pozwala żyć w unii ze światem i, jak powiada filozof, czyni cudownymi wszystkie rzeczy. Intensywność postrzegania świata i poczucie jedności ze wszystkim, co je otacza, zdolność odczuwania czasu jako nieskończonego trwania są fundamentem właściwego dziecku poczucia nieśmiertelności. Tomasz — czytamy — żył „w ekstazie", w rzeczywistości, w której szczęście oznaczało dla niego po prostu być, doświadczać zwyczajnego misterium codzienności. Jego cielesność partycypuje w tym, co powszechne i wspólne, więc i przyszłość wydaje się rzeczą bezpiecznie pewną i zdającą się nie mieć granic. „Sięgało się w nią przeczuciem, bo w jakiś sposób mieściła się w ciele" — czytamy. Istnieje zatem postrzegana przez kogoś, kto tkwi w samym centrum, obdarzony silnym poczuciem materialnej obecności istnienia.

W wielu wypadkach narracja prowadzona jest tak, by zbliżyć punkt widzenia Tomasza i narratora, a tym samym podkreślić wspólny dla nich sposób światoodczucia. Kiedy narrator mówi o czułej fascynacji, jaką Tomasz żywi dla ptaków, zaraz zapyta: dlaczego, kiedy patrzymy na nie, „przenika nas prąd miłosnej wspólnoty?". Podobnie w scenie, w której dziadek Surkont wprowadza Tomasza w dający poczucie zakorzenienia świat genealogii, narrator wygłasza pochwałę dającej siłę i spokój świadomości, że jest się tylko ogniwem łańcucha, zaznaczając, że słowa dziadka rzucone w Tomasza sprawią, że w przyszłości osiągnie on szczęście, jakie daje łączność z tymi, których „głosy przytłumione przez odległość stają się cenne". Czytamy: „Tak oto rzucono ziarno i dziadek nie wiedział, jak długo przechowa się ono w roślinnym śnie wszystkich ziaren, czekających cierpliwie na swój czas". Czy to nie odsyła nas wprost do uśpionych — zdaniem świętego Augustyna — w świecie i w nas samych sił rozumu, które kiełkują i dają plony i w dziejach, i w naszej prywatnej, indywidualnej historii?

Cóż to wszystko znaczy? Ano to chyba, że mamy do czynienia właśnie z opowieścią o sobowtórze autora i że zdaje ona sprawę z jego własnych przemyśleń i poszukiwań — szło przecież o udzielenie sobie odpowiedzi na pytania zasadnicze. Stąd między czytelnika a bohatera w świat przedstawiony wpycha się autor, nie pozwalając czytelnikowi bez reszty pokochać swego bohatera, a co najmniej być z nim sam na sam, odnajdywać go także jako i swoje dziecko, i *alter ego* czytającego.

Nie mogło być inaczej. Nie chodzi przecież jedynie o to, że idylla dzieciństwa wymaga dorosłego, uzbrojonego już oka. W swoją powieść autor wpisał nękający go niepokój, jakim owocowała wiedza dorosłego. Nic dziwnego, że ta rzekoma baśń jest od pierwszej strony „zamaskowanym traktatem teologicznym" — jak lubił o niej mówić Miłosz. Tomasz z pozoru żyje poza dobrem i złem, w ścisłym związku ze światem, ale strona po stronie pojawiają się w tym przymierzu rysy i pęknięcia, a sama powieść staje się rozprawką o naturze ludzkiej.

Jeśli Domcio, nauczyciel ironii Tomasza, pastuch, który „do Boga chowa urazę" za niesprawiedliwe urządzenie świata, jest w powieści dorastającym — i jak czytamy — „przebranym królem" skrzywdzonych i poniżonych, to jeszcze bardziej Tomasz, wybraniec, urodzony w centrum świata, w domu na górze porosłej świętymi dębami, dwukrotnie cudownie wydarty śmierci, jest przebranym księciem — trochę jak z dramatów Szekspira — który w czarodziejskim lesie odbywa swoją kwarantannę i pobiera nauki, by wreszcie wyruszyć w wielki świat i objąć należną mu władzę. Niczym w powieści edukacyjnej Tomasz znajduje się w centrum świata powieściowego i jest kształtowany przez innych. Wszystkie postaci z powieści są figurami jego możliwego losu. Najbardziej może, dręczony chorobą wiecznego nienasycenia, nieszczęśliwy leśnik Baltazar fascynuje Tomasza i zarazem napełnia lękiem.

Tomasz zatem dostępuje rozmaitych wtajemniczeń i inicjacji. Jakich to? Ano takich, które wprowadzają do jego duszy podejrzenie, że oto może nie żyjemy na najlepszym ze światów, choć żyjemy na ziemi czarów. Dowiaduje się, że miłość chce się spełniać poprzez pożądanie, a to oznacza potrzebę posiadania. Eros domaga się władzy absolutnej, nawet gdyby oznaczała ona śmierć zadaną z miłości właśnie. Odsłania mu się dziwna wielość rzeczywistości, psująca unię z rzeczywistością doświadczaną jako jedność: jak to jest, że ci sami wiejscy chłopcy są pastuchami i ministrantami? Dlaczego mężczyźni tak zmieniają się w towarzystwie kobiet, i odwrotnie? Czemu tak trudno zgodzić się na samego siebie? Jak to się dzieje, że jest się tym, kim się jest? Dlaczego to, co przez nas kochane, jest właściwie niewyrażalne? „Dlaczego wszyscy grają komedię, wykrzywiają się, małpują jedni drugich, jeśli naprawdę są zupełnie inni?". Skąd bierze się nasza podwójność i to, że wybieramy, paradoksalnie, przeciwko temu, co nam drogie: „Właściwie tęsknił do porozumienia z różnymi istotami, takiego jakiego nie ma. Czemu ta przegroda i czemu, jeśli się kocha naturę, trzeba zostać myśliwym?".

Przede wszystkim jednak Tomasz odkrywa obecności zła, a jest nim śmierć i cierpienie jako stałe elementy porządku wszystkiego, co przynależy do Natury. I to jest w powieści sprawa kluczowa. Jako czytelnicy jesteśmy tu świadkami różnych przypadków śmierci. Za każdym razem zostaje ona przedstawiona jako misterium budzące fascynację i grozę, będące w zgodzie z porządkiem świata i zarazem zadające gwałt. Także i Tomasz staje się w powieści świadkiem śmierci ludzi i zwierząt. Sam też zadaje śmierć. Ale urządzenie świata postrzega jako niesprawiedliwe, dopiero kiedy zdaje sobie sprawę, że dla wiewiórki, którą zabił na polowaniu — z miłości właśnie — nie ma zmartwychwstania. Odtąd Tomasz zaczyna się czuć w swoim świecie jak obcy. Epizod z wiewiórką to minitraktat na temat nieobecności łaski, w którym chrześcijańska zasada solidarności na manichejską modłę zostaje rozciągnięta na całość stworzenia. Nie bez przyczyny Tomasz ma wśród swoich przodków Hieronima

Surkonta, wyznawcę heretyckich, antytrynitarskich nauk o naturze człowieka-Boga i naturze samego zbawienia. Tomasz, choć jego doświadczenie już temu przeczy, chce wierzyć, że śmierci nie ma: nie na darmo nosi imię biblijnego apostoła niedowiarka.

Inicjacje, jakie chłopiec przechodzi, wyposażają go w wiedzę, że zło mieszka nie tylko w porządku natury, ale i w świecie społecznym, a życie dorosłych odznacza się nie mniejszym okrucieństwem. Tomasz żałuje wiewiórki, oszczędza kaczkę na polowaniu, ale przecież musi być jak inni.

> Ubolewał nad śmiercią i cierpieniem, ale jako nad cechą porządku, w którym został umieszczony. Ponieważ to nie zależało od jego woli, musiał dbać o swoją pozycję wśród ludzi, a tę zdobywało się przez zręczność w zabijaniu.

Autor każe Tomaszowi opuścić dolinę i wyjechać w świat. Mimo wszystkich mąk i udręki wieku dorastania nigdy i nigdzie nie będzie mu już tak dobrze... Dlaczego więc? Może dlatego, że zaplantowane w nim „nasiona rozumu" spełniły już swoją rolę i teraz musi jechać dalej, by odkryć karty swych dalszych przeznaczeń. Tomasz musi wyjechać, a nawet musi o dolinie na jakiś czas zapomnieć. „Zapomnisz ty o nas, oj, zapomnisz" — żegna go Antonina, piastunka i służąca. Musi, bo tak trzeba, aby spełniony został projekt jego duchowej biografii.

„Tak, jestem dzieckiem..." — przyznawał Miłosz w cytowanym już liście otwartym do Gombrowicza. Ale w eseju *Niedziela w Brunnen*, napisanym w tym samym mniej więcej czasie, pisze o potrzebie dorosłości... Ciekawy to tok rozumowania i warto się nad nim zatrzymać. W zakończeniu eseju Miłosz pisze, że jako młody chłopiec w czasach swego litewskiego dzieciństwa — dodajmy, że podobnie jak Tomasz — chciał być przyrodnikiem i składał sobie przysięgę: „nigdy nie stać się jak dorośli. Bo życie dorosłych jest głupie". Jego zrozumienie i szacunek budzili jedynie przyrodnicy — „asceci własnej manii zrywający się o czwartej rano, żeby obserwować ptaki, czy przebiegający łąką z siatką na owady". To z nimi pozostawał „we wspólnocie gorących serc", bo i nim rządziła „czysta namiętność" — żyli po dziecinnemu. Podobny tamtemu entuzjazm odnalazł dla siebie w literaturze. „Literatura, a poprzez nią odkrycie ruchu, dostarczały mi później broni do walki z inercją, pozwalały spodziewać się, że zachowam wieczną młodość".

Jednak trzeba wydorośleć. Bo dorosłość to umiejętność sprostania trudnościom, umiejętność życia w kryzysie. Nie tylko. To także trudna wolność i wierność temu, co lokuje się poza czasem. To wiara, że nasze uczynki mają swoje ostateczne znaczenie, a każda rzecz swoją rację istnienia. Dlatego Tomasz musi wyjechać. Tomasz musi zatem odnaleźć sposób, jak własną niewiedzę i przynależność do natury, która czyni go więźniem śmiertelnego i żywiącego się swym bezwiednym egoizmem ciała, przekuć w siłę, czyli jak zamieszkać w świecie historii, ale historii pojętej tak, by — jak wówczas dla wielu zdziecinniałych dorosłych — nie zmieniła się w totemiczne bóstwo, fatum rządzące się prawami mitycznej dziejowej konieczności. Czyli musi nauczyć się tego, jak kierować się zasadą rzeczywistości, a nie zasadą przyjemności, jak konieczność zmienić w wolność i przemijaniem zwyciężyć przemijanie, jak być ponadhistorycznym, po to, aby być historycznym. Połową naszego jestestwa pozostajemy wpisani w niemy, obojętny wobec nas porządek Natury: cały ratunek w naszej drugiej połowie — w historii jako domenie tego, co sztuczne, a więc będące wytworem naszej wolności. Tak tylko można wymknąć się nieludzkiej konieczności. Ta wiedza jest jednak już dostępna ludziom w dolinie. Kiedy czarownik Masiulis mówi o tym, że „człowiek jest jak owca, nad którą Pan Bóg zbudował drugą owcę z powietrza i owca prawdziwa nie chce w żaden sposób być sama sobą, tylko tą drugą", to właśnie mówi o przyrodzonej człowiekowi potrzebie przekraczania własnej natury, ciągłego instalowania się w sztucznym, czyli w historyczności.

Tomasz więc wyjeżdża z doliny, bo powrót nie jest możliwy, choć możliwe jest marzenie o powrocie.

Na tym mógłbym zakończyć, zdając sobie sprawę, że gdy z miłości do tej powieści odsłaniam niektóre jej tropy, psuję w istocie lekturę innym... Zatem na koniec tylko jedna kwestia. Intrygująca i równie zasadnicza, jak wszystko w tej powieści.

Oto w rozmowie z Renatą Gorczyńską Miłosz mówi o swojej niechęci do literackiej fikcji. „W powieści — zaznacza — jedyne przyzwoite zadanie to opisywać, jak naprawdę było". Tymczasem *Dolina Issy* to przecież wizja ironiczna, w której otrzymujemy dziecinny punkt widzenia skonstruowany jednak przez dorosłego. Ale przecież podobne rozwiązanie, idealizowany „kraj lat dziecinnych", gdzie indziej Miłosz uznaje za zaletę: ten stan rzeczy przesądza o atrakcyjności i uroku *Pana Tadeusza*. Może więc niechęć do fikcji powieściowej bierze się z nadmiaru samowiedzy i jest niechęcią uciekania się do konwencji, do mówienia wzorem naszych poprzedników, gdy tymczasem żywi nas tęsknota podążania za swobodnym ruchem ręki. Autor mógłby powtórzyć za swoim bohaterem: skąd bierze się to „aktorstwo polegające na tym, że jest się kimś, a równocześnie, drugą częścią siebie, stwierdza się, że jest się tym kimś niezupełnie?". W opowieści wszechwiedzącego narratora *Doliny Issy* wielokrotnie mamy do czynienia z interwencjami w tok opowiadania, stanowiącymi zarazem akt deziluzji. Również z grą literackimi aluzjami. Na przykład ostatnie zdanie *Doliny Issy*, w którym autor sięga po czas teraźniejszy i — zwracając się do swego bohatera, pozostawia go w unieruchomionym kadrze, niczym na fotografii — przypomina ostatnie zdanie *Poezji i prawdy* Goethego i jego parafrazę w zakończeniu *Czarodziejskiej góry*, opowieści o kimś będącym „wcieleniem młodości żądnej czarów życia", jak nazwał gdzieś Tomasz Mann swego bohatera. Może jest tu jeszcze inna przyczyna: poeta myśli magicznym rytmem obrazów, proza wpycha w dyskurs, a więc w świat konwencji i kalkulacji. O duszę wilgotną trudniej prozaikowi aniżeli poecie.

Ciekawe, że w pochodzącym z czasu pisania tej powieści i wspomnianym już tekście *Kilka problemów osobistych* Miłosz pisze o niepowodzeniu, jakim okazuje się również udana próba mistrzowskiego spełnienia wymogów pisarskiego warsztatu, i z żalem wyznaje: „A ja, wyruszając w moją podróż, miałem nadzieję odnaleźć ukrytą formułę, pozwalającą przeniknąć w sam ogród rzeczywistości, tam gdzie prawidła gry są już niepotrzebne". Ale, być może, tak jak nie ma powrotu i jak nie można odzyskać utraconej niewinności, tak nie można przedrzeć się do rzeczywistości w literaturze. Pamięć ma czarodziejską zdolność zamieniania „było" na „jest", ale właściwe literaturze opóźnienie (bo zapis wymaga czasu oraz namysłu) i świadomość obecności retorycznych sideł, jakie zastawia na nas język, rodzą dystans i wyobcowują, każą podejrzliwie myśleć o tym, co „jest" w przedstawieniu literackim jako o figurze stylu... Czym jednak wytłumaczyć tajemniczą i krzepiącą pewność, że z tej powieści nie tyle dowiaduję się o rzeczywistości więcej, co dowiaduję się o niej b a r d z i e j, że powieściowa rzeczywistość jawi mi się w stopniu wyższym aniżeli ta, w której tkwię na co dzień? I że chciałbym ją przeżyć jako swoją własną?

(*1998, 2009*)

Spis treści

Książkę wydrukowano na papierze Ecco Book Cream 70 g, vol. 2,0

Printed in Poland
Wydawnictwo Literackie Sp. z o.o., 2009
ul. Długa 1, 31-147 Kraków
Skład i łamanie: Edycja
Druk i oprawa: Drukarnia Narodowa S.A.